D1360685

LES ÂMES BLESSÉES

BORIS CYRULNIK

LES ÂMES BLESSÉES

15, rue Soufflot, 75005 Paris

www.odilejacob.fr

ISBN : 978-2-7381-3146-1

PROLOGUE

Au fond du grenier, un étrange cartable d'écolier. Je l'ai reconnu grâce à la poignée en ficelle que j'avais bricolée quand l'originale s'était cassée. C'est curieux d'éprouver du plaisir en retrouvant un vieil objet. J'avais vécu sept ans avec ce sac usé. Il évoquait je ne sais quoi, un peu de tristesse et de beauté, ce compagnon de mon enfance.

Je venais de prendre la responsabilité d'un centre de postcure psychiatrique au Revest, près de Toulon. Seul médecin pour soixante-dix lits, c'est ainsi que l'on parlait en 1970. J'étais monté à Sannois, pour dire bonjour à Dora, la sœur de ma mère qui m'avait recueilli après la guerre, et je traînais dans le grenier, je ne sais plus pourquoi.

J'ai dépoussiéré le vieux sac, avec beaucoup de tendresse et, quand je l'ai ouvert, j'ai trouvé une trousse de crayons, de stylos à plume et un compas. Un trésor de mémoire. Il y avait aussi deux ou trois rédactions, comme on nous en faisait faire à cette époque, en 1948. L'une d'elles questionnait : « Que voulez-vous faire quand vous serez adulte ? » Je m'amusais de la réponse que je m'apprêtais à lire, et j'attendais les mots

« pompier », « explorateur » ou « docteur », quand j'ai été stupéfait de voir que je voulais devenir psychiatre. J'avais 11 ans et tout oublié.

Comment est-ce possible ? Comment pouvais-je me soucier de la folie et désirer la soigner, à une époque où j'entrais douloureusement dans l'existence ? Où avais-je entendu ce mot que l'on prononçait peu dans ce milieu qui, désespérément, cherchait à retrouver un peu de joie de vivre ?

Très jeune, j'ai été un petit vieux. La guerre m'avait forcé à me poser des questions qui n'intéressent pas les enfants, d'habitude : « Pourquoi a-t-on fait disparaître mes parents ? Pourquoi a-t-on voulu me tuer ? J'ai peut-être commis un crime, mais je ne sais pas lequel. » Dans mon langage intérieur, je ne cessais de me raconter un récit lancinant que je ne pouvais pas dire. Je revoyais le scénario de mon arrestation, la nuit, quand des hommes armés avaient entouré mon lit, une torche électrique dans une main, un revolver dans l'autre et des lunettes noires la nuit, pour rafler un enfant de 6 ans. Dans le couloir, quelques soldats allemands presque au garde-à-vous, dans la rue des camions bourrés de gens et contre le trottoir, deux Tractions Avant attendaient pour nous emmener. Allez raconter ça, et vous verrez la tête des autres.

Comment expliquer que je n'aie pas eu peur, que j'aie été intéressé par mon arrestation et que, plus tard, j'aie été fier d'avoir pu m'évader. J'étais interloqué par les adultes qui me protégeaient en m'expliquant que j'étais un enfant dangereux, j'étais désorienté par les soldats qui devaient me tuer et me parlaient gentiment en me montrant la photo de leur petit garçon.

Comment comprendre ça ? C'était passionnant, c'était terrible. Je ne voyais autour de moi qu'un monde d'adultes confus, gentils et dangereux. Dans un tel contexte, il fallait se taire pour ne pas mourir. Je ressentais en moi une énigme dramatique et captivante pour quelque chose qui condamnait à mort à cause du mot « juif » dont je ne connaissais pas la signification.

C'était peut-être ça qu'on appelait « folie », un monde incroyable où des adultes incohérents me protégeaient, m'insultaient, m'aimaient et me tuaient. J'étais, dans l'esprit des autres, quelque chose que je ne savais pas, et cette énigme me troublait, délicieuse et inquiétante. Pour maîtriser ce monde et ne pas y mourir, il fallait comprendre, c'était ma seule liberté. Enfant dans de telles conditions, j'ai cru que la psychiatrie, science de l'âme, pouvait expliquer la folie du nazisme et l'incohérence des gens qui m'aimaient en souffrant. La nécessité de rendre cohérent ce chaos affectif, social et intellectuel m'a rendu complètement psychiatre, dès mon enfance.

Autour de moi, on expliquait la guerre et l'immense crime des nazis en affirmant que Hitler était syphilitique. Cette maladie l'avait rendu fou et comme il était le « Führer », il avait le pouvoir de commander aux armées et d'induire des pensées folles dans l'esprit des gens qui devaient nous tuer pour lui obéir. Cette explication avait l'avantage de mépriser celui qui nous avait méprisés, comme si l'on avait pensé : « Il a une maladie honteuse qui lui ronge le cerveau et explique les actes fous qu'il a commandés. » Les progrès médicaux des années 1950 structuraient les récits de la culture, en lui fournissant des arguments faciles pour expliquer la folie sociale du nazisme. Un peu plus tard, lors des années 1960, quand la psychanalyse a commencé à participer aux débats culturels, on a affirmé que Hitler était hystérique, et quand la psychiatrie a ajouté son grain de sel, on a dit qu'il était paranoïaque. Puis, en 1970, la découverte de l'altération des neurones moteurs de la base du cerveau dans la maladie de Parkinson a expliqué le tremblement de la main gauche que Hitler cachait derrière son dos, et ce fut suffisant pour expliquer les décisions d'un homme dont la démence avait provoqué la guerre mondiale.

Ces explications n'expliquaient rien, mais donnaient une forme verbale dans une société cartésienne qui, constatant un effet fou, comme la guerre ou le racisme, devait lui trouver une cause folle puisée dans les stéréotypes que récitait la culture ambiante. On se payait de mots et ça nous convenait puisqu'on pouvait enfin expliquer l'incompréhensible grâce à une pensée simple, donc abusive. Aujourd'hui, dans un contexte scientifique où la neuro-imagerie découvre les altérations cérébrales et psychologiques que provoquent toutes les formes de maltraitance (physiques, sexuelles, verbales et affectives), on trouve encore des auteurs qui expliquent que le nazisme a existé parce que le petit Adolphe a reçu des fessées.

Les pensées simples sont claires, dommage qu'elles soient fausses. Les causalités linéaires n'existent pratiquement jamais, c'est un ensemble de forces hétérogènes qui convergent pour provoquer un effet ou l'atténuer. Certains se plaisent dans cette pensée systémique qui donne la parole a des disciplines différentes et associées. D'autres sont irrités, car ils préfèrent les explications linéaires qui donnent des certitudes : « Le nazisme s'explique par la syphilis de Hitler », disent ceux qui surestiment la médecine. « Pas du tout, répondent ceux qui aiment les théories économiques, c'est le capitalisme qui a provoqué le nazisme. » « Certainement pas, rétorquent certaines féministes, le nazisme est l'aboutissement du machisme. » Chacun trouve son compte, mais la réalité mouvante ne peut être réduite à une simple formule.

Le fracas de mon enfance m'avait enseigné que le Diable et le Bon Dieu ne sont pas en conflit. Je pensais même qu'ils étaient copains quand le soldat allemand en uniforme noir, dans la synagogue de Bordeaux transformée en prison, était venu gentiment me montrer les photos de son petit garçon ou quand la religieuse avait refusé d'ouvrir la porte du couvent, alors que j'étais pourchassé par une voiture militaire allemande. Je me souviens de sa cornette dans l'entrebâillement de la lourde porte, je me souviens qu'elle criait : « Je ne veux pas de cet enfant ici, il est dangereux. » Au même moment, d'autres prêtres risquaient leur vie pour sauver des enfants qu'ils ne connaissaient pas. Il y a quelques mois, j'ai rencontré un médecin qui avait travaillé avec le docteur Mengele, à Auschwitz, lors de ses expérimentations médicales terrifiantes et inutiles. Il témoignait de la politesse, de la correction et de la grande humanité du bourreau. Les hasards de la vie m'ont permis d'établir des relations affectueuses avec des fonctionnaires qui avaient travaillé avec Maurice Papon. Ils racontaient son excellente éducation, sa grande culture et le plaisir qu'ils avaient eu à collaborer avec cet homme qui, d'un trait de stylo, avait condamné à mort plus de mille six cents personnes qu'il savait innocentes. C'est trop facile de penser que seuls les monstres peuvent commettre des actes monstrueux.

Je me disais qu'après tout le Diable avait été un ange et que Dieu avait permis Auschwitz. L'histoire de ma vie me donnait des modèles qui empêchaient l'extrémisme, l'explication par une seule cause, le noir ou le blanc, le bien ou le mal, le Diable ou le Bon Dieu. Ces outils de pensée me paraissaient abusifs, caricaturaux même. Je préférais les nuances que j'avais connues dans mon enfance, même quand elles paraissaient illogiques. Et comme j'avais besoin de comprendre pour me sauver, il fallait que je devienne psychiatre afin de regagner un peu de liberté.

L'histoire de mon enfance m'avait orienté vers le choix de la psychiatrie, ou plutôt vers l'idée que je me faisais de cette discipline. Je crois qu'il en est de même pour tout choix théorique. Les abstractions ne sont pas coupées du réel, elles donnent une forme verbale à notre goût du monde. La cohérence théorique nous rassure en nous donnant une vision claire et une conduite à tenir. Mais une autre histoire de vie aurait donné cohérence à une autre théorie. Aucune théorie ne peut être totalement explicative, sauf les théories à prétention totalitaire. Un jeune psychiatre choisit une théorie biologique du psychisme, avant toute expérience de l'existence, parce que son histoire l'a rendu sensible à une telle représentation. Une autre expérience l'aurait rendu attentif aux effets psychiques de la relation, et un troisième préférera les explications sociales ou spirituelles. Pour chacun, sa théorie apporte une vérité partiellement vraie et totalement fausse. Le drame commence quand, convaincu qu'il est le seul détenteur du savoir, il utilise les armes pour l'imposer aux autres.

Soixante-dix ans plus tard, j'ai compris que la psychiatrie ne pourra jamais expliquer le nazisme. Partant en voyage pour explorer le continent d'une utopie criminelle, j'ai découvert les îles de la Sérendipité, pour mon plus grand bonheur. J'ai commencé ma navigation dans les années 1960, quand les récits sociaux légitimaient la lobotomie, l'enfermement entre les murs et sur la paille dans les hôpitaux. Cinquante ans plus tard, notre culture a mis au monde une psychiatrie plus humaine, aidée par une technologie qui nous invite à tout repenser. Les jeunes qui entrent dans la carrière de cette discipline dont la naissance a été difficile vont connaître une aventure passionnante et utile.

Je me suis fait psychiatre pour expliquer le nazisme, le maîtriser et m'en libérer. Les persécutions de mon enfance ne m'ont pas permis de suivre une scolarité normale, c'est peut-être ce qui explique mon cheminement marginal (ce qui ne veut pas dire opposé à la culture). Un jour, à son séminaire à l'université Paris-Diderot, Vincent de Gaulejac m'a dit : « Si tu avais été à l'école, tu aurais suivi un cheminement classique. Ta marginalité apporte des idées inattendues[1]. »

Le nazisme est un accident délirant de la belle culture germanique. J'ai pensé que le Diable était un ange devenu fou, et qu'il fallait le soigner pour ramener la paix. Cette idée enfantine m'a engagé dans un voyage de cinquante ans, passionnant, logique et insensé à la fois. Ce livre en est le journal de bord.

1. Gaulejac V. de, *Histoires de vie et choix théoriques*, séminaire université Paris-Diderot, 2014. C'est Vincent de Gaulejac qui travaille le mieux cette connexion particulière entre le vécu intime et la formulation théorique.

CHAPITRE 1

PSYCHOTHÉRAPIE DU DIABLE

Comprendre ou soigner

Il faisait beau à Paris, en mai 1968. L'air était léger, tout le monde parlait à tout le monde, sur le trottoir, au milieu des rues, à la terrasse des cafés. On faisait de petits attroupements, on se disputait, on riait, on se menaçait, on argumentait vigoureusement sur des problèmes dont on ne connaissait pas le moindre mot. C'était la fête ! Dans le grand amphithéâtre de la Sorbonne, un imprécateur galvanisait l'auditoire. Je savais qu'il était schizophrène car je l'avais entendu délirer, quelques jours avant, dans un service de psychiatrie de l'hôpital Sainte-Anne. Mais là, je voyais ce patient au micro expliquer à voix forte sa conception de l'existence. Le public, enthousiasmé, applaudissait et criait à la fin de chaque phrase. Alors il souriait, attendait la fin des acclamations et prononçait une autre phrase qui provoquait une nouvelle allégresse, et ainsi de suite.

Dans le hall de la faculté de médecine, un petit monsieur, avec une canne élégante, expliquait comment un même fait pouvait être interprété de manière radicalement opposée. Il nous racontait que Cook, le navigateur anglais, en découvrant la liberté sexuelle des Polynésiens, avait parlé d'« immoralité », alors que le Français Bougainville en faisait la preuve d'une « idylle naturelle ».

Nous applaudissions, nous nous disputions à chacune de ses phrases, et personne ne savait que ce petit monsieur s'appelait Georges Devereux, professeur d'ethnopsychiatrie au Collège de France. Nous étions heureux quand il nous disait que les missionnaires offusqués avaient imposé aux Polynésiennes le port de robes ultrapuritaines qui avaient tellement émoustillé la curiosité des hommes qu'elles avaient provoqué une flambée de hardiesses sexuelles[1].

Dans le grand amphithéâtre de la Sorbonne, mon schizophrène provoquait, lui aussi, l'enthousiasme des foules en affirmant que « destruction n'est pas démolition », en précisant que la télévision volait ses idées pour les implanter dans l'âme des innocents, en affirmant que la névrose était la conséquence de la morale sexuelle et en engageant chaque personne à fuir dans la stratosphère où mille vies étaient possibles dans l'horreur du Paradis d'où il revenait à l'instant.

Chacune de ses phrases, intelligentes ou surprenantes, provoquait une explosion d'acclamations. J'étais en compagnie de Roland Topor qui, pour une fois ne riait pas. J'ai même cru percevoir un peu d'ironie dans son sourire, qui contrastait avec la ferveur de ceux qui prenaient des notes.

Mon schizophrène avait un public qui réagissait avec la même dévotion que la nôtre quand nous

1. Devereux G., *De l'angoisse à la méthode dans les sciences du comportement*, Paris, Flammarion, 1980, p. 198.

écoutions le professeur du Collège de France. Ayant aperçu ce patient quelques jours avant dans un service de psychiatrie, j'en avais trop vite conclu que son auditoire était composé de naïfs, ravis de se laisser embarquer par leurs émotions plutôt que par leurs idées. Je me croyais initié puisque je savais d'où venaient ces idées délirantes, que les non-initiés adoptaient avec ferveur. J'avais tort. Aujourd'hui, je dirais que les utopies scientifiques ont sur le public le même effet séparateur entre « celui qui croyait au ciel et celui qui n'y croyait pas[2] ». Avant toute raison, nous éprouvons une sensation de vérité qui parle de notre goût du monde, plus que de sa réalité.

L'objet du chirurgien est plus facile à comprendre. C'est un morceau de corps cassé, un tube bouché ou une masse abîmée qu'il convient de réparer afin que l'ensemble se remette à fonctionner. Dans les sépultures anciennes, on trouve beaucoup de squelettes d'enfants et de femmes très jeunes. Les squelettes d'hommes plus âgés (40 à 50 ans) sont presque tous polyfracturés, prouvant que la violence du travail, de la chasse et des bagarres est une manière archaïque de fabriquer du social. Les cals osseux soudés en bonne position témoignent que les paléochirurgiens connaissaient l'art de construire des attelles. Mais les trépanations ? Quelle indication pour une trépanation ? Bien avant le néolithique, les « neurochirurgiens » savaient couper les os du crâne avec des silex taillés. La plaque osseuse détachée provient toujours d'une face latérale du crâne, car

2. Aragon L., *La Rose et le Réséda*, Paris, Seghers, 1944.

une trépanation médiane aurait déchiré le sinus veineux situé au-dessous et provoqué la mort de l'opéré.

J'ai vu à Sabbioneta, près de Mantoue, le crâne du seigneur Vespasiano Gonzaga (1531-1591), trépané pour des céphalées et ce qu'on appellerait aujourd'hui une paranoïa. Ce chef de guerre, constructeur de villes et de théâtres, se prenait pour un empereur romain. On peut lire, dans le compte rendu opératoire[3], qu'il souffrait de la folie des grandeurs et de persécution. Le trou de trépanation est énorme et le bourrelet osseux prouve qu'il a vécu plus de vingt ans après l'opération. C'est probablement un stéréotype culturel, une pensée toute faite, qui a posé l'indication de l'ouverture du crâne. Un slogan de l'époque répétait probablement qu'un démon habite dans le crâne de ceux qui souffrent de céphalées et d'idées de grandeur. L'indication neurochirurgicale était logique : il suffit de tailler une fenêtre dans l'os du crâne pour que le démon s'échappe, soulageant le seigneur qui redeviendra normal.

C'est une croyance qui donne à une plainte sa signification morbide. C'est une représentation culturelle qui entraîne des décisions thérapeutiques différentes[4]. Ce n'est pas seulement la maladie qui provoque des débats techniques, ce sont aussi des conflits de discours qui finissent par imposer une vision de la maladie, dans un contexte social et pas dans un autre.

3. Maffezzoli U., Paolucci A., *Sabbioneta. Il Teatro all'Antica*, Modène (Italie), Il Bulino, 1991.
4. Severi C., « Les ratés de la coutume. Folies chrétiennes et rituels de guérison », *L'Homme*, Éditions de l'EHESS, n° 150, avril-juin 1999, p. 235-242.

Tout innovateur est un transgresseur

Au XIXᵉ siècle, la fièvre puerpérale tuait 20 % des jeunes accouchées. On expliquait cette catastrophe en disant que la lactation, survenant à un moment où l'air était vicié, provoquait la faiblesse mortelle des jeunes femmes. Ignace Semmelweis découvrit que les médecins qui pratiquaient les accouchements en sortant des salles de dissection avaient un taux de mortalité bien supérieur à ceux qui ne pratiquaient pas d'autopsies[5]. Cette découverte, qui mettait en cause les pratiques médicales, a indigné les universitaires qui se sont défendus en dénonçant les troubles psychiatriques dont commençait à souffrir Semmelweis. Il est mort quelques semaines après son internement dans un asile, mais, grâce à lui, l'espérance de vie des femmes a doublé en quelques années.

L'objet de la chirurgie qui, théoriquement est situé en dehors de l'observateur, aurait dû facilement devenir un objet de science. Or il n'exclut ni le monde mental du chirurgien, ni le contexte social, ni la guerre des récits. Alors, comment voulez-vous que la folie, objet flou de la psychiatrie, soit une chose palpable, mesurable et manipulable comme si le contexte technique et le prêt-à-penser des stéréotypes culturels n'existaient pas ?

Aujourd'hui, la science, à son tour, participe aux pensées toutes faites, car l'attitude scientifique produit une sensation de vérité : « Le livre de la nature est écrit

5. Semmelweis I., *Die Aetiologie, der Begriff und die Prophylaxis des Kindbettfiebers* (*L'Étiologie, la signification et la prophylaxie de la fièvre puerpérale)*, Leipzig, Wiem Hartleeben's Verlags-Expedition, 1861.

en langue mathématique », affirme Galilée. Sans cette formulation, il n'y a pas d'accès aux phénomènes dénommés « lois » de la nature. Les matheux, en effet, possèdent cette forme exceptionnelle d'intelligence qui leur permet, grâce à un procédé de langage, sans observation et sans expérimentation, de donner une forme vraie à un segment de réel. Quelle prouesse ! Mais un paysan vous dira que connaître la formule chimique d'une tomate ne la fait pas pousser et un psychiatre confirmera que préciser la formule chimique d'un neuromédiateur ne soulage pas un schizophrène. On peut agir sur le réel grâce à d'autres modes de connaissance. Vous ne soupçonnez pas le nombre d'hommes qui ont su faire un enfant à leur femme sans rien connaître en gynécologie !

Dans la vie courante, le simple fait d'employer le mot « science » suggère implicitement qu'on aurait saisi une loi qui nous permettrait de devenir maître du réel. N'est-ce pas un fantasme de toute-puissance ? Quand on est enfant, la pensée magique nous satisfait. Il suffit de ne pas marcher sur les petits espaces qui disjoignent les pierres du trottoir pour avoir une bonne note à l'école. Un petit bracelet de laine donné par un adulte nous fait éprouver le sentiment que, grâce à cet objet, on va gagner le match de football. Ça n'agit pas sur le réel, mais ça contrôle notre manière d'éprouver le réel, donc de nous y engager.

À ce titre, vivre dans une culture où les données de la science structurent les récits, c'est alimenter « la grande utopie de la puissance humaine, de la force de la raison et de l'établissement à venir de bonheur universel[6] ».

6. Omnès R., « Les utopies des savants », *Le Monde des débats*, mars 2000, p. 23 ; et *Philosophie de la science contemporaine*, Paris, Flammarion, 1994.

Nous nous sentons surhommes parce que nous baignons dans des récits qui racontent les prodigieuses victoires de la science et nous font croire que nous pouvons tout maîtriser. Voir un phénomène psychiatrique, c'est donc s'engager dans la production d'une observation, avec notre tempérament et notre histoire privée. Les comptes rendus d'événements, les fables familiales et les mythes scientifiques nous entraînent à prépenser les faits.

Il y a deux mille quatre cents ans en Grèce, Hippocrate observe un phénomène étrange. Un homme, soudain, pousse un cri guttural, tombe, convulse par terre, se mord la langue, urine sous lui et, après quelques secousses, reprend conscience et se remet à vivre sans trouble apparent. Le médecin affirme : « Ça vient du cerveau. » Un prêtre s'indigne : « C'est une possession démoniaque. » Et un courtisan de César s'exclame : « C'est un Haut Mal, c'est la visite d'un esprit supérieur. »

Comment expliquer ces divergences sincères ? Hippocrate, ayant été chirurgien, savait que, derrière la peau, il y a un câblage de nerfs, de vaisseaux et de tendons enroulés autour d'une charpente osseuse. Son expérience personnelle lui avait appris à chercher une cause naturelle aux phénomènes observés. Le prêtre, lui, passait sa vie à socialiser les âmes, à les contraindre à concevoir un monde de même type. Il a bien vu que cet homme, en criant, en urinant et en se débattant par terre, n'avait pas respecté les codes de la bienséance. Le prêtre pense qu'il a perdu la raison et que le Dieu tout-puissant l'a puni pour ce péché. Quant au courtisan, admiratif de César dont il attendait probablement une promotion, il avait intérêt à penser que le fait qu'un empereur perde connaissance et tremble par terre était la preuve d'une initiation sacrée. Croyant décrire un même phénomène, les trois témoins ne parlaient que de leur propre manière de voir le monde.

Ils ont tous raison. Les neurosciences confirment la conception naturaliste d'Hippocrate. Mais lorsqu'un malheur frappe une personne, celle-ci ne peut s'empêcher de penser : « Qu'ai-je fait pour mériter une telle souffrance ? Pourquoi moi ? » Le blessé de l'âme valide l'interprétation du prêtre : « Dieu m'a envoyé cette épreuve pour me punir d'une faute que j'ai dû commettre. » Dans un tel malheur, le prêtre propose une possibilité de rachat. Il faut faire un sacrifice pour payer cet égarement. Dans un monde de la faute, le mélancolique qui se punit en s'infligeant une souffrance supplémentaire s'offre en fait un moment d'espoir : « J'ai commis un péché, c'est normal que je sois puni, mais je sais qu'après l'expiation viendra la rédemption. » Pour un mélancolique, se punir est un remède[7].

Quant au courtisan de César, celui qui voit l'égarement de la raison comme un mal sacré, il est, aujourd'hui encore, approuvé par un grand nombre de philosophes et de psychiatres. Après Mai 68, il y a eu une avalanche de publications qui glorifiaient la psychose. Tout le monde citait Érasme et son *Éloge de la folie*. Ça me plaisait de penser qu'il y avait de l'humanité dans l'aliénation, et que l'on pouvait sortir grandi de la folie. Mais cet aimable désir n'a été confirmé ni par la lecture d'Érasme ni par la visite des hôpitaux psychiatriques. En fait, la folie dont Érasme parle, c'est celle des gens

7. Pewzner E., *L'Homme coupable. La folie et la faute en Occident*, Toulouse, Privat, 1992, p. 69-89.

normaux : les théologiens, les moines et les superstitieux. Son « éloge » est une critique des mœurs du XVIe siècle, non pas une célébration de la maladie mentale. Cet énorme contresens ne semblait pas gêner mes collègues, débutant comme moi en psychiatrie et heureux de donner l'impression que nous volions au secours de « nos » malades, en leur gardant notre estime et en les remerciant de ce qu'ils avaient à nous apprendre.

Un monstre à deux têtes : la neuropsychiatrie

En 1966, j'ai donc rendu visite à Jean Ayme qui était chef de service à l'hôpital de Clermont-de-l'Oise, dans la banlieue parisienne. Ce médecin des hôpitaux psychiatriques militait pour établir la « politique du secteur » qui a permis d'ouvrir les asiles et de soigner les malades à domicile. En revendiquant sa passion pour Marx et pour Lacan, il s'inscrivait parfaitement dans les idées novatrices de l'époque.

Visitant cet asile, avec en tête la générosité d'Érasme et l'intellectualité de Lacan, je me suis retrouvé face à un réel terrifiant. Jean Ayme m'a accueilli avec chaleur : « Voulez-vous faire la visite avec moi ? » Nous sommes partis, accompagnés par deux infirmiers dont l'un avait les yeux pochés. À la main, il tenait un énorme trousseau de clés. À chaque porte, il fallait tâtonner pour ouvrir, ici sur une salle, là sur une cour. Nous étions scrutés par des malades hostiles et silencieux. Quelques-uns déambulaient en marmonnant. Jusqu'au moment où nous sommes arrivés aux dortoirs : trois grandes pièces parallèles débouchant sur un même couloir. Les infirmiers ont fait sortir les malades de la première salle et, pendant qu'ils étaient dans le couloir, ils ont enlevé à la fourche la paille qui composait la litière de ces hommes. D'un coup de jet d'eau, ils ont lavé le sol puis remis une couche de paille fraîche. Ils ont fait rentrer les malades et sont passés à la salle suivante.

Nous étions loin de l'ironie d'Érasme et des envolées lacaniennes. Jean Ayme m'a expliqué : « On est médecins des hôpitaux psychiatriques mais on n'est pas psychiatres. Ce n'est pas obligatoire pour être chef de service, d'ailleurs, la spécialité n'existe pas. Les candidats apprennent un peu de neurologie et, s'ils sont reçus, ils peuvent prendre des schizophrènes en psychothérapie. » Je ne savais pas ce qu'était un schizophrène ni comment on faisait pour le « prendre » en psychothérapie. « Nous sommes ici pour soigner la pneumonie des fous, a-t-il ajouté, mais la société ne nous demande pas de soigner la folie. Avec Lucien Bonnafé, nous voulons que ça change, mais nous sommes trop légers pour nous faire entendre. Nous sommes payés moins que nos infirmiers en fin de carrière et nous dépendons du ministère de l'Intérieur, comme les directeurs de prison. Est-ce vraiment le métier que vous voulez faire ? »

Je suis rentré chez moi, sonné par la paille des dortoirs, par les portes fermées, les trousseaux de clés, les yeux pochés de l'infirmier, le silence hébété des malades et soudain les hurlements de l'un d'eux, une immense baraque qui s'était mis tout nu et qu'on venait d'attraper pour l'isoler dans une cellule capitonnée. Le réel de l'asile était loin de mon désir de comprendre et d'aider.

J'ai choisi la neurologie. Ce fut un bon choix. J'avais la possibilité de prendre un poste d'interne en psychiatrie dans un service de neurochirurgie, chez le professeur David, à l'hôpital de la Pitié. En 1967, peu d'internes s'intéressaient à cette discipline où il y avait trop de casse, disait-on. C'était l'époque des dogmes « cerveau touché, cerveau foutu... on perd plusieurs centaines de milliers de neurones par jour... on fait des diagnostics brillants qui ne servent à rien puisqu'une lésion cérébrale n'est pas curable ».

Les salles étaient immenses, soixante lits, je crois. Les relations entre soignants étaient gaies et chaleureuses. On apprenait sans cesse puisque la discipline était en train de naître. La technologie commençait à faire mentir le dogme « cerveau touché, cerveau foutu ». Grâce à l'échographie qui, à cette époque, ne s'appliquait qu'au cerveau, on pouvait déterminer que, si un hémisphère était déplacé, c'est qu'il y avait de l'autre côté une tumeur ou une poche de sang qui le poussait. En injectant des substances dans les carotides, on pouvait voir à la radio le déplacement des artères ou l'hémorragie qui dessinait une masse opaque en pleine matière cérébrale. En enlevant le liquide céphalo-rachidien par une ponction lombaire, on voyait entre les os du crâne et le cortex cérébral apparaître des déformations, des malformations et... des atrophies cérébrales. La plupart des médecins riaient, tant cette idée d'atrophie leur paraissait impensable. Il est un fait que cette image nous intriguait. Je me souviens du président d'une grande entreprise qui gérait bien sa boîte et dont pourtant le cerveau avait presque fondu. J'étais désorienté par ce gamin surdoué en mathématiques qui venait de réussir le concours d'entrée d'une grande école alors que son cerveau était très atrophié. « À quoi sert un cerveau ? », disions-nous en riant. « Certainement pas à réfléchir. » Cette spécialité naissante devenait passionnante. Chaque jour apportait son lot de connaissances, de surprises stimulantes et de découvertes technologiques. Les malades sortaient de mieux en mieux guéris, souvent même en n'ayant aucune conscience de ce qui leur était arrivé. Je me souviens de cette garde où nous avions reçu un hématome extradural. L'homme était tombé d'un échafaudage et une artère rompue saignait dans sa tête. Il fallait l'opérer vite pour empêcher le sang d'écraser le cerveau. Tous les anesthésistes du service étaient déjà engagés. Alors le chirurgien a trouvé la solution logique, il m'a dit : « Endors-le. » J'étais terrorisé. Comme le malade était dans le coma, j'ai poussé dans ses veines le moins de produit possible si bien qu'il s'est réveillé, en cours d'intervention, dès que la poche de sang a été évacuée. Nous étions sous les draps tous les deux, pendant que le chirurgien opérait au-dessus. Le malade conscient, mais dont le cerveau battait à l'air libre m'a regardé stupéfait. Je l'ai vite rassuré : « Surtout ne bougez pas, monsieur », et j'ai poussé une nouvelle giclée de produits anesthésiants. Quelques jours plus tard, en chemise blanche et cravate rouge, il nous quittait en souriant, ne croyant pas vraiment ce qu'on lui racontait.

Traitement violent pour culture violente

Curieusement, c'est la lobotomie qui a le plus efficacement combattu le dogme « cerveau touché, cerveau foutu ». En 1935, le neurologue portugais Egas Moniz avait découvert qu'en coupant la zone préfrontale du cerveau, on parvenait à soigner certaines psychoses. Par quel chemin peut-on trouver une telle idée ? Le bonhomme était exceptionnel. Nommé professeur de neurologie en 1911, il fut ministre en 1917, présida la conférence de la Paix en 1919, découvrit, en 1921, qu'il suffisait d'injecter un produit opacifiant dans une artère du cou pour rendre visibles à la radio toutes les artères cérébrales, ce qui lui valut en 1949 un prix Nobel bien mérité. Ce fonceur mondain et intelligent se nourrissait des incontestables progrès de la neurologie et baignait dans une culture où la violence gouvernait la vie sociale. Violence de la Première Guerre mondiale, mais aussi violence de l'industrialisation, de l'usine et de la mine où les hommes étaient héroïsés, c'est-à-dire sacrifiés avec admiration parce qu'ils avaient le courage de se laisser détruire en travaillant dans le noir quinze heures par jour afin que vive leur famille. Violence contre les femmes, adorées pour leur abnégation dans la maternité et le soutien qu'elles apportaient à leur mari. Violence éducative où il était normal de battre les garçons, de les dresser afin qu'ils ne deviennent pas des bêtes sauvages. Violence contre les filles qu'il fallait entraver afin de les empêcher de se prostituer. La violence des soins s'inscrivait dans cette logique, quand on mettait des attelles en bois sur les jambes cassées, quand on arrachait par surprise les amygdales des enfants en leur demandant de fermer les yeux et d'ouvrir la bouche pour recevoir un bonbon, quand on amputait les blessés sans les anesthésier et quand on préparait les femmes à l'accouchement avec douleur en leur expliquant qu'elle était nécessaire pour aimer leur enfant. Dans un tel contexte culturel il était facile de se laisser entraîner à soigner la folie avec violence. La police faisait des placements d'office dans les hôpitaux psychiatriques et enlevait leurs enfants aux mères tuberculeuses ou trop pauvres pour nourrir leur famille. On soignait donc les fous avec des chocs : chocs cardiazoliques, chocs électriques, camisoles de force, comas insuliniques et mêmes chocs cathartiques pour les aider psychiquement à décharger leurs affects.

Dans un tel contexte de violence morale, couper un morceau de cerveau n'était pas pensé comme un crime, puisque ça permettait aux fous d'aller mieux. La chirurgie de la folie[8], conçue par un homme brillant, militant de la paix, s'effectuait parfois humainement dans de belles salles d'opération des grands hôpitaux, mais le plus souvent, dans des pièces sordides d'hôpitaux psychiatriques[9].

Le fondement neurologique de cette opération était logique, lui aussi. Egas Moniz qui avait fait ses études à Paris, à la Salpêtrière, temple mondial de la neurologie, avait appris que les neurones préfrontaux, socle neurologique de l'anticipation, étaient connectés avec le thalamus, sorte de grappe de raisin à la base du

8. Thuillier J., *La Folie. Histoire et dictionnaire*, Paris, Robert Laffont, « Bouquins », 1996, p. 149.
9. Témoignages de mon maître Roger Messimy et de mon ami Gérard Blès.

cerveau. Dans les névroses obsessionnelles, les neurones préfrontaux, pensait Moniz, envoient des impulsions qui font répéter mille fois le même geste de se laver les mains, de se raser jusqu'à ce que la peau saigne ou d'essuyer sans cesse la poignée de la porte souillée par des microbes imaginaires. Il suffisait donc de couper les connexions thalamo-préfrontales pour supprimer la répétition des obsédés. Ce qui fut réalisé avec succès. L'intervention était facile et indolore, les accidents opératoires furent rares et, en effet, les obsessions mentales et les comportements de lavage disparaissaient dès l'instant où les neurones étaient coupés. Une merveille !

J'ai assisté à plusieurs lobotomies. Un ingénieur qui avait été brillant et heureux père de famille avait senti sa vie psychique sombrer en quelques années. Il passait au moins trois heures, chaque matin, à se raser en vérifiant qu'aucun poil n'était plus long qu'un autre. Il essuyait la poignée de la porte de sa salle de bains, pensant que, malgré ses lavages répétés, elle devait être encore un peu polluée. Puis il mettait deux heures à traverser le couloir, en s'appliquant à mettre ses pas aujourd'hui là où il les avait mis hier. Il avait perdu toute vie mentale, toute vie de famille et, bien sûr toute vie sociale. C'est lui qui a demandé une lobotomie, pensant qu'il n'avait plus rien à perdre.

L'intervention n'a posé aucun problème. Le neurochirurgien bavardait gentiment avec l'opéré en enfonçant doucement une fine tige en acier par le trou que vous pouvez sentir au-dessous de l'arcade sourcilière, près de la racine du nez. Il a légèrement appuyé pour franchir, à la base du crâne, la lame de l'ethmoïde et là, parvenu à la face inférieure du lobe préfrontal, il a poussé de l'eau distillée pour dilacérer les neurones. C'est alors que l'obsédé a souri, a longuement soupiré et a dit : « Je me sens bien tout à coup, soulagé… soulagé. » Sa névrose obsessionnelle avait disparu ! Les contraintes à la répétition aussi. Libre, il se sentait libre ! Il est parti réconforter tous les malades du service, même ceux qui étaient en coma. Il est rentré chez lui en parlant gaiement à sa famille médusée.

Trois semaines plus tard, il est revenu dans le service. La névrose obsessionnelle s'était à nouveau emparée de son âme. Mais les vérifications duraient moins longtemps, de moins en moins longtemps. Le malade se déplaçait peu, puis il s'est assis sur une chaise et n'a plus bougé. Devenu incapable d'anticipation, il ne pouvait plus rien planifier, ni la toilette qu'il s'apprêtait à faire ni les mots qu'il voulait prononcer. Il se taisait parce que, neurologiquement, il ne pouvait plus avoir l'intention de nous raconter une histoire. Il n'était pas aphasique, il savait parler puisqu'il répondait à nos questions par une phrase brève, mais il était incapable de programmer un récit durable. Les obsessions avaient disparu, les angoisses aussi puisque le lobotomisé ne pouvait plus imaginer ce qui l'attendait : impossible de prévoir le travail qu'il ferait demain, de s'inquiéter des dettes qu'il fallait rembourser, de penser aux enfants qu'il aurait à élever et à la mort qui l'attendait. Libre. Sans angoisse et sans vie psychique. La mort mentale, tel était le prix de la brève liberté que lui avait offerte la lobotomie.

J'ai eu plusieurs fois l'occasion de voir des malades lobotomisés. Pendant quelques années, il y a même eu une vogue pour cette opération que certains psychiatres réalisaient en quelques minutes, au domicile des patients. Walter Freeman, aux États-Unis, en a pratiqué à domicile plus de 3 000 – provoquant ainsi 14 % de décès, des milliers de destructions mentales et quelques guérisons stupéfiantes. À partir de 1950, les neuroleptiques ont disqualifié cette amputation cérébrale, rendu pensable l'ouverture des hôpitaux psychiatriques et, paradoxalement, donné la parole aux psychothérapeutes. Rose, la sœur de John Kennedy, lobotomisée pour retard mental, a survécu jusqu'à l'âge de 86 ans dans des institutions. Les schizophrènes cessaient de s'agiter, ils ne pouvaient plus délirer puisque, ayant perdu la possibilité neurologique de se représenter le temps, ils ne pouvaient plus bâtir un récit. Alors, ils se taisaient ou produisaient quelques associations de mots. On avait remplacé la psychose par la mort psychique. Était-ce une bonne affaire ?

Aujourd'hui, la lobotomie est considérée comme un crime, on n'a pas le droit de détruire le cerveau d'un autre. Mais ce crime est jugé différemment selon les cultures. J'ai eu l'occasion de rencontrer une psychothérapeute de renommée internationale qui, il y a quelques années, a soudain souffert d'intenses troubles de l'équilibre et ne pouvait plus contrôler ses mouvements. Dès qu'elle voulait se déplacer, ses bras, ses jambes et son corps s'affolaient en tous sens, comme en une ridicule danse javanaise. En France, un scanner a découvert un petit entrelacement de vaisseaux qui stimulaient un lobe cérébelleux. Impossible de soigner cette femme puisqu'on n'avait pas le droit de couper son cervelet. Elle est partie aux États-Unis où un chirurgien a sectionné les neurones qui connectaient les hémisphères cérébelleux. Instantanément guérie, elle est revenue en France reprendre son excellent travail.

Toute expérience personnelle oriente vers des théorisations différentes. Tous ceux qui, comme moi, ont aimé la neurologie, ont eu l'occasion de voir comment la structure d'un cerveau et son fonctionnement amènent à percevoir des mondes différents, donc à s'en faire des représentations différentes. Une abeille perçoit les ultraviolets, un serpent les infrarouges, un éléphant les infrasons, un chien les odeurs, un singe les mimiques faciales et un enfant les sons qu'il transforme en signes afin d'accéder à la parole. Lorsque l'appareil à percevoir le monde est cassé par une cécité, une surdité ou une autre altération sensorielle, le monde perçu change de forme et prend une nouvelle évidence. Et lorsque l'appareil à se représenter le monde est violemment modifié par un trauma ou une expérience insupportable, c'est le monde pensé qui change de forme.

Aujourd'hui, les lobotomies sont principalement provoquées par les accidents de moto. On voit souvent des sections des faisceaux thalamo-frontaux, comme le souhaitait Egas Moniz, mais quand le choc est latéral, c'est l'amygdale rhinencéphalique, en bas et au fond du cerveau, qui saigne et laisse un trou quand l'hématome se résorbe. Ce noyau de neurones constitue habituellement le socle des émotions de frayeur. Ces lobotomisés deviennent totalement indifférents et se mettent à souffrir de la vision morne d'un monde sans intérêt. « Je regrette l'époque où je souffrais, disent-ils, car au moins je me sentais vivant. » La lutte contre la souffrance donne sens à notre existence. La lobotomie préfrontale, en supprimant l'angoisse, tue la vie psychique. La lobotomie amygdalienne, en empêchant la douleur, anesthésie le goût du monde qui devient sans saveur. Or nous consacrons une énorme partie de nos efforts affectifs, intellectuels et sociaux à combattre l'angoisse et la souffrance. Mais la stratégie existentielle est différente : elle ne supprime pas les affects, elle les métamorphose. Elle transforme l'angoisse en œuvre d'art et lutte contre la souffrance en organisant un tissu social.

Que la lobotomie soit chirurgicale ou accidentelle, on comprend que l'appareil qui perçoit le monde donne à penser des mondes différents. Mais quand les neurosciences découvrent qu'un appauvrissement de la niche sensorielle qui entoure un bébé provoque une faible stimulation des neurones préfrontaux, on comprend que ce ralentissement équivaut à une lobotomie affective. L'amputation de l'enveloppe affective du nourrisson est presque toujours due à un malheur, une adversité parentale, une précarité sociale ou une anémie culturelle. Il est donc possible d'inculquer à de petits enfants une vision du monde amère et désenchantée en altérant la sensorialité du milieu qui les enveloppe[10], même si les conditions matérielles sont excellentes.

Sainte-Anne : cellule-souche en psychiatrie

Pendant le mois de fête de Mai 68, les services de chirurgie étaient incroyablement vides. Le manque d'essence et les longues grèves avaient fait disparaître

10. Cyrulnik B., « Emotion and trauma », *Medicographia*, « Emotions and depression », vol. 35, n° 3, 2013, p. 265-270.

les accidents de voiture et de travail. Seuls quelques lits étaient occupés par les interventions prévues de longue date. Je m'entendais très bien avec Philippon, jeune chef de clinique qui devait obtenir plus tard la chaire de neurochirurgie. Un soir de morne garde, il me dit : « Je suis débordé, je ne parviens plus à envoyer les comptes rendus de neurologie à *L'Encyclopédie médico-chirurgicale*. Veux-tu prendre ma place ? » J'acceptais aussitôt cette manière agréable de continuer à apprendre. En me présentant au rédacteur, je lui ai demandé si je pouvais faire aussi quelques analyses de travaux éthologiques. « Éthologie ? », a-t-il dit.

Je lui ai expliqué qu'il s'agissait d'une biologie du comportement, une méthode d'observation des animaux qui pouvait être validée par une procédure expérimentale, en laboratoire ou en milieu naturel[11]. Les données scientifiques ainsi recueillies soulevaient des problèmes humains. J'ai vu son regard flotter : « À quel titre feriez-vous ces comptes rendus ? » Je lui ai répondu qu'en 1962 je m'étais présenté au concours de l'Institut de psychologie. La question, cette année-là, portait sur la moelle épinière. Comme cet organe joue un rôle assez moyen dans les réflexions psychologiques, et comme je terminais ma deuxième année de médecine, je fus reçu. Je souhaitais apprendre la « psychologie animale » avec Rémy Chauvin, mais la directrice, Juliette Favez-Boutonnier, m'avait inscrit d'office à un cours de statistiques. Voyant ma frustration, une secrétaire m'avait expliqué que la responsable de l'enseignement militait

11. Baudoin C., *Le Comportement, pour comprendre mieux et davantage*, Paris, Le Square, 2014.

pour l'essor de la psychanalyse et considérait que la psychologie animale était ridicule. Ma carrière dans cet institut fut donc brève, mais suffisante pour me faire découvrir les milieux de la recherche en éthologie. Le rédacteur accepta.

C'est une belle expérience de participer à la naissance d'un mouvement d'idées. Dans les années 1960, ça bouillonnait, ça partait dans tous les sens. Aucune formulation n'était convaincante, mais toutes étaient passionnantes. Aujourd'hui, on dit qu'une cellule-souche possède tous les potentiels qui lui permettront de prendre des formes différentes adaptées aux pressions du milieu. On dit la même chose de l'ADN dont les caractères génétiques s'expriment différemment selon les milieux. Cette donnée récente disqualifie le raisonnement qui oppose l'inné à l'acquis. Cette scie intellectuelle est devenue un réflexe qui empêche de penser.

On pourrait aussi parler de « théories souches » à partir desquelles mille directions sont possibles, mais qui, en s'adaptant au contexte social, prennent des formes différentes dont l'une s'emparera du pouvoir intellectuel.

Le premier congrès mondial de psychiatrie eut lieu à Paris en 1950, sous la présidence de Jean Delay. Les principaux thèmes portaient sur[12] :

– La psychiatrie clinique où dominaient les délires.

– Les lobotomies, plus glorifiées que critiquées.

– Les chocs, surtout électriques, porteurs d'espoir thérapeutique.

---

12. Pichot P., *Un siècle de psychiatrie*, Paris, Les Empêcheurs de penser en rond/Synthélabo (collection dirigée par Philippe Pignarre), 1996.

– Les psychothérapies, parmi lesquelles la psychanalyse commençait à se faire entendre.

– La psychiatrie sociale encore marquée par l'eugénisme nazi.

– La psychiatrie de l'enfant, qui babillait très bien.

Pas de psychopharmacologie, pas de neurobiologie puisqu'on ne possédait pas encore les moyens techniques qui ont permis de penser autrement le monde psychique. Pas d'épidémiologie non plus, puisque la clinique encore floue n'utilisait pas les statistiques. Pas de béhaviorisme, puisque la réflexologie de Pavlov ne pouvait pas être défendue car l'URSS était absente. La psychiatrie allemande s'engourdissait dans de lourdes descriptions. Les Nord-Américains eurent peu de succès malgré la présence du Québécois Ellenberger. En France, les questions bouillonnaient depuis que deux hommes avaient mis le feu aux idées : Jean-Paul Sartre et Henri Ey.

Le concept d'angoisse est né dans la philosophie : Kierkegaard, Sartre et Heidegger en faisaient un élément constituant de la condition humaine, et non pas une pathologie. Rapidement, ce mot s'est installé dans les publications psychiatriques, où il a désigné un « état affectif dominé par le sentiment d'imminence d'un danger indéterminé[13] ». La psychanalyse s'en est beaucoup nourrie et en a fait un trouble central qui pouvait prendre de nombreuses formes différentes, hystériques, phobiques ou obsessionnelles. Depuis que ce mot est

---

13. Bourguignon O., « Angoisse », *in* D. Houzel, M. Emmanuelli, F. Moggio, *Dictionnaire psychopathologique de l'enfant et de l'adolescent*, Paris, PUF, 2000, p. 45-47.

entré dans le langage de tous les jours, il désigne des phénomènes divers. Dans l'ensemble, il parle d'un malaise diffus qui empoisonne l'âme et le corps par l'attente d'un danger tapi on ne sait où.

C'est John Bowlby qui a proposé la plus claire représentation de ce concept, en associant la psychanalyse et les modèles animaux[14] :

– la peur du non familier ;

– les conflits indécidables ;

– la frustration de désirs brisés ;

sont les principaux pourvoyeurs de ce malaise existentiel que l'on appelle « angoisse ». Dans les années 1960, le mot « angoisse » n'était employé que par les professionnels. Aujourd'hui, il n'est pas rare que de très jeunes enfants s'en servent pour exprimer un malaise diffus dont ils ne comprennent pas la source.

L'autre planteur d'idées s'appelait Henri Ey. C'était un fonceur casanier dont la pensée a éduqué la plupart des psychiatres français. Né à Banyuls en 1900, mort à Banyuls en 1977, il a passé toute sa carrière comme chef de service à l'hôpital psychiatrique de Bonneval, à une centaine de kilomètres de Paris. Hyperactif, aimant parler, argumenter et rire, il s'est d'abord préoccupé de délires et d'hallucinations qui, avant la guerre, constituaient l'essentiel des travaux psychiatriques. Dès 1936, il n'a cessé de développer une nouvelle conception de la psychiatrie. Avant lui, on estimait qu'il y avait une charpente de la folie, un être fou qui, quel que soit le milieu, faisait de lui un aliéné. Cette manière de penser n'était pas loin d'un racisme qui affirme que, parmi

14. Bowlby J., *Attachement et perte*, Paris, PUF, 1978-1984, 3 tomes.

nous, certains hommes de mauvaise qualité tombent malades de folie, tandis que d'autres deviennent des bourgeois distingués.

Henri Ey nous a appris à raisonner en termes de fonctions qui, partant de la biologie, s'en éloignent progressivement. Cette démarche s'appuyait sur la neurologie de Jackson, qui intégrait la clinique de Bleuler et s'inspirait beaucoup de Freud[15]. C'est dans cet état d'esprit qu'il a participé au manuel de psychiatrie[16] qui a formé plusieurs générations de psychiatres et de médecins des hôpitaux psychiatriques. Pour acquérir cette attitude intégratrice, il faut ne pas choisir son camp, éviter les préjugés et labourer sur le terrain auprès de ceux qui souffrent. La bibliothèque suivra.

Henri Boutillier avait été son interne avant de devenir à son tour chef de service à l'hôpital de Pierrefeu, dans le Var. Toute sa carrière a été marquée par les quelques mois qu'il avait passés au contact du maître. « Tout se passait au lit du malade », disait-il. Henri Ey cherchait à comprendre ce que disait le délirant, à saisir même ses incohérences, ses coq-à-l'âne, ses phrases étranges et ses comportements inquiétants. Il ne sert à rien d'étiqueter, disait-il, il faut découvrir le sens caché et la fonction du délire. Quand il préparait un livre, Henri Ey réfléchissait à voix haute pendant sa visite, tandis que l'interne prenait des notes. Plus tard, dans la solitude de son bureau, il retravaillait ses notes. Il n'y a pas de

15. Belzeaux P., Palem R. M., *Henri Ey (1900-1977). Un humaniste catalan dans le siècle dans l'histoire*, Metz, Association pour la Fondation Henri-Ey/Trabucaire-Hisler Even, 1997.

16. Ey H., Bernard P., Brisset C., *Manuel de psychiatrie*, Paris, Masson, 1960 ; réédition 2010.

meilleure formation. Je n'entendais que des louanges de ce médecin qui n'était pas universitaire et qui pourtant a formé presque tous les psychiatres, pendant les cinquante ans qui ont suivi la Seconde Guerre mondiale.

Ses idées ont élaboré l'organodynamisme, étonnamment confirmé par les neurosciences actuelles[17]. Il n'y a pas de corps sans âme ni d'esprit sans matière. C'est une approche globale qui donne une attitude humaniste. Un savoir fragmenté aide à faire une carrière, en fabriquant des hyperspécialistes, mais un praticien, lui, doit intégrer les données et non pas les morceler.

Jusqu'en 1970, Henri Ey a défendu la pratique de la psychanalyse et s'en est beaucoup inspiré. Mais quand, après Mai 68, certains psychanalystes ont fait de cette discipline une arme pour s'emparer des universités et des médias, il a critiqué cette évolution sectaire et impérialiste. Pendant quelques années, il a été difficile d'obtenir un poste dans les universités, les hôpitaux ou les institutions, sans appartenir à une association psychanalytique dominante. Une de mes amies, psychanalyste bordelaise de bonne renommée, a appris qu'un poste d'attaché se libérait à l'hôpital. Elle a pensé que ça compléterait sa formation en cabinet privé, mais, quand elle s'est présentée au chef de service, il lui a demandé : « À quel groupe appartenez-vous ? » Elle a répondu que son association n'était pas celle de l'universitaire : « Ce n'est pas la peine de vous asseoir », a dit le patron.

Quand on parle d'Henri Ey, on raconte son amour de la vie, sa fringale de connaître la neurologie, la psychiatrie, la psychanalyse et l'anthropologie, mais je suis

17. Palem R. M., *Organodynamisme et neurocognitivisme*, Paris, L'Harmattan, 2006.

étonné qu'on parle si peu de ses rapports avec Lacan, et qu'on ne cite même pas son énorme travail sur la « psychiatrie animale ».

Lacan (Guitry) et Henri Ey (Raimu)

L'extraordinaire présence de Jacques Lacan a toujours provoqué des réactions émotionnelles d'adoration ou de répulsion. En France, certains le vénèrent, d'autres l'exècrent. Aux États-Unis, c'est René Girard qui l'a introduit dans les universités et constaté son succès avec amusement. En Argentine, il a été aidé par son frère à qui il a dédié sa thèse : « À mon frère, le R. P. Marc-François Lacan, bénédictin de la Congrégation de France[18]. » L'élégant psychiatre Guy Briole a réussi une traduction espagnole convaincante malgré l'étrange syntaxe du maître. Les dictatures militaires en s'attaquant aux artistes et aux psychologues ont provoqué une émigration de lacaniens vers d'autres pays d'Amérique latine : étrange géographie des idées.

Françoise Dolto le rudoyait, André Bourguignon, son camarade d'internat, ne le tenait pas en grande estime, Gérard Mendel appartenait à une association psychanalytique qui lui était hostile. Le livre de ce dernier, *La Révolte contre le père*[19], avait été pour moi une approche

18. Lacan J., *De la psychose paranoïaque dans ses rapports avec la personnalité, suivi de Premiers écrits sur la paranoïa*, thèse de doctorat, Paris, Le François, 1932 ; réédition Paris, Seuil, 1975.
19. Mendel G., *La Révolte contre le père. Pour une introduction à la sociopsychanalyse*, Paris, Payot, 1968.

pratique de la psychanalyse. Freud avait ouvert la voie quand j'étais au lycée en me faisant découvrir le continent du monde intime, celui qu'on ne voit pas et qui pourtant nous gouverne. Mais c'est Gérard Mendel qui m'a apporté un éclairage convaincant sur Mai 68. Il avait fait sa thèse, dirigée par Jean Delay, sur la création artistique et avait publié avec Henri Ey un travail sur le corps et ses significations. Pendant toute sa vie, ses recherches ont été consacrées au phénomène du pouvoir et de l'autorité : qui commande ? Faut-il soumettre un enfant ? La démocratie se met-elle en danger en contestant l'autorité ?

En 1942, alors âgé de 12 ans, il avait vu son père, juif, arrêté par deux gendarmes amis de la famille. L'enfant n'en revenait pas. Il n'en est jamais revenu d'ailleurs, puisque toute son œuvre a cherché à expliquer cet étrange phénomène : il est donc possible d'éprouver comme un devoir le fait de se soumettre à un ordre qui condamne à mort un ami innocent ! Pour vivre ensemble en évitant la violence, nous devons accepter la loi. Mais si nous nous soumettons, quel sujet sommes-nous ? Il avait organisé le groupe Desgenettes où quelques praticiens travaillaient sur un objet appelé « sociopsychanalyse ». Freud avait découvert comment les empreintes familiales structuraient les fantasmes de l'individu, et Gérard Mendel, lui, se demandait comment les structures sociales participaient à la construction d'un sujet. Son livre avait connu un tel succès que je lui disais souvent que c'est son attachée de presse qui avait organisé Mai 68 afin de faire connaître ses idées.

Nous avions sympathisé et je l'avais invité à venir travailler avec nous à Châteauvallon, à Ollioules, près de Toulon. Malheureusement, Isabelle Stengers et Tobie

Nathan n'ont pas accepté sa conception du sujet et il n'est plus revenu. Les rapports du groupe Desgenettes avec les lacaniens étaient tendus puisque Jacques Lacan par sa simple présence subjuguait les foules. C'était l'exemple de l'autorité, du pouvoir que l'on pouvait accorder à un seul individu. C'était le point sensible de Gérard Mendel.

Un soir où je l'avais invité à une réunion publique à La Seyne pour qu'il nous explique la sociopsychanalyse, j'ai vu quelques amis, disciples de Lacan, passer entre les rangs et dire aux auditeurs : « Ne restez pas, partez, il dit n'importe quoi. » On était loin du débat que j'avais espéré. J'ai vu, un autre soir, la même stratégie de disqualification quand j'avais invité Jean-François Mattei, dont les découvertes génétiques allaient bouleverser les conditions de la grossesse. Je n'ai donc pas été surpris quand Michel Onfray m'a confié, après son immense agression contre Freud[20], que certains psychanalystes étaient intervenus pour faire supprimer la subvention accordée à son admirable Université populaire à Caen. Ces stratégies de sabotage empoisonnent les débats. Les coups bas permettent de remporter la victoire, au prix du plaisir de penser.

Celui qui m'a le mieux aidé à comprendre deux ou trois choses en psychiatrie, c'est Henri Ey. C'est pourquoi j'ai été surpris par le silence qui a suivi la parution d'un de ses colloques de Bonneval qu'il avait maladroitement intitulé *Psychiatrie animale*. Pour ma part, ce pavé de six cents pages a été un « livre-souche » d'où sont parties des centaines de travaux scientifiques, de congrès, de thèses, de réseaux amicaux et, bien sûr,

20. Onfray M., *Le Crépuscule d'une idole. L'affabulation freudienne*, Paris, Grasset, 2010.

quelques conflits. Henri Ey était tellement connu, actif et apprécié qu'il avait rassemblé les plus grands noms susceptibles de répondre à cette curieuse question : les animaux peuvent-ils devenir fous ? En quoi leurs troubles peuvent-ils éclairer la condition humaine[21] ?

Abel Brion, professeur à l'École nationale vétérinaire d'Alfort, s'était associé à Henri Ey pour diriger ce colloque. Ils avaient invité des philosophes, des vétérinaires, des biologistes, des directeurs de zoo, des dompteurs, des historiens, des psychiatres – et Jacques Prévert aurait ajouté un raton laveur.

Le résultat fut passionnant. Buytendijk, professeur à Utrecht, avait expliqué que, de tout temps, les philosophes s'étaient interrogés sur l'intelligence animale[22] et que certains prêtres n'avaient pas hésité à évoquer l'âme des bêtes. Plutarque, au IIe siècle, avait déjà réfléchi à l'intelligence des animaux avec des arguments qu'emploient encore aujourd'hui les scientifiques les plus avancés[23].

La question de l'intelligence animale est source de passions parce qu'elle est à la fois scientifique et fantasmatique. Le simple fait de se demander si les animaux pensent revient à poser les questions : « Qu'est-ce que la pensée ? Un nouveau-né pense-t-il ? Peut-on penser sans mots ? » Voilà le genre de problèmes profondément humains que posent les animaux.

La même question réveille en même temps des fantasmes passionnés. Ceux qui ont une envie féroce de

21. Brion A., Ey H., *Psychiatrie animale*, Paris, Desclée de Brouwer, 1964.
22. Buytendijk F. J. J., *L'Homme et l'Animal. Essai de psychologie comparée*, Paris, Gallimard, « Idées », 1965.
23. Gervet J., Livet P., Tête A. (dir.), *La Représentation animale*, Nancy, Presses universitaires de Nancy, 1992.

croire que les animaux pensent sont prêts à en découdre avec ceux qui affirment que les animaux ne sont que des machines. Les deux camps n'ont pas besoin de travaux scientifiques pour s'indigner. Ça flambe tout de suite, sans réflexion possible.

La phénoménologie semble l'attitude philosophique la plus pertinente pour affronter ce problème[24]. Les animaux ne parlent pas, mais ils ont un langage. Il est possible d'observer un phénomène naturel, comme en clinique médicale où une pneumonie invisible est repérée grâce aux signes perçus à la surface du corps. La toux, la rougeur d'une pommette provoquée par la fièvre, la respiration haletante, le son mat de la percussion du thorax sont des symptômes perceptibles d'une altération non visible. Dans ce mode de recueil des informations, un objet sensoriel peut être perçu, individualisé et manipulé expérimentalement. Alors, pourquoi les comportements exprimés par les animaux, leurs cris, leurs postures et leurs mimiques ne composeraient-ils pas une sémiologie, un phénomène apparent désignant un monde intime inapparent ? Nous pourrions considérer cet objet sensoriel comme un objet de science[25]. Pour répondre à une telle question, il faut associer des chercheurs de disciplines différentes : des philosophes, des biologistes et des éthologues pourront proposer quelques réponses[26].

---

24. Thinès G., *Phénoménologie et science du comportement*, Bruxelles, Mardaga, 1995.
25. Cosnier J., Coulon J., Berrendonner A., Orecchioni C., *Les Voies du langage. Communications verbales, gestuelles et animales*, Paris, Dunod, 1982.
26. Buchanan B., *Onto-Ethologies. The Animal Environments of Uexküll, Heidegger, Merleau-Ponty and Deleuze*, New York, State University of New York Press, 2009 ;

Le sommeil n'est pas de tout repos

Claude Leroy a donc organisé en 1972 à la Mutuelle générale de l'Éducation nationale (MGEN) une réunion internationale sur le sommeil. Il avait invité Serge Lebovici, un grand nom de la psychanalyse, et Georges Thinès, biologiste, philosophe, romancier et violoniste, Pierre Garrigues, de l'Inserm de Montpellier, et John Richter, un éthologue anglais. Il ne s'agissait plus de décrire les signes électriques du sommeil, mais il fallait plutôt en faire une analyse comparative entre espèces. Cette méthode fut vivement critiquée : « Que voulez-vous qu'un psychanalyste comme Serge Lebovici dise sur le sommeil des poules ? », a dit Roger Misès, un autre grand nom de la psychanalyse.

Les discussions, bien au contraire, furent passionnantes. Elles portaient principalement sur les variations du sommeil paradoxal qui est un repère électrique facile à enregistrer. Ce sommeil est dit paradoxal, parce qu'il enregistre une décharge bioélectrique intense, au moment où les muscles sont complètement relâchés. Le sommeil est profond, alors que le cerveau est en alerte. En milieu naturel, les animaux dorment mal. Ils se laissent rarement aller vers le sommeil paradoxal, qui exige un sentiment de sécurité suffisant pour s'abandonner au relâchement musculaire[27]. Quand les vaches des Pyrénées dorment en étable, elles sécrètent beaucoup

Gervet J., Livet P., Tête A. (dir.), *La Représentation animale, op. cit.* ; Baudouin C. (dir.), *L'Éthologie appliquée aujourd'hui*, vol. III : *Éthologie humaine*, Levallois-Perret, Éditions ED, 2003.

27. Jouvet M., *Le Sommeil et le Rêve*, Paris, Odile Jacob, 1991.

de sommeil paradoxal, mais quand elles passent la nuit dans les pâturages, elles en font beaucoup moins parce que, insécurisées, elles ne dorment que d'un œil[28].

Les modifications électriques du sommeil et les sécrétions neurohormonales sont donc influencées par la structure du milieu. Cela n'empêche pas de comparer le sommeil de chaque espèce et de noter que le déterminant génétique est, lui aussi, important. Les félins sont des prédateurs qui se sentent partout en sécurité. Ils fabriquent donc une grande quantité de sommeil rapide. Alors que les lapins ne parviennent à dormir profondément que bien à l'abri dans leur terrier, ce qu'on peut comprendre. Chaque espèce a sa manière de dormir, mais le fait que le sommeil soit génétiquement codé ne l'empêche pas de subir les pressions du milieu. Ce genre de raisonnement, habituel aujourd'hui, n'a pas encore convaincu ceux qui continuent à opposer l'inné à l'acquis. Et pourtant, nous voyons bien que les deux instances ne peuvent fonctionner qu'ensemble : 100 % pour l'inné et 100 % pour l'acquis.

L'âge morcelle le sommeil paradoxal, mais c'est surtout le sentiment de sécurité qui modifie la structure électrique. Or le sommeil rapide facilite les apprentissages, alors que le sommeil lent permet la récupération physique en stimulant les neurohormones[29]. C'est pourquoi un enfant insécurisé par un malheur parental se trouve dans une situation où ses apprentissages sont ralentis et où il récupère difficilement des fatigues de

28. Ruckebush Y., « Le sommeil et les rêves, chez les animaux », *in* A. Brion, H. Ey, *Psychiatrie animale, op. cit*, p. 139-148.
29. Delacour J., *Apprentissages et mémoire*, Paris, Masson, 1987.

la veille. Nous fabriquons du sommeil, comme tous les animaux, mais ce n'est pas le même puisque génétiquement nous ne sommes pas de la même espèce. Nous sommes soumis aux pressions du milieu, comme tous les animaux, mais notre milieu n'est pas le même puisque aux pressions écologiques nous ajoutons les contraintes culturelles, les merveilles de l'art et les horreurs de la guerre. Ce raisonnement explique que, en tant qu'être vivant, notre développement se désorganise quand se désorganise notre milieu. Mais en tant qu'être humain, nous disposons d'un outil mental qui nous donne une aptitude à vivre dans un monde de récits, ce qui peut aggraver un malheur passé ou le résilier[30].

Quand nous sommes arrivés à Bucarest après la chute du Mur, nous avons vu des milliers d'enfants se balançant sans cesse, tournoyant, se mordant les poings et incapables de parler. Les éducateurs qui nous accompagnaient nous ont expliqué que ces enfants avaient été abandonnés parce qu'ils étaient autistes ou encéphalopathes. Nous avons répondu qu'ils paraissaient autistes ou encéphalopathes parce qu'ils avaient été abandonnés. Cette manière de voir les faits n'aurait pas été possible si nous ne nous étions pas exercés à la lumière de l'éthologie. Nous savions, grâce à l'éthologie animale, qu'un appauvrissement du milieu modifie l'architecture du sommeil qui cesse de stimuler la sécrétion des hormones de croissance et des hormones sexuelles. L'étrange morphologie de ces enfants, trop petits pour leur âge, aux doigts grêles et à la nuque plate, était la conséquence de

30. Cyrulnik B., « Enfant poubelle, enfant de prince », *Sous le signe du lien*, Paris, Hachette, 1989, p. 261-282.

l'abandon et non pas la cause[31]. Mais nous savions que si nous parvenions à réorganiser un milieu sécurisant, un développement pourrait reprendre. C'est ainsi qu'a débuté l'aventure de la résilience, dont Emmy Werner a proposé le nom métaphorique[32].

Le simple fait de poser le problème en termes d'interactions entre la biologie et le milieu modifiait les descriptions cliniques. Les chiens épileptiques manifestent des secousses spasmodiques et des décharges de « pointe-ondes » électriques qui caractérisent l'anomalie cérébrale. Ce déterminisme biologique s'exprime différemment selon la structure affective du milieu. Un chien cocker de 18 mois manifeste une réaction étrange chaque fois que sa propriétaire lui caresse la tête : il se raidit et se met à tournoyer comme si « ce comportement complexe à motivation affective était fixé dans son déroulement[33] ». Ce stéréotype se reproduit à volonté à chaque caresse ou même à chaque mot doux. Cette étrange réaction n'est jamais provoquée par le contact physique sur la tête avec un morceau de bois, une éponge ou un balai. Il faut une main ou une parole affectueuse pour déclencher un tel affolement émotionnel.

Ce constat clinique, qui associait un vétérinaire et un psychiatre, m'a permis de comprendre pourquoi le chien de Marguerite ne manifestait qu'une seule crise

31. Cyrulnik B., *Mémoire de singe et paroles d'homme*, Paris, Hachette, 1983, p. 122-134.
32. Werner E., Smith R. S., *Vulnerable but Invincible. A Longitudinal Study of Resilient Children and Youth*, New York, McGraw-Hill, Adams, Bannister Cox, 1983.
33. Fontaine M., Leroy C., « Hystérie et hystéro-épilepsie chez les animaux domestiques », *in* A. Brion, H. Ey, *Psychiatrie animale*, *op. cit.*, p. 419.

d'épilepsie par semaine quand il était placé dans une pension pour animaux, alors qu'il suffisait que Marguerite le reprenne chez elle pour qu'il subisse huit à dix crises par jour. L'affect relationnel, en provoquant des émotions intenses, abaissait le seuil électrique des convulsions.

Les dualistes sont choqués par l'éthologie qui, disent-ils, « rabaisse l'homme au rang de la bête ». Je ne peux pas comprendre cette phrase ! Qu'y a-t-il de rabaissant à dire que tout être vivant insécurisé, homme ou animal, avance son sommeil paradoxal parce qu'il se sent en alerte ? Cette vigilance excessive prépare son organisme à se défendre, mais le fatigue et altère ses apprentissages. Si le chien de Marguerite convulse à la moindre émotion, c'est parce que sa relation avec sa maîtresse bien-aimée provoque des stimulations émotionnelles que son cerveau fragilisé ne peut pas supporter.

Il n'est pas rare qu'un enfant ait été agressé, au cours de son développement précoce, par un accident de l'existence. Cette fragilisation peut-elle se manifester plus tard, par une souffrance du corps et de l'âme, lors d'une épreuve émotionnelle inévitable au cours de l'histoire de sa vie ? Un adolescent, auparavant sécurisé, saura affronter l'épreuve. Alors que celui qui a été un enfant insécurisé a acquis une vulnérabilité neuro-émotionnelle qui, plus tard, à la moindre alerte, le fera chuter. Un même événement, traumatisant pour l'un, ne sera pour l'autre qu'une aventure excitante de la vie[34].

---

34. Keren M., Tyano S., « Antecedents in infancy of personality disorders : The interplay between biological and psychological processes », *in* M. E. Garralda,

Voilà la question que nous pose le chien de Marguerite. Je ne me sens pas rabaissé au rang de la bête, mais je ne peux pas m'empêcher de penser que ceux qui réagissent ainsi, considèrent que les êtres vivants qui ne leur ressemblent pas sont des êtres inférieurs. Ils présument que « nous, êtres humains, n'appartenons pas à la nature. Nous sommes au-dessus des autres formes du vivant, au-dessus des oiseaux dans le ciel, au-dessus des serpents qui rampent sur le sol, au-dessus des poissons dans l'eau ». Une telle représentation de soi, en tant qu'être surnaturel, dérape facilement vers l'idée que nous sommes supérieurs à ceux qui ne nous ressemblent pas, ceux qui ont une autre couleur de peau, une autre croyance, une autre manière de vivre.

Les hommes qui raisonnent ainsi peuvent en effet se sentir « rabaissés au rang de la bête », humiliés par le chien de Marguerite. Par cette phrase, ils avouent leur vision hiérarchisée du monde et leur mépris pour ceux qui ne sont pas comme eux. Cette idée de l'homme rabaissé n'a rien à voir avec l'éthologie, elle révèle plutôt une tendance à se placer dans la catégorie des êtres supérieurs.

En fait, le monde vivant prend mille formes différentes non hiérarchisées et les observations animales nous offrent un trésor d'hypothèses.

J. P. Raynaud (éd.), *Brain, Mind and Developmental Psychopathology in Childhood*, New York, Jason Aronson, 2012, p. 31-51.

Une fascination nommée « hypnose »

Léon Chertok, après une jeunesse mouvementée à travers l'Europe centrale, avait fini par devenir psychanalyste à Paris. L'hypnose, disait-il, est proche de la psychanalyse, elle a même participé à sa naissance. Freud, « encore étudiant en médecine, était déjà persuadé que, malgré sa réputation sulfureuse, l'état d'hypnose constituait un phénomène psychique et non pas la transmission d'un fluide matériel[35] ». Pierre Janet parlait de « passion magnétique », d'amour filial parfois érotique. Ce « fluide » où l'un affecte l'autre a fini par prendre le nom de « transfert », pilier de la psychanalyse. Ce phénomène, qui selon Freud expliquait la relation amoureuse, la transe des foules, la ferveur à l'église et le courage à l'armée, serait en fait une relation d'emprise où l'individu, lié libidinalement à son meneur, se soumet par amour. Tout éloignement du chef, toute dilution du lien, provoque une panique anxieuse.

Les animaux, disait Chertok, peuvent éclairer cette nébuleuse d'idées qui tentent d'expliquer pourquoi, dans le monde vivant, certaines espèces sont contraintes à vivre ensemble même quand cela provoque des conflits douloureux. Lors de la série de rencontres des « Colloques de Bonneval », Léon Chertok avait obtenu un grand succès en démontrant l'existence d'une hypnose animale. L'expérience primordiale avait été réalisée en 1646 par un père jésuite, Athanasius

35. Gay P., *Freud, une vie*, Paris, Hachette, 1991, p. 59.

Kircher, qui avait immobilisé des poules en faisant appel à leur imagination[36].

Il suffit de coucher une poule sur le ventre, de tracer à la craie une ligne blanche à partir de son bec, ou de lui mettre vivement la tête sous l'aile, pour que fascinée, elle demeure immobile, soumise à son vainqueur, comme le disait la phraséologie de l'époque. Au XVIIe siècle, ce prodige fut expliqué par la puissance de l'homme sur l'imagination de la poule. Mais quand, à la fin du XVIIIe siècle, Mesmer découvre le magnétisme, c'est cette force invisible qui, désormais, explique l'hypnose des gallinacés. Dès lors, ce phénomène devient un phénomène de foire qui passionne les scientifiques ! Le professeur Johann Nepomuk Czermak hypnotise des tritons, des grenouilles, des lézards et des écrevisses. Il va dans des fêtes foraines assister à l'hypnose d'oiseaux, de mammifères et de crocodiles immobilisés par une force que le forain attribue au fluide qui émane de ses mains et de ses yeux. Jusqu'au jour où le professeur découvre que c'est la posture imposée à l'animal qui l'immobilise, et non pas les gestes de la main et le maquillage des yeux qui ne servent qu'à faire joli dans le spectacle.

En fait, l'hypnose est une caractéristique du vivant, au même titre que la respiration, les battements du cœur, l'attirance sexuelle et peut-être même la musique[37]. Ce canal de communication hypnotique est fondamental puisqu'il nous permet de vivre ensemble.

---

36. Kircher A., « Experimentum mirabile. De imaginatione gallinae », *in Ars Magna et Umbrae*, Rome, 1646, p. 154-155.

37. Eliat C., « Musique et hypnose. La voie du son ? », *Hypnose et thérapies brèves*, n° 33, mai-juin-juillet 2014, p. 48-56.

Une simple stimulation sensorielle comme une flamme dansante, l'écoulement d'un ruisseau ou une musique syncopée, suffit à nous captiver et à nous engourdir agréablement. Ce n'est pas un sommeil comme le suggère le mot « hypnose », c'est un autre état de conscience différent de la vigilance, c'est une agréable capture sensorielle. Mais quand la flamme devient brûlante, quand le torrent nous effraie ou que le son suraigu provoque une douleur, ce n'est plus la délicieuse immobilité d'une information ensorcelante[38], c'est une prison sensorielle, une emprise affective qui nous possède.

Dès notre naissance, nous nous accrochons au monde grâce à un phénomène hypnotique : nous sommes fascinés par quelques éléments du corps de notre mère – la brillance de ses yeux[39], les basses fréquences de sa voix, l'odeur de sa peau et sa manière de nous tenir nous immobilisent et nous apportent la paix. Quand on dresse le catalogue des espèces hypnotisées, on comprend que ce pouvoir se réalise grâce à une contrainte sensorielle. L'hypnotisé se laisse capturer pour son plus grand bonheur afin d'obtenir une paix recherchée, comme lorsqu'une mère saisit son enfant apeuré et le berce contre elle en lui disant des mots. C'est une sensorialité familière qui s'impose à notre monde mental et nous sécurise. Nous sommes complices du pouvoir que nous donnons aux autres. C'est souvent volontaire, mais ça n'est pas conscient : nous

38. Cyrulnik B., *L'Ensorcellement du monde*, Paris, Odile Jacob, 1997, p. 101-109.
39. Rousseau P., « Naissance, trauma, attachement et résilience », *in* M. Anaut, B. Cyrulnik (dir.), *Résilience. De la recherche à la pratique*, 1er Congrès mondial sur la résilience, Paris, Odile Jacob, 2014, p. 23-37.

ne savons pas que nous voulons nous soumettre à celui (à celle) qui va nous apaiser en nous ensorcelant.

Léon Chertok et Isabelle Stengers se fascinaient mutuellement. Isabelle était envoûtée par le courage aventureux de Léon qui admirait l'intelligence enjouée d'Isabelle. Le « couple » a donc organisé à l'École des hautes études en sciences sociales à Paris, un séminaire où ils invitaient des éthologues, des anthropologues et des psychanalystes. On passait facilement d'une discipline à l'autre, en essayant de tenir compte des mises en garde d'Isabelle qui se méfiait des « concepts nomades[40] ». Il a bientôt fallu admettre que certains participants étaient incapables de se décentrer des théories qu'ils avaient apprises. Il est arrivé qu'un psychanalyste évoque le sentiment amoureux d'une foule hypnotisée par son meneur et qu'un auditeur lui réponde qu'il ne voyait pas le rapport entre l'amour et la politique. Un soir, au diplôme d'université à Toulon, Claude Béata[41] expliquait qu'une mère chatte, voyant son petit gambader un peu trop loin, émettait une sorte de roucoulement qui immobilisait le chaton et le ramenait auprès d'elle. C'est alors qu'un étudiant s'est exclamé : « Il n'y a aucun rapport entre le miaulement d'un chat et une mère qui explique à son bébé qu'il n'est pas coupable de la séparation de ses parents ! » Il est un fait qu'un concept change de sens en changeant de milieu. Tous les mots sont des organismes vivants dont la signification ne cesse d'évoluer. Le mot « résistance » n'a pas la

40. Stengers I. (dir.), *D'une science à l'autre. Des concepts nomades*, Paris, Seuil, 1987.
41. Béata C., *Au risque d'aimer*, Paris, Odile Jacob, 2013.

même signification dans une société en guerre, dans un milieu psychanalytique ou dans un atelier d'électricien. On peut donc admettre que lorsqu'une mère annonce à son bébé qu'elle va divorcer, l'enfant est sensible à la brillance de ses yeux, à la proximité de son visage et à la musique de sa voix. Quand elle explique à son bébé l'épreuve qu'elle est en train de traverser, elle le sécurise par la sensorialité de ses mots plus que par leur définition. Alors, vous pensez bien que, quand Rémy Chauvin a parlé avec moi de l'inhibition de l'inceste chez les animaux, certains anthropologues ont pensé qu'ils avaient dû se tromper de séminaire[42].

Pourquoi le nouveau-né est-il magnétisé par quelques signaux sensoriels émis par le corps de sa mère ? Pourquoi tous les êtres vivants se laissent-ils charmer par des formes, des dessins, des couleurs et des sonorités qui capturent leur système nerveux et immobilisent leur corps[43] ? Pourquoi tous les êtres humains éprouvent-ils du plaisir à se laisser fasciner par la beauté, par la force, et même par l'horreur ?

Ce qu'on appelle hypnose est vraiment un phénomène naturel comme l'affirment Charcot, Freud et les magiciens. Cette force sensorielle peut être utilisée pour manger sa proie comme le serpent qui hypnotise un oiseau, ou pour être attiré par sa mère comme le nourrisson qui en fait sa base de sécurité, ou par le psychothérapeute au cours d'un transfert psychanalytique, ou par un spectacle de fête foraine, ou pour prendre sa

---

42. Chauvin R., Cyrulnik B., « Quand "je" n'est pas un autre », séminaire Léon Chertok, Isabelle Stengers, EHESS-MSA, février 1991.

43. Eibl-Eibesfeldt I., *Éthologie. Biologie du comportement*, Paris, Éditions scientifiques, 1967, p. 157-163.

place dans une foule érotisée, heureuse d'être subjuguée par un prêtre, un chanteur ou un meneur politique.

Quelques hommes fascinants

Les hommes, « images fascinantes » du milieu psychiatrique dans les années 1970, s'appelaient Jean Delay, Henri Ey et Jacques Lacan. La distance élégante de Jean Delay contrastait avec la chaleur fonceuse d'Henri Ey et la présence flamboyante de Jacques Lacan.

Je garde un souvenir de malaise du stage que j'ai fait à l'hôpital Sainte-Anne quand j'étais encore étudiant. Je n'aimais pas les « présentations de malades » où une personne blessée devait venir sur scène, auprès de l'équipe universitaire, pour raconter ses malheurs devant deux cents jeunes gens. Je me souviens de ce garçon de 25 ans qui a hésité quand il a vu l'auditoire. La surveillante a doucement insisté, il n'a pas osé refuser et s'est assis à la table, où l'attendait une chaise vide, entre les médecins en blouse blanche et capote bleue de l'Assistance publique qu'il fallait négligemment jeter sur ses épaules. Jean Delay, cheveux longs (avant 1968), lui posa quelques questions polies. Le jeune « psychopathe » se fit prier pour répondre, car les étudiants des rangs du fond de la classe produisaient un gai brouhaha. Je ne sais plus ce qu'il a dit, mais je me souviens qu'après chacune de ses phrases, Jean Delay commentait ses propos. C'était certainement très intelligent, car on pouvait palper la déférence des autres universitaires qui regardaient le maître et l'approuvaient en silence. Delay était couvert d'honneurs qu'il avait mérités. Étonnamment brillant depuis son enfance, il publiait des articles où il tentait d'articuler la neurologie avec la psychiatrie. On sentait la rigueur du neurologue associée à l'amour du beau langage. Il avait d'ailleurs passé une thèse de doctorat en Lettres sur « Les dissolutions de la mémoire ». Il était ami avec Pierre Janet[44], l'élève préféré de Charcot, le rival heureux de Freud qui en était jaloux. J'admirais ce savant, professeur de médecine, élu à l'Académie française, mais j'avais l'impression qu'il ne se mettait pas à la place du jeune homme à qui il demandait d'exposer son malheur en public. J'étais mal à l'aise et je m'étonnais du manque d'empathie de la part des soignants.

Lacan, lui aussi, faisait de brillantes « présentations de malades ». Il analysait en public ce que venait de dire le patient interrogé, et tous les candidats psychiatres s'entraînaient à préparer leurs examens par cette méthode brutale.

Pierre Deniker a joué un rôle déterminant dans ma carrière. J'aurais mieux fait d'écrire « dans mon aventure psychiatrique » tant elle a été marginale. En me faisant passer l'examen de stage, Deniker m'a demandé : « Formule chimique du nozinan. » J'ai été « moyen moins », parce que jamais je n'avais imaginé qu'une formule chimique pouvait constituer un sujet de psychiatrie. « Que voulez-vous faire plus tard ? », m'a-t-il demandé. J'ai murmuré « psychiatre ». Il m'a regardé avec dédain et a laissé tomber : « Faites autre chose. » Et il m'a collé. Quelques années plus tard, en 1971, le professeur Jean Sutter organisait à Marseille

44. Pichot P., *Un siècle de psychiatrie, op. cit.*, p. 188-190.

le congrès national de psychiatrie. Je venais de terminer l'internat, j'avais réussi le certificat de spécialité et publié un article sur l'éthologie des rencontres dans un centre psychiatrique[45]. Sutter m'avait demandé de faire une communication à ce congrès, je lui avais proposé d'appliquer la méthode éthologique d'observation aux carences affectives humaines.

Dans ce genre de congrès il y a, dans la salle, une topographie rigoureusement hiérarchisée : au premier rang, les universitaires, au deuxième, les chefs de clinique et assistants qui espèrent un jour passer au premier rang. Un peu en arrière s'installent les internes et, au fond de la salle, les étudiants et les infirmières chuchotent bruyamment. Ce jour-là, au deuxième rang, Élisabeth Adiba avec qui j'avais été interne à Paris entend, à la fin de mon exposé, Deniker dire à Sutter : « Ce travail sur l'éthologie des carences affectives est remarquable. C'est très original. Tu devrais prendre ce type dans ton équipe. »

Quelques jours plus tard, je recevais un coup de téléphone d'Henri Dufour, son agrégé : « Nous aimerions vous inviter à participer à l'enseignement du certificat d'études spécialisées en psychiatrie. » « Magnifique, ai-je répondu. J'avais justement l'intention de faire une thèse d'État en histoire de la psychiatrie. » « Pas question, a-t-il tranché, vous enseignerez l'éthologie. »

C'est par cette toute petite responsabilité qu'a commencé mon aventure enseignante. Mais comme je

45. Leroy R., Cyrulnik B., « Rencontres et sociabilité dans une institution de postcure psychiatrique », *Annales méd. psy.*, 1973, vol. 1 (5), p. 673-679 (communication orale 1971).

me situais d'emblée parmi les meilleurs spécialistes en éthologie psychiatrique (qui en France en 1971, étaient au nombre de cinq), j'ai tout de suite été placé à un poste au-dessus de mes moyens et autorisé à diriger des thèses, participer à des travaux et organiser des rencontres. C'est donc Deniker qui, après m'avoir collé et conseillé de ne pas faire psychiatrie, m'a mis le pied à l'étrier en me recommandant à Sutter qui dirigeait la chaire de psychiatrie à Marseille.

Pierre Pichot, membre du triumvirat de Sainte-Anne (Delay-Deniker-Pichot), a dirigé ma thèse. C'était une thèse de médecine post-soixante-huitarde, elle fut donc légère. Les murs de son bureau étaient couverts de photos de Louis II de Bavière, de ses châteaux, de ses traîneaux dans la neige qui donnaient à son cabinet une ambiance romantique. Pichot participait à un club qui se réunissait tous les ans pour évaluer les conséquences heureuses, sur la culture bavaroise, de la schizophrénie du roi[46]. Nous avons aimablement parlé de la fonction de roi qui a permis de masquer les troubles schizophréniques, en faisant construire de merveilleux châteaux et en sponsorisant Wagner, musicien hors norme, pas toujours correct. Mais tous les schizophrènes ne sont pas rois, bien au contraire. Ils ont tellement de mal à se socialiser que c'est dans les quartiers pauvres qu'on en trouve le plus, là où le loyer est moins cher et où l'on peut vivre de peu. La schizophrénie du roi fut longtemps compensée par les politiciens qui l'entouraient et par l'indulgence des paysans bavarois qui lui

46. Des Cars J., *Louis II de Bavière ou le Roi foudroyé*, Paris, Perrin, « Tempus », 2010.

étaient reconnaissants d'avoir construit des châteaux qui font, aujourd'hui encore, la fortune touristique de la Bavière. Othon, le frère du roi, moins soutenu, avait décompensé plus tôt une lourde schizophrénie qu'on appelait alors « démence précoce ».

Les arguments en faveur du fondement génétique et neurodéveloppemental de la schizophrénie sont de plus en plus convaincants. Ce qui n'exclut absolument pas l'impact du milieu familial et culturel[47]. Les études de l'OMS confirment que, quel que soit le pays, quand la culture est en paix, on trouve 1 % de schizophrènes. Alors que, dans une population de migrants chassés de chez eux, agressés pendant le voyage et souvent mal accueillis par la culture-hôte, on en trouve entre 3 et 8 %[48]. La dégradation de la culture joue un rôle important dans l'effondrement dissociatif[49]. Les conditions affectives dans lesquelles s'effectue le changement de culture peuvent freiner la décompensation schizophrénique, comme chez Louis II de Bavière, ou la faciliter, comme chez Othon, son frère. Dans une population d'enfants qui traversent la guerre ou émigrent avec leurs deux parents, il y a pratiquement le même nombre de troubles que dans un pays en paix, parce que les enfants sont sécurisés par leur niche affective parentale. Mais quand un parent ou les deux viennent à manquer, les

47. Pichot P., *Actualités de la schizophrénie*, Paris, PUF, 1981.
48. Sang D. L., Ward C., « Acculturation in Australia and New Zealand », *in* D. L. Sam, W. Berry, *The Cambridge Handbook of Acculturation Psychology*, New York, Cambridge University Press, 2006, p. 261. Les chiffres varient beaucoup à cause de l'imprécision clinique qui, malgré les classifications internationales, désigne des troubles différents selon les cultures.
49. Bhugra D., « Migration and depression », *Acta Psychiatrica Scandinavia*, 2003, 418, p. 67-72.

mêmes épreuves sociales provoquent des troubles psychiques et des décompensations schizophréniques[50].

On constate qu'en France, ces dernières décennies, l'entrée en schizophrénie est de plus en plus tardive. Est-ce un argument en faveur de l'immense tolérance des familles de schizophrènes qui gardent à domicile plus de 70 % des patients[51] ? Est-ce dû au changement d'une culture qui accepte mieux aujourd'hui les étrangetés comportementales ? À l'époque où les ouvriers et les paysans étaient centrés sur l'efficacité au travail, il était difficile de supporter le non-conformisme. Il est possible aussi que les enfants à potentiel schizophrénique se contentent, en temps de paix, d'une image parentale floue suffisante pour les sécuriser et les aider à se développer. Alors que, dans un contexte en guerre ou en migration, ils ont besoin d'un couple de parents forts et sécurisants, ce qui souvent n'est plus le cas. Les enfants qui émigrent sans parents sont plus altérés que ceux qui émigrent avec leurs deux parents[52]. Quand les parents sont rendus faibles par la précarité sociale, ils perdent leur pouvoir sécurisant.

Les idées qui triomphent dans une culture ne sont pas forcément les meilleures, ce sont celles qui ont été les mieux défendues par un appareil didactique. Tout

---

50. Cantor-Graae E., Pedersen C. B., McNeil T. F., Mortensen P. B., « Migration as a risk factor for schizophrenia : A Danish population-based cohort study », *British Journal of Psychiatry*, 2003, 182, p. 117-122.
51. Cyrulnik B., « La maladie dans la société », Congrès Unafam, Paris, 29 juin 2013. Depuis que les psycho-éducateurs aident ces familles, il y a deux fois moins de dépressions dans l'entourage. Les schizophrènes rechutent beaucoup moins et consomment moins de neuroleptiques, *in* Unafam, « La lettre », *Bulletin de l'Unafam*, Paris, n° 84, avril-septembre 2014.
52. Sang D. L., Ward G., « Acculturation in Australia and New Zealand », art. cit.

innovateur est un transgresseur puisqu'il met dans la culture une pensée qui n'y était pas avant lui. Il sera donc admiré par ceux qui aiment les idées nouvelles, et détesté par ceux qui se plaisent à réciter les idées admises.

Lacan fasciné par Charles Maurras, un singe et quelques poissons

Quand je préparais le concours des hôpitaux psychiatriques, nous devions apprendre le « syndrome d'automatisme mental ». Ce phénomène hallucinatoire fréquent s'impose dans l'esprit du délirant qui est convaincu que ce qu'il pense lui est imposé par une force extérieure. C'est Gaëtan de Clérambault qui a individualisé ce syndrome. Ce psychiatre de l'entre-deux-guerres était un savant à la personnalité flamboyante. Il parlait couramment l'anglais, l'allemand, l'espagnol et l'arabe. Il aimait les problèmes techniques et l'exploration des mondes mentaux. Il s'était rendu célèbre par ses études ethnologiques sur le drapé des costumes marocains. Il enseignait aux Beaux-Arts de Paris et soutenait que les tissus qui enveloppent les corps et les voiles qui couvrent les visages orientent les regards vers ce qui est caché, constituant ainsi une forme d'érotisme[53]. L'existence de Clérambault fut marquée par ses passions douloureuses, il s'est donc intéressé aux délires passionnels. Il a décrit l'érotomanie, où les

53. Moron P., Girard M., Maurel H., Tisseron S., *Clérambault maître de Lacan*, Paris, Les Empêcheurs de penser en rond/Synthélabo, 1993.

femmes aiment à mort un homme célèbre avec qui elles n'auront jamais de relations sexuelles, mais qu'elles envisagent de tuer pour mieux le posséder.

Gaëtan de Clérambault s'est suicidé en 1934, au cours d'une mise en scène où il avait associé l'esthétique de la mort avec l'érotisme des drapés : il s'est assis dans son fauteuil, face à un grand miroir, entouré de ses plus beaux mannequins drapés et a appuyé un revolver sur sa tempe.

Cette esthétisation de la mort était valorisée par la droite maurassienne des années 1930[54]. Le « suicide au scapulaire » permet d'associer la mort libératrice avec la beauté et la morale : « Ah ! Mourir, mon Seigneur, en Vous ! Mourir vêtu du scapulaire. Pur, les vêtements blancs comme un ange de Pâques [...]. La corde au cou, Octave est monté sur le parapet [...]. Il resserre le nœud qu'il a formé lui-même autour de sa gorge, s'élance du balcon de pierre [...] son corps fluet [...] se balance dans la lumière [...] cette chair resplendissante est devenue au même instant notre âme délivrée[55]. »

Mishima, dans le Japon occidentalisé des années d'après guerre, a exprimé la même fascination pour une mort érotisée. Il aimait s'imaginer mourant d'une belle mort, comme Maurras et Clérambault. Enfant craintif, subjugué par les fortes femmes de sa famille, écrasé par un père lointain engagé dans la surhumanité nazie, Mishima pense, lui aussi, que la mort peut être belle. Il est envoûté par le tableau de Mantegna figurant saint

54. Maurras C., *La Bonne Mort*, Paris, Carnets de l'Herne, 2011.
55. Maurras C., *Le Chemin de Paradis. Mythes et fabliaux*, Paris, Calmann-Lévy, 1895.

Sébastien attaché à une colonne de chapiteau corinthien[56]. Il est émerveillé par la douceur du bel éphèbe au corps presque nu, percé de flèches, mourant tendrement en regardant le ciel. Mishima a certainement éprouvé un grand plaisir à se faire mourir en imagination dans ses romans, au cours d'un *seppuku* où il se décrivait en héros éventré, boyaux dégueulés par terre, affectueusement décapité par un proche.

Passionnés et passionnants, ces hommes marquaient leur présence dans l'âme des admirateurs désireux de se laisser influencer. Lacan se sentait en famille auprès de ces forts personnages. À l'époque où il était interne de Clérambault, il avait été subjugué lui aussi, enflammé, admiratif du « seul maître » qu'il a jamais reconnu.

« Jacques Lacan n'est pourtant que l'exemple le plus célèbre d'un psychanalyste marqué par la pensée de Maurras. Il faut encore citer Édouard Pichon, le maître de Françoise Dolto qui, dans les années 1930, fera de la pensée maurrassienne l'axe de son combat pour la constitution d'un freudisme français[57]. » Aucun de ces psychanalystes ne s'est laissé entraîner dans le curieux antisémitisme de Maurras : « Il y a des Juifs très gentils, il y en a de très savants [...]. Je les aurai pour amis[58]. » Ayant ainsi parlé, il félicite le gouvernement de Vichy pour la publication du statut des Juifs (19 octobre 1940). Quand il entend parler de la rafle du Vél'd'Hiv, il dit : « Les Juifs essaient de se rendre

56. Collectif, *Le Noir et le Bleu. Un rêve méditerranéen*, Marseille/Paris, Mucem/Textuel, 2014, p. 258.
57. Giocanti S., *Maurras. Le chaos et l'ordre*, Paris, Flammarion, 2008, p. 324-325.
58. Goyet B., *Charles Maurras*, Paris, Presses de Sciences Po, 2000, p. 258.

intéressants » (20 octobre 1942). Contre eux, « un seul remède, le ghetto, le camp de concentration ou la corde » (25 février 1943). Il prône la délation pour lutter contre la « pieuvre juive » (2 février 1944). Quand il apprend l'existence d'Auschwitz, il dit : « C'est une rumeur à écouter avec discernement et sens critique[59]. »

Les psychanalystes sont restés bienveillants envers leurs collègues juifs en difficulté : « Le docteur Jacques Lacan a permis à mon père, qu'il savait juif, de travailler dans son service de l'hôpital Sainte-Anne [...], ce qui a permis à mon père d'éviter d'être déporté[60]. » En Allemagne nazie, les psychanalystes fondent l'Institut Göring, d'où les Juifs sont exclus et où les cours de référence sont extraits de Jung, ce qu'on peut admettre, et d'Adler et Freud, ce qui peut surprendre[61]. En France, le naïf René Laforgue tente de fonder un institut de psychanalyse aryenne d'où seraient chassés les Juifs. Un procès à la Libération ne le condamne pas, car il n'a commis aucun crime, mais il se sent obligé de se réfugier au Maroc où Jalil Bennani[62] et Jacques Roland témoignent de sa gentillesse et de sa crédulité politique.

Quelques années plus tard, les séminaires de Lacan ont été accueillis à l'hôpital Sainte-Anne dans le service de Jean Delay, jusqu'au moment où la foule

---

59. Cyrulnik B., « Préface », *in* C. Maurras, *La Bonne Mort, op. cit.*, 2011, p. 24.

60. Lettre personnelle d'Henri Biezin (1er mars 2012) présentant le manuscrit de son père le docteur Jacques Biezin avec le philosophe Morad El Hattab : *L'Utopie freudienne à l'épreuve des avancées de la science.*

61. Cocks G., « German psychiatry, psychotherapy and psychoanalysis during the Nazi Period : Historiographical reflections », *in* M. S. Micale, R. Porter (dir.), *Discovering the History of Psychiatry*, New York, Oxford University Press, 1994, p. 287.

62. Bennani J., *La Psychanalyse au pays des saints*, préface d'Alain de Mijolla, Casablanca, Éditions Le Fennec, 1996, p. 149-151.

d'admirateurs était devenue si importante qu'il a fallu déménager vers l'École normale supérieure de la rue d'Ulm.

Henri Ey ne pouvait pas se laisser subjuguer par des hommes tels que Clérambault ou Lacan. Personne n'aurait pu l'embarquer dans un mouvement de contagion émotionnelle. Il se considérait lui-même comme un psychiatre des champs à Bonneval et ne craignait pas d'affronter son ami Jacques Lacan, psychiatre des villes à Saint-Germain-des-Prés.

On adorait les disputes entre « Guitry-Lacan et Raimu-Ey[63] ». Le psychiatre des champs enracinait sa pensée-souche dans le naturalisme, la biologie et l'éthologie animale, puis la faisait évoluer vers les domaines sociaux et culturels. Tandis que Lacan jouait de plus en plus avec les mots, sans oublier l'apport de l'éthologie ; il s'inspirait des singes dans le stade du miroir et s'enflammait pour les poissons dans sa théorie de l'articulation du réel et de l'imaginaire[64]. Dès 1936, au Congrès international de psychanalyse à Marienbad, le jeune Lacan, excellent neurologue, s'appuie sur quelques données expérimentales pour expliquer comment « l'enfant, encore dans un état d'impuissance et d'incoordination motrice, anticipe imaginairement l'appréhension et la maîtrise de son unité corporelle[65] ». Cette hypothèse, fortement confirmée par les neurosciences actuelles, est alors défendue par Lacan qui s'appuie sur la psychologie

63. Thuillier J., *La Folie. Histoire et dictionnaire*, *op. cit.*, p. 156-161.
64. Laplanche J., Pontalis J.-B., « Stade du miroir », *Vocabulaire de la psychanalyse*, 1973, Paris, PUF, p. 452-453.
65. Lacan J., « Propos sur la causalité psychique », *L'Évolution psychiatrique*, 1947, p. 38-41.

comparée d'Henri Wallon[66] et sur des « données empruntées à l'éthologie animale montrant certains effets de maturation et de structuration biologique opérés par la perception visuelle du semblable[67] ». À cette époque Lacan « s'attache [...] à mettre en évidence les conditions organiques déterminantes dans un certain nombre de syndromes mentaux [...] et à faire une analyse phénoménologique, indispensable à une classification naturelle des troubles[68] ». Ses travaux neurologiques portent sur des variations de symptômes dans la maladie de Parkinson et sur les troubles de la commande du regard. Dans le même élan, le jeune Lacan est attiré par « les méthodes de la linguistique dont l'analyse des manifestations écrites du langage délirant » qu'il publie dans *Minotaure*[69].

Depuis 1946, les joutes oratoires des deux maîtres « "Guitry-Lacan" et "Raimu-Ey" restent certainement parmi les plus beaux textes que l'on puisse lire sur la causalité essentielle de la folie [...]. À cette époque, Jacques Lacan parlait et écrivait encore de façon intelligible et souvent admirable[70] ». Il est un fait que sa thèse, parfaitement lisible, est structurée comme une excellente question de cours, une sorte de psychologie du développement déroutante pour un lacanien d'aujourd'hui[71].

---

66. Wallon H., « Comment se développe chez l'enfant la notion du corps propre », *Journal de psychologie*, 1931, p. 705-748.
67. Lacan J., *L'Évolution psychiatrique*, *op. cit.*, p. 38-41.
68. Lacan J., *De la psychose paranoïaque dans ses rapports avec la personnalité*, Paris, Seuil, 1975, p. 399.
69. Lacan J., « Le problème de style et la conception psychiatrique des formes paranoïaques de l'expérience », *Minotaure*, n° 1, 1933.
70. Thuillier J., *La Folie. Histoire et dictionnaire*, *op. cit.*, p. 157.
71. Lacan J., *De la psychose paranoïaque dans ses rapports avec la personnalité*, thèse de doctorat, faculté de médecine de Paris, 1932, mention « Très honorable », proposée

On y lit le rôle des émotions dans le déclenchement de la psychose, aggravée par le café et la ménopause[72]. Mais on y trouve surtout un esprit ouvert et une connaissance encyclopédique. Lacan a-t-il regretté sa clarté ? En 1975, il écrit au dos du livre : « Thèse publiée non sans réticence. À prétexter que l'enseignement passe par le détour de midire la vérité. Y ajoutant : à condition que l'erreur rectifiée, ceci démontre le nécessaire de son auteur. Que ce texte ne l'impose pas justifierait la réticence[73]. »

Ça va ! Lacan est en marche. Son style nostradamique entraîne le lecteur vers une pensée énigmatique.

De ce lieu où bouillonnaient les idées sont partis tous les courants qui ont fait la psychiatrie d'aujourd'hui. Henri Ey avait invité ses collègues, médecins des hôpitaux psychiatriques, souvent communistes, à évoquer les difficultés sociales de prise en charge des malades mentaux. C'était l'époque où l'on pouvait encore associer dans une même publication un éthologue, un communiste et un lacanien[74] qui posaient les questions fondamentales d'une discipline naissante. C'est dans cet esprit que Lacan avait assisté au colloque *Psychiatrie animale*. Il n'avait pas pris la parole, mais il était enchanté par cette manière de faire naître des idées. Il citait souvent ce livre et, dans sa salle d'attente, il y avait toujours

pour le prix de thèse. Thèse dédiée à son frère le moine bénédictin, à Henri Ey et à Édouard Pichon.

72. Lacan J., *De la psychose paranoïaque dans ses rapports avec la personnalité*, Paris, Seuil, 1975, p. 124 (réédition de sa thèse de 1932).

73. *Ibid.*, quatrième de couverture.

74. Ey H., Bonnafé L., Follin S., Lacan J., Rouart S., *Le Problème de la psychogenèse des névroses et des psychoses*, Paris, Desclée de Brouwer, 1950 ; réédition Paris, Tchou, 2004.

un ou deux exemplaires sur sa table de revues[75]. Le colloque suivant fut consacré à « L'inconscient » où les psychanalystes eurent, ce qui est normal, l'essentiel des publications ; Lacan y tenait sa place[76] aux côtés d'André Green, René Diatkine, Jean Laplanche, Serge Lebovici et toute la jeune équipe qui allait dynamiser la psychologie des années 1960.

L'instinct, notion idéologique

Lacan écrit très justement que Freud n'a jamais employé le mot « instinct » que l'on peut pourtant lire dans de nombreuses traductions. Il a parlé de *Trieb*, de *Trieben,* qui signifie « pousser » en allemand. Cette pulsion constituerait une force indéterminée, une poussée qui oriente les comportements vers un objet susceptible de satisfaire l'organisme. Il n'emploie le mot *Instinkt*, que pour parler des animaux ou de la « connaissance instinctive de dangers », comme un pressentiment de danger[77]. Encore aujourd'hui, de nombreux psychanalystes distinguent l'instinct, « comportement hérité, propre à une espèce animale, variant peu d'un individu à l'autre, se déroulant selon une séquence temporelle fixée, paraissant répondre à une finalité », alors qu'ils

75. Témoignage de Jean Ayme, chef de service, communiste, pionnier de la politique de secteur psychiatrique, qui a longtemps côtoyé Lacan.

76. Ey H. (dir.), colloque durant l'année 1960. En 1964, Henri Ey a dû insister pour que Lacan remette un texte : *L'Inconscient*, Paris, Desclée de Brouwer, 1966, p. 159-170.

77. Freud S. [1926], *Inhibition, symptôme et angoisse*, Paris, PUF, 1971.

expliquent que la poussée (*Trieb*), mouvante chez les êtres humains est variable dans ses buts[78].

Cette distinction logique employée par les psychanalystes a l'avantage d'être claire – quel dommage qu'elle soit fausse ! Konrad Lorenz en 1937 et Nicolas Tinbergen en 1951[79] avaient en effet employé ce mot pour défendre la notion d'équipement héréditaire des animaux et s'opposer ainsi aux béhavioristes qui ne parlaient que de réflexes conditionnés sans faire de différence entre un rat, un pigeon et un homme. L'inné existe, disait Konrad Lorenz, il contribue à la conservation de l'individu et de l'espèce[80]. Cette guéguerre, bien plus idéologique que scientifique, opposait ceux qui croyaient qu'un programme génétique peut se dérouler sans subir les pressions du milieu, à ceux qui croyaient qu'un milieu peut écrire n'importe quelle histoire sur un organisme de cire vierge. Ce conflit, aujourd'hui désuet, n'est pas logique : une matière pourrait-elle vivre sans milieu ? Et un milieu pourrait-il exercer sa pression sur rien ? L'éthologie, très tôt, a répugné à utiliser le concept d'instinct[81], dont les définitions variées ne correspondent pas aux observations en milieu naturel et en laboratoire[82]. Ces dernières années, on note plutôt une avalanche de publications sur

78. Laplanche J., Pontalis J.-B., « Stade du miroir », art. cit., p. 203.
79. Tinbergen N., *The Study of Instinct*, Londres, Oxford University Press, 1951 ; traduction française : *L'Étude de l'instinct*, Paris, Payot, 1971.
80. Lorenz K., « The objectivistic theory of instinct », *in* P. P. Grassé (dir.), *L'Instinct dans le comportement des animaux et de l'homme*, Paris, Fondation Singer-Polignac, p. 51-76.
81. Immelmann K., *Dictionnaire de l'éthologie*, Bruxelles, Mardaga, 1990, p. 137.
82. Thinès G., *Psychologie des animaux*, Bruxelles, Mardaga, 1969.

l'épigenèse[83], quand un organisme se construit, se détruit et se remanie constamment sous l'effet du milieu qui ne cesse de changer. Dans notre contexte scientifique du XXIe siècle, la notion d'instinct est devenue un non-sens, au même titre que l'opposition entre inné et acquis. Et même la notion de pulsion freudienne finit par ne pas dire grand-chose, tant elle est floue.

Ce conflit amical entre Henri Ey et Jacques Lacan était passionnant. La psychiatrie était gaie dans les années 1960, du moins pour ceux qui s'intéressaient à cette nouvelle manière de poser les problèmes. Pour les malades, dans les asiles, c'était une autre affaire. Par bonheur, une poignée de médecins des hôpitaux non universitaires commençaient à murmurer que l'on pouvait soigner les psychotiques hors des murs de l'asile, dans leur milieu naturel, c'est-à-dire en ville, dans leur culture.

J'entendais autour de moi des jeunes psychiatres affirmer qu'il fallait choisir son camp, entre la biologie et la linguistique, inconciliables. « Choisir son camp », c'est un langage de guerre. Pour ma part, en m'identifiant à ces aînés prestigieux, j'éprouvais plus de plaisir à me demander ce que les animaux pouvaient nous faire comprendre sur la condition humaine préverbale, et ce que les linguistes nous faisaient découvrir dans l'étude des récits. Pourquoi fallait-il choisir un camp puisque les deux domaines étaient passionnants, associés et différents ?

La honte des origines empoisonne encore la réflexion psychiatrique depuis qu'on cherche à penser

83. Bustany P., « Neurobiologie de la résilience », *in* B. Cyrulnik, G. Jorland (dir.), *Résilience. Connaissances de base*, Paris, Odile Jacob, 2012, p. 45-64.

la folie. « Nous n'avons rien de commun avec les animaux », s'indignaient ceux qui croyaient qu'on voulait les humilier. « Une machine n'a pas d'émotions ni de pensées, comment voulez-vous qu'un animal explique nos fantasmes ? » « L'éthologie est ridicule », ajoutaient ceux qui ne supportaient pas qu'on rabaisse l'homme au rang de la bête. « La question des origines devient un débat passionnel qui glisse du domaine de la science et de la connaissance à celui de la passion et de l'idéologie[84]. » Darwin a hésité pendant vingt ans avant d'oser publier *L'Origine des espèces,* qui présente la nature comme un processus évolutif. On constate aujourd'hui une contre-attaque solidement financée, aux États-Unis, en Turquie et en Europe, de la part des créationnistes qui soutiennent que l'homme et les espèces vivantes ont été créés par Dieu dès l'origine, tels que nous les voyons aujourd'hui. Pour eux, l'évolution est un blasphème qu'il convient d'interdire, comme le font toutes les dictatures religieuses.

L'an dernier, à Bordeaux, le docteur Éric Aouizerate avait organisé à la synagogue une réunion pour faire savoir ce qu'étaient devenus les rares survivants de la rafle de mille six cents personnes du 10 janvier 1944. L'ambiance était chaleureuse, intime, et les questions amicales étaient stimulantes. C'est alors qu'un psychiatre qui avait pour mission de commenter mon exposé a éclaté : « Il compare nos enfants à des animaux ! » Ce soir-là, je n'avais parlé que de mon évasion de cette synagogue transformée en prison par le gouvernement de Vichy. Pourquoi

84. Brenot P., « La honte des origines », *in* B. Cyrulnik (dir.), *Si les lions pouvaient parler. Essais sur la condition animale*, Paris, Gallimard, « Quarto », 1998, p. 127.

ce psychiatre indigné avait-il évoqué les animaux ? Je pense qu'il se révoltait contre l'idée qu'il m'attribuait. Je pense qu'il pensait que je pensais que nos enfants étaient méprisables puisque je les comparais à des animaux que lui-même méprisait. Il y avait de quoi s'indigner, en effet ! Sauf que ce n'est pas du tout la démarche de l'éthologie qui ne méprise ni les enfants ni les animaux.

Quand Henri Ey publie *Psychiatrie animale*, il s'intéresse à tous les êtres vivants, du taureau à la punaise de lit, parmi lesquels l'homme prend une place particulière. Quand Lacan, dans sa théorie du stade du miroir, découvre qu'il y a chez nos enfants une anticipation réjouissante, « une assomption triomphante de l'image [...] dans le contrôle de l'identification spéculaire[85] », il nous dit que, comme chez certains animaux, l'image précède la parole et constitue un mode d'appréhension du monde : « On a pu mettre en valeur le rôle fondamental que joue l'image dans le rapport des animaux à leurs semblables [...]. On peut fort bien tromper le mâle comme la femelle de l'épinoche[86]. La partie dorsale de l'épinoche prend, au moment de la parade, une certaine couleur [...] qui déclenche [...] le cycle de comportement qui permet leur rapprochement final [...], une véritable danse, une sorte de vol nuptial, où il s'agit d'abord de charmer la femelle, puis de l'induire doucement à se laisser faire et d'aller nicher dans une sorte de petit tunnel qu'on lui a préalablement confectionné[87]. » Lacan lyrique anthropomorphise un peu, ce

85. Lacan J., « Propos sur la causalité psychique », *L'Évolution psychiatrique op. cit.*
86. Épinoche : poisson qui porte des épines dorsales indépendantes.
87. Lacan J., *Le Séminaire,* livre III : *Les Psychoses, 1955-1956*, Paris, Seuil, 1981, p. 108.

qui ne l'empêche pas de préciser : « Il est curieux que Konrad Lorenz, bien qu'il n'ait pas participé à mes séminaires, ait cru devoir placer en tête de son livre l'image très jolie et énigmatique de l'épinoche mâle devant le miroir[88]. »

Chez Tinbergen, on trouve quelques nuances : « Une femelle d'épinoche (au ventre gonflé) se présente dans le territoire d'un mâle, ce dernier commence aussitôt la danse en zig-zag [...], il la conduit vers le nid [...], elle suit, il lui montre l'entrée [...], le mâle frotte alors fébrilement de son museau la base de la queue de la femelle [...], elle pond [...] et le mâle féconde les œufs[89]. »

Éthologie et psychanalyse

Peu importe l'imprécision de Lacan, ce qui compte, c'est l'idée que les épinoches lui ont inspirée : « Partons de l'animal [cela] suppose l'emboîtement parfait [...], l'extrême importance de l'image [...], le mâle est pris dans la danse en zig-zag à partir de la relation qui s'établit entre lui-même et l'image qui commande le déclenchement du cycle de son comportement sexuel [...] dominé par l'imaginaire. L'animal fait coïncider un objet réel avec l'image qui est en lui[90]. » Lacan se

88. *Ibid.*, p. 109.
89. Tinbergen N., *The Study of Instinct*, *op. cit.*, cité *in* Eibl-Eibesfeldt I., *Éthologie Biologie du comportement*, Paris, Éditions scientifiques, 1972, p. 165.
90. Lacan J., *Le Séminaire*, livre I : *Les Écrits techniques de Freud, 1953-1954*, Paris, Seuil, 1975, p. 152-162.

sert de l'éthologie pour illustrer une idée : ce qui, dans le monde extérieur, est perçu comme une image révèle la structure intime de celui qui perçoit.

Quelques années plus tard, le psychanalyste poursuit : « L'imaginaire, vous l'avez vu aussi pointer par la référence que j'ai faite à l'éthologie animale, c'est-à-dire à ces formes captivantes et captatrices qui constituent les rails par quoi le comportement animal est conduit à ses buts naturels[91]. »

René Spitz lui aussi a été inspiré par l'éthologie de Nikolaas Tinbergen. Un oisillon goéland, dès sa sortie de l'œuf, n'a pas besoin d'apprentissage pour répondre à un déclencheur de comportement. Sur une languette de carton dont on fait varier la couleur, l'expérimentateur colle une pastille d'une autre couleur. Cela permet de constater que le nouveau-né s'oriente de préférence vers la languette jaune avec une pastille rouge. Cette forme et ces couleurs correspondent à une *gestalt*, à la configuration naturelle du bec des parents. Le petit s'oriente vers ce dessin coloré, donne un coup de bec sur la tache rouge, ce qui provoque la régurgitation de poissons prédigérés qu'il va chercher dans la gorge de ses parents[92].

Chaque année, en juin, avec les étudiants de Toulon, nous allions répéter cette expérimentation en milieu naturel, chez les goélands de Porquerolles. Je leur disais : « Surtout ne lisez rien, nous allons partir sur les pas de Tinbergen. » Et le soir nous revenions bronzés, fatigués et heureux d'avoir découvert un univers de cris,

91. Lacan J., *Le Séminaire,* livre III : *Les Psychoses, 1955-1956*, *op. cit.*, p. 17.
92. Tinbergen N., *L'Univers du goéland argenté*, Bruxelles, Elsevier-Séquoia, 1975.

de couleurs et de postures sémantisées que nous avions appris à décoder, en une seule journée.

René Spitz était un psychanalyste proche d'Anna Freud. Il s'est inspiré des expériences de Tinbergen pour fabriquer, comme lui, des leurres en carton sur lesquels il a dessiné la barre horizontale des sourcils et de la bouche, et la barre verticale du nez. Puis il a présenté ces cartons à des bébés de 2 mois et compté leurs réactions souriantes[93]. Cette petite « observation dirigée », comme disait Tinbergen, lui a permis de découvrir que les nouveau-nés sourient plus quand ils perçoivent un visage mouvant qui ressemble à un Picasso (avec le nez sur la tête ou les lèvres de travers) que lorsqu'on leur montre une photo d'identité immobile.

Ce petit livre est un chef-d'œuvre souvent cité par les psychanalystes. Il met en lumière « les carences affectives et les organisateurs du moi », (le « oui » et le « non », et l'angoisse du 8e mois). Pourquoi n'a-t-on pas remarqué qu'il y a, dans la bibliographie, vingt-cinq titres d'éthologie animale ? Et pourquoi n'a-t-on pas souligné les conséquences biologiques de ces carences affectives ?

Quand Lorenz et Tinbergen ont partagé avec von Frisch le prix Nobel en 1973, j'ai cru que les sciences naturelles, enfin reconnues, allaient se développer. Je n'avais pas compris qu'il faut un appareil politique pour faire entrer une idée dans la culture. Ce prix Nobel a été gâché par quelques phrases compromettantes que

93. Spitz R., *La Première Année de la vie de l'enfant*, préface d'Anna Freud, Paris, PUF, 1958 (reprise de ses conférences depuis 1946, avec vingt-cinq citations d'éthologie animale dans la bibliographie).

Lorenz avait écrites en 1940. C'était un sacré bonhomme, parlant fort, riant et dansant sur les tables à la fin des repas[94]. Son cursus universitaire était à son image, riche, diversifié, désordonné, pas vraiment un cheminement classique. En fait, ce qui l'intéressait, c'était l'ornithologie. Il débuta dans la carrière par un travail d'amateur, une observation de choucas que le *Journal d'ornithologie* accepta de publier en 1931. C'est ainsi qu'il a rencontré Heinroth, le maître en ce domaine. La renommée médiatique de Lorenz a précédé la reconnaissance scientifique, tant son personnage était coloré et sa manière de parler amusante et intelligente[95].

Pensée scientifique et contexte culturel

Konrad avait 15 ans au moment du traité de Versailles, en juin 1919. Comme tous les Allemands, il a été humilié. Cet affront fut un cadeau pour l'extrême droite fasciste qui s'en est servi pour rassembler et manipuler les indignés de la région. Son père, Adolf, brillant chirurgien, écrivain, hyperactif, n'a pas été choqué par le grondement des idées nazies.

Le jeune Konrad, à la fin de ses études de médecine, a donc été enrôlé dans l'armée allemande et envoyé en tant que neurologue dans un service de psychiatrie,

94. Aimé Michel, témoignage lors du tournage d'un film avec Konrad Lorenz à Saint-Vincent-Les-Forts, 1971.

95. Le premier livre grand public de Konrad Lorenz, *Il parlait avec les mammifères, les oiseaux et les poissons* (Paris, Flammarion, 1968), avait rendu célèbre l'éthologue, dès sa publication à Vienne en 1949, avant ses publications scientifiques.

près de Poznan, où il séjourna en 1943 et 1944. Après l'effondrement des armées allemandes, il fut prisonnier des Russes en Arménie soviétique, où il a établi avec eux de tranquilles relations d'estime. Ce fut presque un bonheur tant il avait souffert de son passage dans les hôpitaux psychiatriques. La misère, les restrictions alimentaires, la surpopulation, l'enfermement, le poids des schizophrènes qu'il n'avait pas appris à soigner et l'exaltation des hystériques ont torturé le jeune neurologue. Il avoue lui-même qu'il a découvert l'horreur du nazisme « étonnamment tard[96] », en voyant passer un convoi de Tziganes destinés aux camps de concentration.

La Seconde Guerre mondiale avait donné aux physiciens un immense pouvoir financier et intellectuel. Cette science, en découvrant les lois de la nature, avait permis la construction de machines qui avaient procuré du confort aux populations et assuré la victoire des militaires. La biologie, parente pauvre des sciences, a pris son essor plus tard, quand les laboratoires pharmaceutiques ont commencé à mettre au point les médicaments qui triomphaient des microbes. À cause de l'effort de guerre, c'est la physique qui, en orientant les recherches, a structuré les manières de penser. Dans un tel contexte du savoir scientifique, la notion de réflexe répondait parfaitement à la manière de comprendre comment se comportaient les êtres vivants. Le mot « réflexe » contenait implicitement la représentation de câblages, de stimulations mécaniques ou électriques qui correspondaient à cette culture de physiciens. Le béhaviorisme convenait à ces canons de pensée.

96. Nisbett A., *Konrad Lorenz*, Paris, Belfond, 1979, p. 123.

Dès 1937, Konrad Lorenz s'est opposé à Watson, le promoteur du béhaviorisme. Le mot « instinct » contenait un autre implicite, celui d'une nature animale[97]. L'équipement génétique d'un rat n'est pas celui d'un pigeon et encore moins celui d'un homme. Chaque être vivant ne peut donc répondre qu'à ce qui a une signification biologique pour son espèce, différente des autres. Croyant parler des animaux, les scientifiques ne faisaient qu'exprimer leur propre conception de la vie. Lorenz pensait que le béhaviorisme était une aberration intellectuelle qui confondait les êtres vivants en les mettant dans un même sac, sans tenir compte de leur équipement génétique et en leur infligeant des chocs mécaniques ou électriques.

Après la guerre, la psychanalyse américaine a légitimé l'éducation du laisser-faire. Le désir, disait-elle, témoigne d'une montée d'énergie saine. Quand on frustre un enfant, on bloque cette énergie qui se décharge alors sous forme de violence. Il suffit donc de ne rien interdire pour que nos enfants deviennent des anges. En 1946, le docteur Spock est devenu mondialement célèbre en écrivant des livres de conseils éducatifs inspirés par la psychanalyse. Il y disait déjà que l'enfant est une personne qu'il faut ne pas brimer pour éviter la névrose[98]. Beaucoup de psychanalystes français étaient choqués par cette psychologie de machine à vapeur qui gagnait le monde occidental. Ce qui ne les a pas empêchés de défendre Wilhelm Reich qui appelait cette

97. Lorenz K., « Über die Bildung des Instinktbegriffes », *Die Naturwissenschaften*, vol. 25, 19, 7 mai 1937, p. 289-300.
98. *Le docteur Spock parle aux parents*, Paris, Marabout, 1950.

énergie sexuelle « orgone[99] » et Herbert Marcuse qui associait le marxisme et la psychanalyse pour affirmer que la répression sexuelle est la source de la névrose capitaliste[100].

Opposé à ces pensées simples, Lorenz soulignait que le moindre comportement nécessite une organisation physiologique infiniment plus complexe qu'un réflexe. Il soulignait aussi que le modèle du flux énergétique des psychanalystes est beaucoup trop mécanique et linéaire pour expliquer les milliers d'interactions nécessaires au développement d'un individu. C'est pourquoi l'éthologie est devenue simplement l'étude comparée des comportements des êtres vivants dans leur milieu naturel.

Malheureusement, la notion d'instinct fut un cadeau pour les hitlériens et tous les racistes du monde. « Le peuple des seigneurs est gouverné par des instincts supérieurs », disaient-ils. Et puisqu'on reconnaît un seigneur quand il est grand, blond, au crâne allongé, tout ce qui lui vient à l'esprit est donc le résultat d'un instinct supérieur. Difficile de trouver plus simple, n'est-ce pas ?

L'article de Konrad Lorenz, publié en 1940, émet une forte odeur de nazisme[101]. Dès les années 1970, avant le prix Nobel, le docteur Rosenberg, professeur de psychiatrie à Harvard, et l'anthropologue Ashley Montagu avaient souligné les dangers de ce mot employé

---

99. Reich W., *La Révolution sexuelle*, Paris, Christian Bourgois, 1982.
100. Marcuse H., *L'Homme unidimensionnel*, Paris, Minuit, 1964.
101. Lorenz K., « Durch domestikation verursachte Störungen arteigenen Verhaltens », *Z. Angew. Psychol. U. Charakt. Kde*, 59, 1940, p. 2-81. Extraits de quelques passages dans Nisbett A., *Konrad Lorenz, op. cit.*, p. 109-113 et 276.

par Lorenz quand il évoquait « les dégénérescences qui ne maintiennent plus la pureté de la race [...] et quand des phénomènes similaires passent pour être une inévitable conséquence de la civilisation, à moins que l'État ne soit vigilant ». Lorenz dans son article de 1940 ajoutait : « la seule résistance que l'humanité de race saine puisse offrir [est de réagir] contre la dégénérescence causée par la domestication [...] le taux de mortalité très élevé chez les débiles mentaux est mis en évidence depuis longtemps [...]. L'idée de race en tant que fondement de notre État a déjà beaucoup œuvré dans le sens de l'épuration[102]. » Ces phrases rassemblées par Léon Eisenberg et Ashley Montagu accentuent l'impression de nazisme, alors que, dans le texte, elles sont diluées. Mais, incontestablement, Lorenz les a écrites.

Il est vrai que le taux de mortalité était élevé chez les débiles mentaux puisqu'on ne s'en occupait pas ! Il y avait même, dans les écoles allemandes, des livres où l'on montrait aux enfants trois couples de beaux jeunes gens, entourant le visage grimaçant d'un débile mental. La question était : « L'argent consacré à ce débile empêche ces trois couples d'acheter un logement. Est-ce normal ? » Devinez la réponse.

La préparation des esprits à l'« euthanasie » des malades mentaux a commencé dès 1933. Non seulement ces bouches inutiles empêchent l'épanouissement de jeunes de bonne race mais, en plus, ces vies sans valeur se reproduisent et transmettent leur tare à travers les générations, compromettant ainsi la pureté de l'espèce. « Le 9 octobre 1939, Hitler signa un document [...]

---

102. Nisbett A., *Konrad Lorenz*, *op. cit.*, p. 109 et citations en allemand, p. 276.

donnant mandat à ses fidèles [...] de choisir les médecins qui auraient l'autorisation "d'accorder une mort miséricordieuse aux vies indignes d'être vécues[103]". » C'est au nom de la compassion que l'on pourra tuer ces êtres inférieurs afin que de beaux jeunes gens puissent acheter un logement ! Les deux phrases malheureuses de Lorenz étaient en harmonie avec celles de son époque, et pas seulement en Allemagne.

Quand j'ai avoué mon désarroi à Le Masne (qui a marqué l'enseignement de la psychophysiologie et de l'éthologie à Marseille dans les années 1970), sa réponse a été claire : « Tous les articles publiés dans les revues scientifiques de cette époque devaient contenir une ou deux phrases de ce genre, sinon le comité éditorial refusait la parution. » Une carrière universitaire peut-elle se faire à ce prix ? L'arme la plus efficace des dictatures, c'est le conformisme. La police et l'armée sont des forces accessoires mises au service des stéréotypes culturels.

Doxa et rébellion

Alexandre Minkowski avait un caractère rebelle qui l'empêchait de se soumettre à une doxa, cet ensemble d'idées reçues, ressenties comme des évidences, parce que tout le monde les récite en même temps. Minkowski jugeait par lui-même, il lui arrivait aussi de penser le contraire de ce qu'il avait pensé quelque temps auparavant. Mais c'était toujours sincère et carrément exprimé. J'ai eu avec lui des

103. Bonah C., Danion-Grilliat A., Olff-Nathan J., Schappacher N. (dir.), *Nazisme, science et médecine*, Paris, Glyphe, 2006, p. 31.

relations pas toujours faciles. Il disait qu'on se disputait comme un vieux couple. Il venait souvent à Châteauvallon, près d'Ollioules, où nous organisions des réunions. Il souhaitait trouver avec nous des moyens de relancer la vie dans l'âme des petits Cambodgiens et Rwandais traumatisés par les génocides. À cette époque, nous n'appelions pas encore ce processus « résilience », mais nous refusions le misérabilisme de ceux qui récitaient : « Vous voyez bien que ces enfants sont foutus. » Le caractère parfois pimenté d'Alexandre nous a beaucoup aidés.

Il n'avait pas tout à fait terminé ses études de médecine à Paris quand il s'est engagé dans le bataillon de chasseurs français qui a combattu en Suède. Après la guerre, boursier Rockefeller, il a poursuivi sa formation médicale à Harvard et, en 1947, en revenant en France, il a entrepris de créer un service de néonatalogie, comme ceux qu'il avait vus aux États-Unis. Les principaux adversaires de ce projet furent les universitaires qui récitaient le dogme du darwinisme social : « Il ne faut pas s'occuper des prématurés, de façon à ce que la nature sélectionne les plus forts et élimine ceux dont la vie aurait été sans valeur. » Le nazisme avait perdu la guerre des armes, mais pas le combat des idées.

Grâce à son goût pour la bagarre intellectuelle, Alexandre a tout de même réussi à organiser le premier service de néonatalogie en France. Il a rassemblé autour de lui une équipe de chercheurs admirables qui a développé des disciplines différentes telles que la neurologie, la biologie, l'électroencéphalographie et la psychologie des interactions précoces.

Ces recherches passionnantes ont permis de sauver énormément de petits prématurés qui, en quelques mois, rattrapent le niveau normal de développement. Mais Alexandre a dû reconnaître que certains grands prématurés avaient un cerveau tellement abîmé qu'il a fallu ensuite militer contre l'acharnement thérapeutique. Le mot « militer » le mettait en colère. Il disait : « Un militant défend n'importe quelle cause. Il obéit. Moi je défends la vérité clinique. » Je rétorquais que, donc, il militait pour la vérité clinique. Alors nous nous disputions et il éclatait : « Boris, je préfère ta femme ! » Je lui disais qu'il avait bien raison, et nous redevenions amis, jusqu'à la dispute suivante.

Jacques de Lannoy était très différent. Doux, réservé, le regard évitant, il acceptait d'envisager tous les problèmes, à condition qu'ils soient bien argumentés. Il m'a souvent invité à travailler avec lui à Genève où il était professeur de psychologie. Son apport fondamental a été d'observer les humains dans une perspective éthologique. Il ne faisait pas d'observations animales, il n'extrapolait jamais, mais le modèle animal lui servait de trésor à hypothèses et de méthode d'observation. Le cheminement des idées est une aventure imprévisible. Partant de l'éthologie animale, il avait débouché sur l'étholinguistique, « le statut sémiotique du geste [où] le geste est à la fois signe et action[104] ». En ce sens, il rejoignait une piste indiquée par Freud et peu suivie par ses adeptes : « L'inconscient qui parle avec les mains[105]. » La manipulation machinale du porte-monnaie de Dora (un des premiers cas

104. Feyereisen P., Lannoy J. D. de, *Psychologie du geste*, Bruxelles, Mardaga, 1985, p. 74.
105. *Ibid.*, p. 81.

d'hystérie analysés par Freud) est interprétée comme l'expression d'une envie de se masturber. Freud écrit : « Celui dont les lèvres se taisent bavarde avec le bout des doigts[106]. » Comme Lannoy n'était ni neurologue ni psychiatre, il m'avait invité à juger son travail sur l'analyse des gestes dans la maladie d'Alzheimer et sur l'éthologie des enfants autistes[107]. Quand Lacan disait : « L'inconscient est structuré comme un langage », Lannoy précisait : « C'est le monde vivant qui est structuré comme un langage. »

En le côtoyant, j'ai appris qu'il avait passé trois années chez les Lorenz, en Allemagne. Il me disait que Konrad vivait dans un milieu où quelques-uns de ses proches pensaient encore que le national-socialisme était un beau projet de société, alors Lorenz les faisait taire d'un geste agacé. Lannoy affirmait que Lorenz n'était pas nazi, mais qu'il restait attaché à des gens qui continuaient à croire aux mille ans de bonheur promis par le Führer.

Cette tache sur le prix Nobel a contaminé l'éthologie. En écrivant ces mots, je pense que la théorie des réflexes béhavioristes combattue par Lorenz n'était finalement pas si mauvaise puisqu'il suffisait d'articuler « é-tho-lo-gie » pour que certains intellectuels déclenchent des sonorités telles que : « i-nné » ou « thé-o-rie-d'ex-trême-droite ». Les travaux d'éthologie étaient disqualifiés par ceux qui refusaient de les lire parce qu'ils étaient disqualifiés. Ces récitations réflexes

106. Freud S., *Cinq psychanalyses*, Paris, PUF, 1954, p. 57.
107. Lannoy J. D. de, Da Silva Neves V., « Une analyse éthologique des interactions sociales d'enfants autistiques en situation de thérapie », *Psychologie médicale*, 9, 1977, p. 2173-2186.

empêchent les débats. On préjuge d'une théorie qu'il convient d'ignorer, afin de la haïr. C'est ainsi que bêlent les troupeaux de diplômés, unis par une même détestation. La haine devient le liant d'un groupe d'où le plaisir de penser a été chassé.

Je me demande pourquoi la lumière a été orientée vers ces phrases coupables écrites par Lorenz, et non pas vers le courage et la générosité de Nikolaas Tinbergen qui a partagé le même prix Nobel. Quand les professeurs juifs ont été chassés des universités hollandaises, Tinbergen a fait partie des enseignants qui ont protesté en s'opposant à cette injustice. Il a démissionné de sa chaire pour ne pas être associé à ceux qui commettaient ces actes scélérats. Il fut donc arrêté et retenu prisonnier dans un camp nazi[108]. De temps en temps, un collègue universitaire était fusillé mais, dans l'ensemble, l'emprisonnement a été supportable. Quand Lorenz apprit l'arrestation de son ami, il proposa d'intervenir pour tenter de le faire libérer. La femme de Tinbergen refusa, approuvée par son mari. Il est resté otage-prisonnier pendant plus de deux ans. À peine libéré, il a rejoint un mouvement de résistance hollandais.

Pourquoi en a-t-on si peu parlé ? On aurait pu souligner le courage de cet homme, sa probité, son sens de la méthode scientifique et ses observations lumineuses qui ont inspiré tant de biologistes et de psychanalystes. L'éthologie en aurait été glorifiée. La culture des années 1970 a préféré s'intéresser à une incontestable bavure de Lorenz qui a sali l'éthologie.

108. Nisbett A., *Konrad Lorenz, op. cit.*, p. 122.

Tout objet de science est un aveu autobiographique

Les idées scientifiques ne sont peut-être pas si abstraites qu'on le dit. Elles s'enracinent dans notre histoire privée, dans notre culture et même dans notre inconscient, comme l'explique Georges Devereux[109]. Le simple choix de l'objet de science est un aveu autobiographique, il provoque un contre-transfert, comme en psychanalyse. De nombreux linguistes ont été motivés pour cette discipline afin de comprendre le malheur d'un père aphasique ou d'aider un petit frère autiste.

Ceux qui vivent dans une famille où les signes quotidiens évoquent leur appartenance à un groupe, une race, une religion « supérieurs » accepteront sans peine une publication scientifique qui conclut que certains gènes programment un développement de meilleure qualité. Alors que ceux qui se débattent dans un milieu social où il est difficile de s'épanouir s'orienteront de préférence vers des travaux qui cherchent les causes extérieures aux échecs développementaux.

Quelque temps avant l'élection présidentielle qui opposait Mitterrand et Giscard d'Estaing en 1974, j'avais été invité à un colloque qui traitait encore de l'antique combat entre l'inné et l'acquis. J'avais simplement fait circuler une feuille où j'avais écrit deux questions dont il suffisait de cocher les réponses :

---

109. Devereux G., *De l'angoisse à la méthode dans les sciences du comportement*, Paris, Flammarion, 1980.

– Selon vous, dans les sciences du comportement, qu'est-ce qui est prépondérant ? L'inné/l'acquis.

– Pour qui allez-vous voter ? Giscard/Mitterrand.

Ce questionnaire banal et anonyme a obtenu cent vingt réponses, d'où il est apparu que les scientifiques partisans de la prépondérance de l'inné s'apprêtaient à voter pour Giscard d'Estaing, tandis que les partisans de l'acquis préféraient Mitterrand.

La science est-elle totalement objective ? À partir d'une relation affective, d'une rencontre amicale, d'une influence sociale, d'un intérêt de carrière, on préfère une théorie qui donne forme à nos croyances, on peut donc formuler une hypothèse et orienter la méthode qui permettra d'obtenir le résultat qui nous fera plaisir.

Le professeur Simon Le Vay était un neurobiologiste réputé de Harvard, spécialiste du cortex du chat. Dans les années 1990, on se souciait beaucoup de trouver la cause de l'homosexualité. Le postulat paresseux consistait à dire que l'origine de ce trouble était génétique ou endocrinienne. Tout le monde répétait ce stéréotype fondé sur une pléthore de travaux qui avaient repéré l'existence de familles et de jumeaux où le nombre d'homosexuels était très élevé. C'est dans ce contexte que le professeur Le Vay publia quelques articles et un livre[110] où il soutenait que, dans l'hypothalamus (à la base du cerveau), les noyaux préoptiques des homosexuels étaient différents de ceux des hétérosexuels. L'hypothèse était logique : le cerveau du fœtus baigne dans des flux hormonaux déjà différents selon le sexe. Les hommes hétérosexuels ont des noyaux préoptiques plus gros que ceux des femmes

110. Le Vay S., *The Sexual Brain*, Cambridge, MIT Press, 1993.

hétérosexuelles. On pouvait donc postuler que les homosexuels avaient des noyaux intermédiaires.

Un soir à Bruxelles, en compagnie de Georges Thinès, philosophe-éthologiste, et de Michel Jouvet, spécialiste du sommeil, nous parlions de cette publication qui avait provoqué beaucoup d'émotion. Michel Jouvet avait apporté une tomographie (une photo de scanner découpé en tranches) d'un cerveau d'homosexuel mort du sida. Nous pouvions voir, en effet, l'opacité ronde des noyaux préoptiques, entourée d'une couronne floue. Ceux qui avaient envie de croire que ces noyaux étaient plus petits que ceux des hétérosexuels parvenaient à voir que le centre de ces noyaux était en effet plus petit. Et ceux qui n'y croyaient pas pouvaient sans difficulté voir que la couronne de ces noyaux était aussi grosse que celle des hétérosexuels. L'œdème cérébral de ces hommes morts du sida nous permettait de voir ce qu'on avait envie de croire.

À peine publiés, ces travaux scientifiques, soutenus par une technologie performante, étaient interprétés dans tous les sens. Certains soutenaient que ces noyaux différents induisaient des sécrétions hormonales différentes qui expliquaient les émotions et les comportements particuliers des homosexuels. Alors que d'autres insistaient sur le fait que les pratiques sexuelles pouvaient modifier la forme des noyaux. Toutes ces explications scientifiques étaient défendables, et probablement fausses. Depuis que l'on a découvert l'étonnante plasticité du cerveau et l'existence d'homosexuels hypervirils, on peut trouver ce dont on est persuadé.

En fait, l'enjeu de ce travail savant était idéologique. Simon Le Vay, quand il était étudiant, avait adhéré à la théorie de Freud qui décrivait une mère hyperprésente et colorée, mettant à l'ombre un mari facile à effacer. Un tel couple, pensait l'étudiant, explique mon homosexualité, puisque mes parents correspondent à cette image freudienne. Dans la culture allemande en fin de romantisme, on pensait que les parents tout-puissants façonnaient l'âme de leurs enfants. Un père mis à l'ombre, dans une culture hypervirile, expliquait logiquement l'apparition de l'homosexualité de ses enfants.

Devenu neurologue, Simon Le Vay découvrit d'autres explications possibles. La psychanalyse s'effaça de son esprit pour donner le pouvoir explicatif à la neurobiologie : à la base du cerveau se trouvent des noyaux de neurones qui sécrètent des substances qui modifient le taux des hormones mâles ou femelles. Voilà pourquoi votre fils est homosexuel. Désirant défendre la cause homosexuelle, Le Vay, grâce à ses connaissances neurobiologiques, voulait faire pénétrer dans la culture l'idée qu'on est homosexuel pour des raisons génétiques aussi innocentes qu'être blond ou avoir les yeux noisette.

Ce ne fut pas l'interprétation d'autres homosexuels qui, tel l'académicien Dominique Fernandez, pensaient que les hétérosexuels allaient s'emparer de cette « découverte » pour affirmer que l'homosexualité était une tare génétique qu'il convenait d'éradiquer. À partir de photos de scanner et au nom d'une théorie bienveillante, on risquait d'aboutir à un crime contre l'humanité.

Les sciences dures se prêtent un peu moins à l'interprétation. Si Pythagore revenait sur Terre aujourd'hui, il rattraperait son retard en mathématiques et s'étonnerait de nous voir considérer l'esclavage comme un crime. Il dirait que cette institution permet aux hommes libres de créer la démocratie. Il nous expliquerait que le langage mathématique n'a qu'une seule logique, quelle que soit la culture, et serait stupéfait que l'esclavage, moral dans la belle civilisation grecque, soit devenu un crime contre l'humanité dans le monde moderne. Alors vous pensez bien que, dans les sciences floues comme la neurologie et dans les sciences incertaines comme la psychiatrie, il n'est pas facile de faire la distinction entre un objet de science et un objet de croyance.

On dit qu'un objet de science est réfutable. Si vous n'êtes pas d'accord, vous pouvez refaire l'expérimentation ou rejoindre un autre groupe où vous pourrez rencontrer des chercheurs qui contestent eux aussi cet objet. Un tel argument, quoique scientifique, implique une réaction émotionnelle, le courage de rompre et d'aller s'inscrire dans une autre affiliation intellectuelle. Cette démarche qui prétend à l'objectivité est fortement teintée d'affectivité.

Un objet de croyance, non seulement n'est pas réfutable, mais il n'est que confirmable. Si vous n'êtes pas d'accord, ou si simplement vous doutez, il vous faudra entamer un processus de désaffiliation. Vos proches vont éprouver votre divergence comme une trahison. Vous allez sentir sur vous les regards suspicieux de vos anciens amis et entendre leurs reproches. Quand partager une croyance, c'est faire une déclaration d'amour, mettre en doute cette croyance, c'est agresser, trahir, briser le rêve de vivre dans le même monde que ceux qui vous aimaient. Ils ne le peuvent plus, maintenant que vous doutez. Partez ! Vous êtes un dissident !

Il se trouve que dans les sciences demi-dures les objets de science côtoient les objets de croyance, comme on l'a vu dans l'exemple de la lobotomie ou du cerveau des homosexuels. Vous entrez dans un groupe de recherche, vous tissez des liens d'amitié, c'est la fête, mais progressivement vous êtes gêné par des affirmations et des publications qui ne vous paraissent plus convaincantes. Que faire ? Rompre violemment au cours d'une réunion ? Ça arrive parfois. Envoyer une lettre où vous expliquez vos désaccords ? Cela arrive aussi. Mais, le plus souvent, on se tait, on s'absente, on change de groupe, puis on adresse nos travaux à d'autres revues, de façon à donner forme à un autre objet de science, plus agréable à partager.

C'est ce qui est arrivé à Tinbergen, à la fin de sa vie. Je ne me souviens plus comment nous avons été amenés à correspondre. Je crois que c'est à cause d'une petite brochure qu'il avait publiée avec sa femme à propos de l'autisme[111]. Il m'avait demandé ce que je pensais de sa méthode, mais le ton de ses lettres était si triste que j'ai pensé qu'il décrivait probablement l'autisme d'un de ses petits-enfants. La méthode de soins proposée par sa femme me paraissait curieuse. Elle conseillait de forcer l'enfant à soutenir le regard – ce qui, pour un autiste, constitue une grande agression. On m'a dit que, dépressif à la fin de sa vie et habitant Oxford, il voyait souvent John Bowlby à qui probablement il confiait son malheur. Mais il parlait aussi d'éthologie avec lui. Après avoir stimulé la créativité de René Spitz en lui proposant des modèles d'expérimentation, il a renforcé les convictions de John Bowlby, qui a été

111. Tinbergen N., Tinbergen E. A., « Early childhood autism : An ethological approach », *Advances in Ethology*, 10, 1972, p. 1-53.

président de la Société britannique de psychanalyse, de s'inspirer du modèle animal pour étudier le développement des petits humains préverbaux[112]. L'éthologue et le psychanalyste pensaient qu'une ontogenèse, un développement continu depuis l'œuf jusqu'à l'explosion du langage (du 20e au 30e mois), permettait de faire des observations et des manipulations expérimentales selon les méthodes éthologiques mises au point auprès des animaux. Ce sont des observations comme celles-là qui ont conduit Dorothy Burlingham et Anna Freud à décrire les besoins de l'enfant comme « un attachement précoce à la mère[113] ». Les observations faites par ces deux psychanalystes n'étaient qu'une invitation à faire évoluer la « théorie de la pulsion secondaire[114] », ce n'était pas une intention de la détruire.

Les débats qui alimentaient la culture dans laquelle ces chercheurs baignaient, leurs rencontres amicales, leurs liens personnels et les malheurs de leur existence se mêlaient à la rigueur des observations scientifiques pour mettre au monde la théorie de l'attachement. Ce n'était pas un objet de science dure, mais ce n'était pas non plus un objet de croyance. Le modèle animal posait des questions aux humains sur les perceptions et les émotions, alors qu'auparavant on posait aux animaux des questions humaines sur la volonté, la mémoire ou l'apprentissage.

---

112. Bowlby J., *Attachement et perte,* tome 1 : *L'Attachement,* Paris, PUF, 1969-1978.
113. Burlingham D., Freud A., *Infants without Families*, Londres, Allen & Unwill, 1944 ; traduction françaises : *Enfants sans famille*, Paris, PUF, 1944, p. 22.
114. Bowlby J., *Attachement et perte,* tome 1 : *L'Attachement, op. cit.*, p. 481.

Canulars édifiants

Dans les années 1970, il était difficile de ne pas se laisser imprégner par les idées lacaniennes, on baignait dedans. La plupart des enseignants s'y référaient sans cesse, de nombreuses revues lui étaient consacrées et, dans les discussions entre praticiens, une série de phrases revenaient régulièrement : « L'inconscient est structuré comme un langage... Le moi est l'aliénation première... Les trois ordres de l'expérience analytique c'est à savoir le symbolisme, l'imaginaire et le réel[115]. » Avec un stock de dix citations, on pouvait tenir une soirée, et parfois même faire carrière.

Au début des années 1980, le Syndicat national des psychiatres privés avait organisé à Perpignan un colloque sur la paranoïa. Les idées lacaniennes étaient à l'honneur, mais je ne sais pas pourquoi les publications sur la paranoïa sont souvent ennuyeuses avec leurs classifications illusoires et leurs raisonnements alambiqués. Il faisait chaud, je m'engourdissais, alors j'ai dit à Arthur Tatossian qui présidait ces journées : « Aidez-moi à faire un canular, sinon je vais mourir d'ennui et vous serez responsable. » Le sérieux Tatossian aussitôt s'est fait complice en annonçant que j'allais faire une communication importante sur la découverte d'une nouvelle psychose : la narapoïa. C'est ainsi que j'ai publié *Mes premiers écrits sur la narapoïa* qui faisait contrepoint à la publication de Lacan *Mes premiers écrits sur la paranoïa.*

---

115. Lacan J., *Le Séminaire,* livre III : *Les Psychoses, 1955-1956, op. cit.*, p. 17.

La narapoïa, ai-je dit sur un ton empathique, est une psychose très grave où le malade délire tellement qu'il est convaincu que tout le monde lui veut du bien. Seul un psychotique peut souffrir d'une telle conviction délirante. J'ai déconstruit la narapoïa à propos du « cas Otto Krank, sa vie, son œuvre ». Afin d'être pris au sérieux, je me suis exprimé obscurément car toute clarté aurait mis en lumière la faille de mon discours[116]. J'ai associé la psylacanise (qu'il ne faut pas confondre avec la psychanalyse) avec un traitement médicamenteux du plus heureux effet. J'ai traité Otto Krank avec du Largactil aux doses suivantes : un kilo le matin, un kilo à midi et deux kilos au coucher. Après quelques jours de traitement, j'ai constaté une nette amélioration de son état mental : Otto Krank commençait à se demander si vraiment on lui voulait du bien. Il allait mieux, j'étais heureux.

J'ai alors décidé d'alléger le traitement et je fus le premier à constater que l'effet psychopharmacologique de deux comprimés de vitamines B6 était exactement le même que celui d'un comprimé de vitamines B12. Le contre-transfert méritant une approche scientifique, je décidais de faire un électroencéphalogramme au psychothérapeute d'Otto. Les enregistrements m'ont permis d'affirmer que l'attention flottante des psychanalystes (recommandée par Freud) correspondait au stade III du sommeil lent profond.

C'est alors que nous avons parachevé le traitement en passant à la psylacanise. Otto Krank est né d'un père

116. Dans le genre paraphrases déconstructives, lisez : Chiflet J.-L., Leroy P., *Édouard, ça m'interpelle ! Le français nouveau est arrivé*, Paris, Belfond, 1991 ; Schnerb C., *Je pense*, Buchet-Chastel, 1972.

et d'une mère ce qui, à son époque, se faisait encore. Vers l'âge de 8 ans, quand Otto découvrit la grotesque méthode de reproduction sexuelle qui lui avait donné la vie, il fut atteint d'une paralysie hystérique des deux oreilles. À l'école, ses petits camarades pouvaient bouger leurs deux pavillons auriculaires, alors qu'Otto en était incapable. Il en souffrit cruellement. Au cours d'une séance de psylacanise, le malade a rapporté que son prénom le torturait. S'appeler Otto, c'était à la rigueur acceptable pour un garagiste, mais pas pour un analysant. Son psylacaniste lui conseilla de faire une anagramme déconstructive avec son prénom et de l'écrire à l'envers. Dès ce jour, Otto se sentit beaucoup mieux[117].

Fier de ces découvertes, j'ai dit : « J'ai une théorie : plus une théorie est idiote, plus elle a de chances de succès. » Aussitôt mes amis ont prédit un triomphe à ma théorie.

À la fin de ma communication, un homme est venu me féliciter en essuyant ses lunettes embrumées par ses larmes de rire. C'était pourtant un monsieur très sérieux. Pierre Legendre[118] a déclaré : « Lacan aurait dit de vous que vous êtes un non-imbécile. » J'ai reçu cette phrase comme on reçoit un diplôme. J'étais adoubé dans le champ lacanien.

J'ai refait ce canular à la demande de Jean-Michel Ribes, au théâtre du Rond-Point, dans son programme de « Rires de résistance ». Une grande partie de la salle a bien voulu jouer avec moi, mais certains auditeurs

---

117. Phrases inspirées par Woody Allen.

118. Legendre P. (juriste et psychanalyste), *L'Inestimable Objet de la transmission. Étude sur le principe généalogique en Occident*, Paris, Fayard, 1985.

venus pour entendre un grave exposé sur cette nouvelle psychose affichaient un visage atterré, immobile, yeux grands ouverts. Les canulars sont dangereux parfois.

Ils sont dangereux souvent, et malheureusement édifiants. Mai 68 a été un formidable tremplin pour la psychanalyse qui est entrée dans la culture, comme le souhaitait Freud, en même temps qu'elle entrait à l'université, ce qu'il ne souhaitait pas. On ne parlait que de ça : psychanalyse et politique, psychanalyse et marxisme, psychanalyse et féminisme, psychanalyse et psychose... Une telle embellie ne pouvait que provoquer des réactions hostiles. Debray-Ritzen fut le premier à contre-attaquer[119]. Cet homme appartenait à la race des grands patrons, humanistes et scientifiques, cultivés, travailleurs et trop sûrs d'eux. Il a volé dans les plumes de la psychanalyse, « l'impudente cuistrerie [...], l'indigence politique [...], la fonction putassière de l'écoute [...], les jeunes Gobe-Lacan qui aiment le jargon obscur [...], la confrérie du divan [...], ces psychiatres qui, comme une armée pitoyable, maintenant pullulent[120] ».

Les psychanalystes furent heureux de pouvoir haïr un tel homme. Mais, dans les deux clans, la passion fut si violente qu'elle rendait impossible le moindre argument. J'étais intéressé par ce personnage coloré, pimenté et créatif dont la brutale élégance me fascinait, comme on est fasciné par la beauté d'un taureau qui charge. C'est peut-être pour ça qu'on aime Louis-Ferdinand Céline dont la pensée me révulse. Il était rabelaisien,

119. Debray-Ritzen P., *La Scolastique freudienne*, Paris, Fayard, 1972.
120. Debray-Ritzen P., *L'Usure de l'âme. Mémoires*, Paris, Albin Michel, 1980, p. 453.

plus hénaurme que haineux, « Don Quichotte en plein ciel », disait André Gide. Bon… Admettons. Debray-Ritzen aimait s'entourer de ces forts caractères comme Arthur Koestler, Louis Pauwels ou Aimé Michel qui me fascinait par son intelligence rapide, sa culture immense et son désir de magie qui transforme la science en poésie.

Après la sortie de mon premier livre[121], je fus invité par Radio Courtoisie dont l'intitulé m'avait amusé. « C'est une radio d'extrême droite, m'avait dit Paul Guimard, mais allez-y quand même. Ils sont cultivés et bien élevés. » Je fus très bien reçu. Je crois me rappeler que la porte fut ouverte par un concierge en gilet rayé. C'est trop beau pour être vrai, à moins qu'il ne s'agisse d'une ironique politesse. L'entretien fut vigoureux et élégant. Alain de Benoist, Arthur Koestler et Pierre Debray-Ritzen furent souvent cités en tant que défenseurs d'un naturalisme que je n'approuvais pas malgré mon attirance pour l'éthologie animale. Après l'émission, je fus invité au restaurant où le débat, dépouillé du masque des citations, est devenu plus authentique et poignant. J'étais à table avec des ogres sympathiques. Ils aimaient la puissance, l'argent, les belles maisons et les beaux textes. Ils étaient vraiment « armés » pour la vie qu'ils considéraient comme un merveilleux champ de bataille. Le vacarme de leurs insultes racontait en riant comment ils avaient eu raison d'un philosophe ou d'un psychanalyste qu'ils avaient ridiculisé par un beau geste ou par une phrase bien enlevée. J'étais admiratif et en total désaccord (rappelez-vous la beauté du taureau qui charge).

121. Cyrulnik B., *Mémoire de singe et paroles d'homme*, *op. cit.*

Quand j'ai confié mon aventure à des amis psychanalystes, cette histoire que je voulais truculente a provoqué un long silence : « Tu n'aurais pas dû y aller, on ne discute pas avec des fascistes. » Pour provoquer le débat, j'ai donc décidé de faire une communication à la Société de psychiatrie à Marseille. Mais sachant que, si je choisissais mon camp (Freud à ma gauche, contre Debray-Ritzen à ma droite), je ne provoquerais que des invectives, j'ai décidé d'inverser les citations : « Comme dit Lacan, "nous marchons à grands pas vers un art optimystique, transcendantal et monothéiste". » Cette phrase de Prévert[122] a été applaudie par les psychanalystes. Comme dit Debray-Ritzen, ai-je ajouté, « la génétique, c'est l'enchantement de la matière vulgaire », ils ont alors critiqué cette phrase d'Apollinaire. Encouragé par ce succès, j'ai prétendu que Lacan avait écrit : « Je murmure encore un langage d'ailleurs », les partisans de Debray-Ritzen ont éclaté d'un rire sarcastique pour ce joli vers d'Aragon[123]. Puis j'ai « cité » Debray-Ritzen, le vil organiciste qui a écrit que « l'organisation de la vie psychique [...] est tout à fait détruite par des processus organiques » ; aussitôt les lacaniens ont hué cette phrase de Lacan[124].

C'est promis, je ne recommencerai plus. J'ai vu des gens que j'estimais tomber dans ce piège indécent. Ils défendaient le nom et non pas l'idée, ils s'engageaient sous une bannière dont ils ne connaissaient pas la cause. Les canulars sont dangereux parce qu'en

122. Prévert J., *Spectacle*, Paris, Gallimard, 1951, p. 243.
123. Aragon, *Le Fou d'Elsa*, Paris, Gallimard, 1963, p. 274.
124. Lacan J., *De la psychose paranoïaque dans ses rapports avec la personnalité*, Paris, Seuil, 1975, p. 142.

forçant le trait, ils disent le vrai, comme sont vraies les caricatures. Je pense qu'il m'est arrivé de réagir ainsi, j'en ai peur, c'est tellement facile, ça évite de penser et on se fait des amis.

CHAPITRE 2

FOLIE, TERRE D'ASILE

Découvertes sérendipiteuses

Un médecin militaire ayant constaté qu'une substance étrange augmentait l'endurance des soldats, Freud, pour se stimuler, s'en procura quelques grains. C'est ainsi qu'il fut sur le point de contribuer à l'invention de l'anesthésie. « Au début des années 1884, il rapporte à Martha Bernays (sa fiancée) qu'il s'intéresse aux propriétés de la cocaïne [...], il compte en expérimenter tous les usages dans des cas d'affections cardiaques et aussi de dépressions nerveuses[1]. » Il en donne à son ami Fleischl-Marxow pour apaiser ses souffrances, le rendant ainsi dépendant dès les premières prises. Il en prend lui-même pour « devenir fougueux » et lutter contre les « sombres chagrins » qui empoisonnent son âme dépressive.

C'est de cette manière, non scientifique, que furent plus tard découverts les médicaments que l'on appelle abusivement « psychotropes ». Il arrive qu'une trouvaille « sérendipiteuse » mette sous le regard du chercheur, par

1. Gay P., *Freud, une vie*, *op. cit.*, p. 51 et 60.

hasard, un fait habituellement insignifiant. Cet événement banal déclenche en lui le pressentiment d'une découverte que la méthode transformera en fait scientifique.

« D'abord le hasard, ensuite la raison », disait Claude Bernard en décrivant ce processus novateur. Mais un tel coup de chance ne saute pas à l'esprit de tout le monde. Pour que Freud ait eu envie de prendre un grain de cocaïne afin de se rendre fougueux, il a fallu qu'avant cette expérience il ait postulé une sorte de théorie implicite qui lui suggérait qu'une substance était susceptible de modifier un psychisme.

Quand il était stagiaire à la Salpêtrière, Freud avait proposé à Charcot de traduire ses leçons en allemand. Convaincu de l'excellence de la traduction, le maître avait invité Freud à venir chercher quelques feuillets chez lui après le dîner. Le jeune homme ravi et terrorisé n'a pu se rendre chez le professeur qu'après avoir acheté une chemise et des gants blancs, s'être « fait couper les cheveux et tailler la barbe pour quatorze francs [...], j'étais très beau, écrit-il, et me faisais à moi-même la meilleure impression [...], moi, très calme grâce à une petite dose de cocaïne ». Madame Charcot demande à Freud combien de langues il parle : « Allemand, anglais, un peu espagnol et très mal français », répond-il. « Telles ont donc été mes performances (ou plutôt celles de la cocaïne) et j'en suis très satisfait [...]. Avec un tendre baiser. Ton Sigmund[2]. »

Je crois me souvenir que j'étais stagiaire en deuxième année de médecine à l'Hôtel-Dieu, à Paris, dans le service

2. « Lettre à Martha », 20 janvier 1886, *in* Badou G., *Madame Freud*, Paris, Payot, 2006.

d'hématologie, quand j'ai été ému par le comportement d'une jeune malade de 24 ans. Je ne sais pas pourquoi on lui avait trouvé un lit en hématologie. Elle manifestait une douce extase, serrait contre elle un taureau en matière plastique et le caressait en exprimant quelques tendres onomatopées. On m'a dit qu'un tel tableau clinique s'appelait « bouffée délirante ». J'ai voulu parler avec cette jeune femme, qui m'a répondu vaguement, de très loin, en me montrant sans un mot son taureau qu'elle caressait en souriant. Un jeune médecin est arrivé avec un flacon de perfusion. Il a dit au patron : « Il y a là-dedans de l'halopéridol, il paraît que ça marche[3]. » Le lendemain, la patiente paraissait moins extatique, elle n'a plus caressé son taureau, puis elle l'a posé sur la table de nuit. Deux ou trois jours plus tard, elle me disait : « Je ne comprends pas ce qui m'a pris. Je croyais que ce taureau était une divinité. » Elle est rentrée chez elle, personne autour de moi n'a cherché à comprendre ce qui s'était passé. Je n'ai jamais revu un succès thérapeutique aussi rapide, mais j'y ai souvent pensé en me demandant comment il était possible qu'une molécule ait pu lui rendre sa liberté d'esprit. Les autres stagiaires et les médecins ont préféré s'intéresser aux variations de ses formules sanguines et aux signes cliniques que cela entraînait. J'avais été bouleversé par un événement qui ne leur avait rien dit.

Je devais être sensible à ce genre de phénomènes puisque je me souviens que, quelques années avant, j'avais lu un article du journal *L'Express* commentant la découverte d'un médicament nommé N-oblivon qui

3. Ce souvenir doit être daté vers 1958-1959.

faisait disparaître les angoisses. L'auteur prévoyait que désormais les voleurs, pour se donner confiance, prendraient ce médicament et que les violeurs passeraient à l'acte en toute décontraction. Quelques années plus tard, quand il a fallu débattre de la « pilule », on a entendu dire que, grâce au blocage hormonal de l'ovulation, les femmes pourraient se prostituer en toute liberté. Ces réactions sont fréquentes : ceux qui ne croient pas qu'une substance puisse agir sur le psychisme affrontent ceux qui croient que la chimie nous gouverne. D'abord, c'est une rencontre hasardeuse. Ensuite, il faut trouver une pseudo-raison pour donner forme à nos émotions. La sérendipité a simplement provoqué une étrangeté qui donne l'impulsion à comprendre. La science n'est pas encore là, mais ces prémices appellent une méthode ultérieure[4].

En 1967, il y avait dans le service de neurochirurgie de l'hôpital de la Pitié, un anesthésiste de forte personnalité. Nous sentions sa présence dès qu'il traversait un couloir. Les urgences ne cessaient d'affluer, et Huguenard donnait l'impression de ne jamais quitter l'hôpital, ce qui était souvent vrai. À l'étage au-dessus, le professeur Cabrol, qui venait de réaliser la première greffe de cœur en France, dormait dans le couloir, près de son opéré. Le professeur Metzger avait installé un lit de camp pas très loin de la salle de radiologie, afin de réagir plus vite en cas de besoin. Il m'avait proposé un poste d'assistant parce que souvent, en examinant les radios, nous tentions d'établir une corrélation entre une altération cérébrale et une manifestation psychique.

4. Bernard C., *Principes de médecine expérimentale*, Paris, PUF, 1947.

À cette époque, pour devenir psychiatre, il fallait passer un examen de neuropsychiatrie. Il suffisait de réciter les signes cliniques de tumeurs cérébrales ou d'atrophie de la moelle épinière pour être autorisé à « prendre en charge un schizophrène ». C'est ainsi que nous devenions archéopsychiatres. La psychiatrie existait peu à l'université, elle balbutiait dans les asiles de campagne où l'on essayait d'inventer cette discipline que Mai 68 allait mettre en lumière.

Le cerveau connaît la grammaire

Quand j'ai commencé mes études de médecine, on nous apprenait que nous disposions à la naissance d'un stock de plusieurs milliards de cellules nerveuses qui s'épuisait avec l'âge, en perdant chaque jour 100 000 neurones. On en concluait logiquement que tout accident infectieux, vasculaire ou traumatique, aggravait cette perte irrémédiable. Cette théorie rendait inutile toute thérapeutique sur le cerveau, puisqu'un « cerveau touché est un cerveau foutu », nous expliquait-on. Or, après les lobotomies, les malades au cerveau coupé continuaient à vivre, parfois très longtemps. Leur esprit modifié et leur personnalité amputée, réduite à un schéma de survie sans monde intérieur, démentaient le postulat d'un cerveau qui se dégrade inexorablement. Ce fut le talent de quelques innovateurs d'oser penser : « Puisqu'on peut couper un cerveau sans tuer le malade pourquoi ne pas enlever les tumeurs, évacuer les abcès et les poches de sang ? »

Le professeur Puech à l'hôpital Sainte-Anne avait créé le premier service de neurochirurgie dans les années 1950. On parlait de « chirurgie de la folie », ce qui faisait rigoler les médecins et suffoquer d'horreur les psychanalystes. Quand on suspectait une tumeur cérébrale ou un anévrisme (une petite hernie de la paroi d'une artère), on nous apprenait à enlever le liquide céphalo-rachidien qui sert de suspension hydraulique au cerveau. Apparaissait alors une image à la radiographie qui faisait voir des opacités tumorales, des abcès denses ou des poches de sang. Grâce à ces images, le chirurgien savait où il devait intervenir.

Inventer un artisanat clinique n'est pas suffisant pour créer une discipline. Il faut aussi savoir s'imposer dans les lieux où l'on décide. Alphonse Baudoin fut un médecin magnifique, du style Erich von Stroheim, raide, élégant, affirmé et travailleur. Ce polytechnicien, biochimiste et neurologue, fut doyen de la faculté de médecine pendant l'Occupation, où son attitude courageuse lui permit de devenir secrétaire de l'Académie de médecine[5]. Son ouverture d'esprit lui permit d'éviter de penser que le cerveau demeurait enfermé dans sa boîte crânienne, tandis que l'âme flottait dans l'éther des mots. C'est lui qui suggéra à Puech de se rapprocher de Jean Delay. À cette époque, la psychiatrie à Sainte-Anne était un mélange de neurologie et de littérature, avec un zeste de psychanalyse. Dans les hôpitaux psychiatriques de province, les médecins aliénistes se coltinaient les schizophrènes, les violences alcooliques, les altérations cérébrales et les humains désocialisés.

---

5. Thuillier J., *La Folie. Histoire et dictionnaire*, *op. cit.*, p. 149-152.

Paul Guilly, qui participait à cette aventure[6], me taquinait parce que je venais d'accepter un poste à l'hôpital psychiatrique de Digne, dans les Alpes de Haute-Provence. « Ce qu'il y a de mieux dans cette ville, me disait-il, c'est une fontaine qui coule sur un bloc de calcaire. Reste à Paris avec nous. C'est là qu'on fait les carrières. » À cette époque, il y avait dans les hôpitaux des médecins qui demeuraient assistants toute leur vie. Honteusement mal payés et sans possibilité de promotion, c'est la passion médicale qui les tenait. Parmi eux, on rencontrait un grand nombre de trouveurs d'idées. Le gentil Roger Messimy avait dédié à ma fille une publication sur la conduction électrique du noyau ventro-postéro-latéral du thalamus. Comme elle était âgée de 2 mois, je crois qu'elle n'a pas saisi la majesté de la dédicace. Jacques Lacan venait parfois le chercher pour l'inviter à déjeuner et le questionner sur la commande neurologique du regard. C'est un véritable sac de nœuds où la stimulation d'un noyau du tronc cérébral provoque un regard latéral dirigé vers le bas, tandis qu'un autre noyau fait regarder vers le haut après un double croisement. Lacan adorait les nœuds, qu'ils soient borroméens ou oculaires. Ces circuits entremêlés ont été au centre de son enseignement au cours des dix dernières années de sa vie. Le nœud borroméen lie les trois dimensions de l'imaginaire, du symbolique et du réel dans un enchevêtrement de câbles qui rappelle la commande neurologique du regard. Le discret Messimy

6. Guilly P., Puech P., Lairy-Bounes G. C., *Introduction à la psycho-chirurgie*, Paris, Masson, 1950 ; David M., Guilly P., *La Neurochirurgie*, Paris, PUF, 1970 ; Guilly P., *L'Âge critique*, Paris, PUF, « Que sais-je ? », 1970.

aurait-il participé au succès lacanien, sans le faire savoir et peut-être même sans le savoir ?

Dans une pièce près des cuisines, au sous-sol, deux pauvres chercheurs inventaient une nouvelle discipline : la neuropsychologie. Hecaen et Ajuriaguerra, en examinant des malades au cerveau blessé, démontraient que c'est une structure cérébrale qui structure le monde que l'on perçoit[7]. L'association de ces deux mots « neuro » et « psychologie » est encore aujourd'hui incompréhensible pour certains penseurs qui voient le corps d'un côté et l'âme de l'autre, sans communication possible.

Parmi les publications de cette époque, deux idées ont marqué ma manière de découvrir la psychiatrie : le cerveau connaît la grammaire et un cerveau lésé n'est pas foutu.

Les lobotomies ne manquaient pas dans le service. Les accidents de voiture en provoquaient presque 3 000 par an. Nous ne disposions pas encore de scanner, mais la clinique et l'encéphalographie gazeuse (radiographie après avoir enlevé le liquide céphalo-rachidien) photographiaient des contusions et des hématomes des lobes préfrontaux qui laissaient parfois un trou quand le sang se résorbait. C'est à l'hôpital d'Argenteuil que j'ai vu pour la première fois une lobotomie accidentelle. Un jeune homme, en se tirant une balle dans la tempe pour se suicider, s'était coupé les deux lobes préfrontaux. La brûlure de la balle avait cautérisé les plaies, et le jeune homme qui se tenait debout devant moi était figé puisqu'il ne disposait plus du substrat neurologique

---

7. Benton A., *Exploring the History of Neuropsychology. Selected Papers*, New York, Oxford University Press, 2000.

qui permet l'anticipation. Il ne pouvait plus rien prévoir ni raconter. Pour faire un récit, il faut anticiper son passé, aller chercher intentionnellement dans sa mémoire les images et les mots qui construisent une narration. Ensuite, il faut anticiper le partage de l'histoire que l'on s'apprête à adresser à quelqu'un. Privé de la possibilité de se représenter le temps, incapable de répondre à des informations venues du passé et orientées vers l'avenir, le lobotomisé ne peut que répondre aux stimulations immédiates. Il comprenait tout ce que je lui demandais, mais ne pouvait répondre que par monosyllabes puisque, pour construire une phrase, il faut agencer dans le temps des représentations d'images et de mots.

À cette époque, les motards ne portaient pas de casque. Après un accident, quand l'os frontal était enfoncé et les yeux arrachés, le lobotomisé demeurait assis, indifférent, apparemment sans s'ennuyer puisqu'il ne pouvait plus éprouver le sentiment de temps vide. Quand tout était calme autour de lui, il restait immobile, mais quand les infirmières s'affairaient, quand les médecins effectuaient la visite, quand on apportait les plateaux des repas, il répondait à ces stimulations du contexte en s'agitant et en courant en tous sens malgré sa cécité.

Pour faire une phrase à la Proust, il faut que le cerveau connaisse la grammaire. Il faut que la simple perception du signal olfactif de la madeleine évoque le souvenir des dimanches à Combray quand l'enfant allait dire bonjour à sa tante Léonie et qu'elle lui offrait un morceau de madeleine trempé dans sa tasse de thé. La saveur aujourd'hui perçue faisait revenir en mémoire ce doux moment depuis longtemps passé, comme « une gouttelette presque impalpable sur l'édifice immense du souvenir[8] ».

Le cerveau des lobotomisés ne peut que percevoir une information présente, mais il ne peut plus aller chercher dans le passé l'origine de la trace. Ni futur ni passé, le cerveau ne sait plus conjuguer ! La structure même des phrases devient contextuelle : pas de virgules pour scander le temps, pas de digression pour échapper à la linéarité qui enchaîne les idées, pas d'association pour rassembler les souvenirs éparpillés et en faire une représentation cohérente. Quelques réponses au présent, deux ou trois mots, pas plus : le cerveau ne sait plus faire de la grammaire !

C'est aujourd'hui que je comprends pourquoi j'ai été marqué par une autre publication d'Hecaen et Ajuriaguerra. Les deux chercheurs avaient collecté une douzaine de cas d'enfants dont le lobe temporal gauche avait été arraché par un accident survenu avant la fin de la deuxième année, qui marque l'apparition de la parole. Ce carrefour de neurones temporaux traite d'abord les sons, puis se transforme en zone de langage, à condition que le milieu entoure les petits d'un manteau de paroles. Le lobe temporal gauche ayant été écrabouillé par l'accident, ces enfants auraient logiquement dû ne jamais parler malgré un entourage riche en productions verbales. Ils ont tous parlé ! Plus tard, plus mal, avec une étrange syntaxe, ils ont fini par acquérir ce mode de relations humaines parce qu'une

8. Proust M., *À la recherche du temps perdu*, tome 1 : *Du côté de chez Swann*, Paris, Gallimard, 1913.

zone cérébrale voisine, encore saine, a été circuitée par les mots et les images alentour[9].

Histoire de vie et choix théorique

Peut-être ai-je été sensible à cette publication parce qu'elle me parlait ? En s'opposant au misérabilisme neurologique de l'époque, elle me disait qu'il est possible de ne pas se soumettre à la fatalité, qu'on peut chercher une issue, une solution inattendue. En psychologie aussi le misérabilisme engourdissait les recherches : « Un orphelin ne peut pas s'en sortir. Que voulez-vous qu'il fasse, sans famille ? Il faut le mettre dans une institution et qu'il se taise. C'est triste, mais c'est son destin. » La résignation culturelle mettait en lumière l'importance de la famille. Les enfants ont tort de s'en plaindre, ils ne connaissent pas leur chance.

En fait cette publication parlait de moi, de mon désir de m'en sortir malgré les prophètes de malheur. Mon histoire personnelle, l'orphelinage précoce lors de la Seconde Guerre mondiale m'avaient rendu sensible à ce genre de raisonnement. J'avais besoin de l'espoir que m'offrait cette publication. Mes collègues, les autres internes, ont certainement oublié ce travail. Ils ne l'ont

9. Ajuriaguerra J. de, Hécaen H., *Le Cortex cérébral. Étude neuro-psychologique*, Paris, Masson, 1964 ; Naccache L., « Plasticité neuronale et limites d'acceptation », *in* G. Bœuf (dir.), *Développement durable. Environnement, énergie et société*, Collège de France, 22 mai 2014.

pas senti, ne l'ont pas entendu, ne l'ont pas mis en mémoire parce qu'ils n'en avaient pas besoin.

Julian de Ajuriaguerra précisait lors de ses cours au Collège de France : « Si l'on veut dépasser les contradictions entre ce qui est d'ordre biologique et ce qui relève du psychologique, ou encore entre le psychologique et le sociologique, il faut étudier l'homme dès le commencement, non seulement sur le plan de la phylogenèse (évolution des espèces), mais sur le plan de sa propre ontogenèse (développement de l'individu), et prendre connaissance de ce que lui offre la nature, mais également de ce que l'homme construit dans le cadre de son environnement[10]. »

Il y avait dans ces recherches le germe de ce qui allait plus tard initier mon cheminement vers l'éthologie et la résilience. Georges Devereux, ethnologue et psychanalyste, n'hésitait pas à parler de « zoo humain ». Ajuriaguerra amorçait les raisonnements développementaux qui tiennent compte des contraintes biologiques autant que des constructions culturelles. Ces travaux me prouvaient qu'on peut s'en sortir, à condition de changer de croyance. Nos choix théoriques dépendraient-ils de nos histoires de vie[11] ? Les événements que nous avons subis peuvent-ils façonner notre âme et orienter notre cheminement intellectuel vers la résolution du problème auquel notre existence nous a rendus sensible ?

J'ai beaucoup admiré José Aboulker. Il arrivait très tôt, dans le service de neurochirurgie, en mettant

10. Leçon inaugurale, Collège de France, 23 janvier 1976.

11. Gauléjac V. de, *Séminaire « Histoires de vie et choix théoriques »*, Laboratoire de changement social, université Paris-VII-Diderot, Paris, L'Harmattan, « Changements sociologiques », 2004.

soigneusement en évidence *L'Humanité*, le journal communiste qu'il lisait de façon à ce que tout le monde le voie. Puis il commençait sa journée de médecin. J'aimais beaucoup bavarder avec lui, parce qu'il partageait ses immenses connaissances comme si nous étions ses égaux. Il m'avait dédicacé une brochure sur la sténose du canal cervical qu'il venait de découvrir[12]. Je lisais ce petit livre avec plaisir, parce que j'aimais la neurologie, parce que Aboulker avait préparé une dédicace avant de me le donner et parce que les joueurs de rugby avaient involontairement participé à cette recherche. Souvent, le lundi, on voyait en consultation des piliers de rugby massifs, aux épaules larges, qui s'inquiétaient de ressentir une faiblesse dans les membres, une douleur dans les bras et une décharge électrique quand ils baissaient la tête. Le mercredi ou le jeudi, ces malaises disparaissaient, mais ils revenaient le lundi suivant, après le match du dimanche. Aboulker avait compris que les engagements dans la mêlée, en cognant régulièrement la moelle épinière contre les vertèbres, provoquaient un œdème. Quand le canal cervical était trop étroit, les nerfs comprimés déclenchaient des douleurs et une faiblesse musculaire.

J'admirais cet homme pour ses grandes connaissances, j'enviais certainement son pouvoir de guérir et j'aimais la simplicité de ses relations. Un jour, il fut invité en Chine par Mao Tsé-toung, qui commençait à souffrir de difficultés neuromusculaires et n'acceptait

12. Aboulker J., Metzger J., David M., Engel H., Ballivet P., *Les Myélopathies d'origine cervicale*, Masson, « Neurochirurgie », 1965.

d'être soigné que par un neurologue français et communiste. Après son retour, quand il a pris son café en lisant *L'Humanité*, il n'a pas démenti la rumeur qui racontait que le Grand Timonier, raide comme une planche, ne pouvait se déplacer que lorsqu'il était aidé par deux petites Chinoises qui n'avaient pas 20 ans. Comme il avait beaucoup de mal à se déplacer, une des deux jeunes femmes, en pouffant de rire, plaçait un fauteuil derrière le grand homme, tandis que l'autre le poussait afin que, d'un seul bloc, il tombe dedans. Il avait de plus en plus de mal à comprendre les phrases simples, mais, à Paris, de grands esprits défendaient la Révolution culturelle et diffusaient la pensée de Mao en commentant *Le Petit Livre rouge*. Après Mai 68, il était difficile de ne pas avoir à disserter sur l'une de ses pensées. J'ai le souvenir d'un de mes amis, tout juste nommé à un poste de responsabilité en psychiatrie, qui expliquait savamment que la pensée de Mao avait découvert des points d'acupuncture sur la langue qui permettaient de redonner la parole aux muets. Je n'ai pas pu lui expliquer que ce n'est pas un trouble de la langue qui rend muet, c'est un déficit auditif qui empêche d'apprendre les mots. Impossible de s'étonner, interdit d'argumenter, il fallait adorer les miracles provoqués par l'intelligence du génial Mao. Ses pensées merveilleuses se répandaient dans les milieux intellectuels comme une épidémie psychique difficile à enrayer. José Aboulker souriait et reprenait sans un mot son boulot d'ouvrier spécialisé en neurologie.

Un matin, en bavardant lors du petit rituel « café-*Humanité* », il a laissé échapper une phrase étonnante :

« Cet article me rappelle le jour où avec Jean Daniel[13] nous avons permis le débarquement des Américains à Alger. » La matinée s'est déroulée comme d'habitude, mais au déjeuner, dans la salle de garde, j'ai demandé à Élisabeth Adiba, qui avait été chassée d'Algérie en 1962, si elle avait bien entendu la même phrase que moi. Elle m'a alors raconté que José venait d'une famille algéroise où l'on était professeur de médecine, engagé à gauche, depuis plusieurs générations. Dès 1941, José, étudiant en médecine âgé de 22 ans, avait organisé un réseau de résistance. Il avait été contacté par Emmanuel d'Astier de la Vigerie, militant d'Action française, courageusement opposé au nazisme. Ces deux jeunes hommes, qui s'estimaient malgré leurs engagements différents, s'étaient associés pour aider les Américains à débarquer à Alger. La marine des États-Unis voulait entrer dans le port où les attendaient les canons de la Wehrmacht. Il fallait absolument communiquer par radio pour orienter leur débarquement vers une plage sans soldats. Il n'y eut qu'un seul mort américain, alors que, sans José et Jean Daniel, il y en aurait eu beaucoup, à coup sûr. Armé d'une mitraillette, José s'est emparé de la poste d'où il y a pu envoyer ses informations. Entouré de quatre cents très jeunes résistants, il a encerclé la résidence du général Juin, alors commandant des forces vichystes. (En 1943, ce général prendra le commandement de l'armée de Libération, remportera la victoire de Garigliano et sera fait maréchal de France.) Une forte majorité de ces jeunes gens étaient juifs parce que le

13. Jean-Daniel Bensaïd, étudiant en lettres, est devenu rédacteur du *Nouvel Observateur.*

gouvernement d'Algérie avait intensément appliqué les lois antijuives de Pétain, pourtant mollement demandées par les Allemands. Au Maroc, au contraire, le roi Mohamed V avait refusé d'appliquer ces lois en disant qu'il ne mettrait pas en prison des citoyens marocains innocents. Les Juifs marocains ont vénéré ce roi et milité pour l'indépendance du Maroc jusqu'à leur expulsion en 1956.

Malgré la radicalité de son engagement contre le nazisme, José Aboulker a toujours gardé sa liberté de jugement. Jean Daniel témoigne : « Il me dit qu'au moment où l'on retirait leur citoyenneté à tant de francs-maçons, de communistes et de résistants, il ne convenait pas de faire du judéo-centrisme[14]. »

Cet exploit de Résistance a provoqué l'arrestation d'Aboulker par la partie de l'armée française opposée à de Gaulle, et sa déportation dans un camp du sud algérien. Dès qu'il fut libéré, il s'empressa de rejoindre de Gaulle à Londres et de déclarer le 10 juillet 1945 qu'il prenait la défense des musulmans opprimés par les partisans de l'Algérie française.

L'histoire de José Aboulker, homme de bonne volonté, permet de répondre à la question de Vincent de Gauléjac : « Nos choix théoriques sont-ils orientés par l'histoire de nos vies ? » Quand le chirurgien propose une théorie du canal cervical étroit où la moelle épinière gonflée écrase les nerfs, il construit une représentation d'images radiologiques et de mots médicaux désignant un objet naturel qui fonctionne mal. Mais quand José

14. Bensaïd J.-D., *La Lettre des amis de la Commission de contrôle de l'enfance* (CCE), n° 91, décembre 2013.

adhère à une théorie communiste, c'est pour s'opposer à une théorie nazie qui avait construit une représentation verbale où certains hommes se jugeaient supérieurs à d'autres, se donnant ainsi le droit de les exterminer.

Quand le chirurgien parle de « sténose du canal cervical », il construit un système cohérent d'hypothèses et de connaissances que d'autres chercheurs vont confirmer ou réfuter. Ses mots, dans ce cas, ont construit une représentation théorique qui désigne un objet « canal cervical » qui existerait dans le réel, même si l'observateur ne l'avait pas découvert. Mais l'origine de son engagement contre le nazisme et en faveur des musulmans algériens est à rechercher dans son histoire personnelle, son identification à son père et à la tradition familiale de défense des Algériens. Les mots de José, dans ce cas, agencent une théorie qui désigne, non plus une chose, mais une représentation sociale, un récit qui organise une manière de vivre en société.

Hibernation du cerveau et des idées

Dans les années 1960, les interventions sur le cerveau duraient très longtemps et les doses nécessaires de médicaments anesthésiques avaient parfois de lourds effets secondaires. Les chirurgiens redoutaient les chocs opératoires. Henri Laborit, chirurgien de la marine au Val-de-Grâce, et Pierre Huguenard, anesthésiste à Paris, se sont donné pour enjeu de diminuer les anesthésiques en préparant le malade avant l'opération. Huguenard nous apprenait à faire ce qu'il avait appelé un « cocktail lytique » composé de Largactil, de Dolosal (dérivé de la morphine) et de Phenergan. Nous appelions donc le « barman » celui qui nous disait dans son langage chaleureux : « Si vous préparez bien ce cocktail, on pourra faire une anesthésie générale sans anesthésique. »

Laborit, plus discret, proposait une autre stratégie. Comme il savait que je m'intéressais à l'éthologie animale, il m'avait expliqué que l'hibernation chez les animaux, en diminuant le métabolisme basal, réduisait la consommation d'énergie. Le fait d'abaisser la température du corps des futurs opérés diminuait le nombre de chocs opératoires. Nous placions donc sur les malades des couvertures à double paroi dans lesquelles nous faisions glisser des glaçons. Leur température s'abaissait jusqu'à 30 °C ce qui, en effet, réduisait les chocs. Jusqu'au jour où Huguenard s'aperçut que le Largactil à petites doses amenait la température à 33 °C, ce qui était suffisant pour éviter les accidents et permettait de ne plus glacer les malades.

Je me souviens d'un Réunionnais, porteur d'un énorme méningiome, tumeur bénigne qui, lorsqu'elle devient volumineuse, écrase les structures cérébrales voisines, ce qui n'est plus bénin. Cet homme était terrorisé à l'idée qu'on lui ouvre la tête et qu'on charcute son cerveau. Après quelques heures de « cocktail lytique », il a dit : « Je n'ai plus d'angoisses. Je suis même étonné de devenir indifférent à l'idée qu'on m'ouvre le crâne. » Laborit et Huguenard, ayant constaté que le 4560 R.P. (futur Largactil) abaissait la température et engourdissait les angoisses, proposèrent de le prescrire lors des douleurs physiques intenses.

Une infirmière avait demandé au docteur Morel-Fatio de lui « refaire » le nez. Elle était terrorisée parce qu'elle avait vu au cours d'autres interventions sur la face le nez brisé à coups de marteau, le sang qui giclait, la tête ébranlée par les chocs. L'anesthésie, à cette époque, se faisait avec un masque qui diffusait l'éther, ce qui gênait beaucoup les opérations sur le visage. Huguenard proposa un cocktail proche de celui qu'il nous enseignait. Après l'intervention, la patiente, qui n'avait donc pas été endormie, expliqua qu'elle avait ressenti les coups de marteau et les coupures de ciseau « comme s'il s'était agi du nez d'une autre, cela m'était indifférent[15] ».

La molécule de phénothiazine, qui allait être synthétisée pour donner le Largactil, faisait partie d'un programme de recherche sur les colorants. Aux États-Unis, elle fut étudiée en tant qu'insecticide. Les chercheurs français découvrirent ses propriétés antihistaminiques dans les allergies. Quelques aliénistes avant guerre, ayant constaté l'effet engourdissant du Phenergan, l'avaient administré à des malades mentaux agités. Huguenard et Laborit s'en servirent pour diminuer les anesthésiques lors des interventions chirurgicales et provoquer une étonnante indifférence des opérés à leurs propres souffrances. Mais ce fut le talent de Deniker de ne plus associer le Largactil avec d'autres médicaments qui masquaient son effet et de constater que les psychotiques, affolés par leurs hallucinations se calmaient, déliraient moins et acceptaient de chercher à comprendre leurs cauchemars quand un psychothérapeute proposait de les aider.

15. Thuillier J., *La Folie. Histoire et dictionnaire*, *op. cit.*, p. 186.

Un produit chimique, le Largactil, venait de provoquer une révolution dans la manière de penser le psychisme et de s'occuper des malades mentaux. Sans le flair de Laborit qui avait déniché le produit en disant : « Je ne cherche pas, je trouve », sans l'engagement de Huguenard auprès des malades, sans la rigueur de Delay et Deniker à l'hôpital Sainte-Anne et sans la kyrielle de praticiens inconnus dont les connaissances étaient plus proches de l'artisanat que de la science, cette molécule serait restée dans les tiroirs des laboratoires. Isolés dans leurs bâtiments, coupés de tout contact avec les malades, ces vrais scientifiques n'auraient jamais soupçonné les effets psychiques de ce produit.

Un matin, David a réuni dans son bureau les agrégés et les assistants du service pour parler de Huguenard. Rien n'a filtré hors de ce huis clos, mais quand j'ai vu leurs mines graves, je me suis dit qu'il n'était pas facile d'avoir des idées neuves et un caractère affirmé. Huguenard a vidé son bureau, rempli ses cartons et est parti s'installer dans un autre hôpital – Baujon, je crois.

Traumatisme et changement de théorie

Xavier Emmanuelli ne sait pas que c'est grâce à ce « déménagement » que sa vie de médecin baroudeur allait être transformée. Après avoir navigué comme médecin de la marine marchande, après avoir soigné les mineurs de Merlebach, il a rencontré Huguenard et tout fut transformé. Lui aussi confirme que ses choix théoriques ont été influencés par ses expériences de vie. Après avoir été nommé secrétaire d'État à l'action humanitaire d'urgence par Jacques Chirac, il réveille une foi chrétienne qui s'était engourdie.

Au début de ses études de médecine, Xavier consacrait au jazz, à la bande dessinée et à l'engagement social une partie importante de ses journées. Il dessinait des bonhommes suspendus à un mur auquel ils s'accrochaient par le nez et par les doigts, ce qui révélait un humour certain. Son père était un médecin de famille comme il n'en existe plus. Installé à La Varenne, dans la banlieue parisienne, généreux de son temps et de ses efforts, il se levait presque toutes les nuits et, quand il le fallait, n'hésitait pas à soigner dans la rue. Xavier s'est identifié à ce soigneur. Quand il était enfant, il rêvait de devenir un docteur Schweitzer. La guerre était quotidienne dans les années 1940 : batailles d'avions, mouvements de troupes et persécution des Juifs. Ses parents ont caché une petite fille jusqu'à la fin de la guerre : « Sur le mémorial de Yad Vashem, il y a le nom de mon papa et de ma maman. Ils ont eu le diplôme de Justes grâce à la petite Thérèse. » Cette remarque de Xavier révèle sa personnalité : c'est lui qui remercie Thérèse d'avoir honoré ses parents ! « On a découvert sur la tombe de mon père, dans le petit cimetière de Zalana dans la montagne […] en Corse, un petit pot en porcelaine sous les fougères qui disait : "Je me souviens." C'était Thérèse qui l'avait fait déposer[16]. »

Quand Xavier est devenu médecin, il a poursuivi son chemin en créant MSF (Médecins sans frontières)

16. Emmanuelli X., *S'en fout la mort*, Paris, Les Échappés/Charlie Hebdo, 2012, p. 24.

avec Bernard Kouchner. Dans cette médecine d'avant-poste, on a besoin de technique médicale, de réflexion philosophique et d'engagement social – communiste bien sûr dans les années 1970.

Bernard Kouchner exprimait les mêmes motivations, mais dans un style différent. Beau comme un acteur américain, élégant avec ses manteaux à col en velours, je me souviens qu'il vendait à la criée *Clarté*, le journal des étudiants communistes. Mais comme il n'était pas d'accord avec le contenu des articles, il lui arrivait de défendre des idées opposées à celles du journal qu'il vendait. Je pense qu'il n'a jamais modifié sa posture intellectuelle, quand on lui a reproché d'en avoir changé. Quand le contexte se modifiait, il gardait sa liberté de jugement. En restant fidèle à des idées qu'il n'approuvait plus depuis le rapport Khrouchtchev, au XXe Congrès du Parti communiste (1956), c'est alors qu'il se serait trahi.

Xavier est devenu critique plus tard, en 1975, quand, à Saïgon, il a assisté à l'assaut final des troupes communistes : « J'étais profondément traumatisé parce que, parti sur le terrain, sympathisant coco, j'avais assisté à une invasion communiste. Ce que j'avais découvert ne correspondait pas du tout à ce que [le parti communiste] racontait en France [...] j'étais très malmené[17]. »

Ces choix de théories témoignent de réactions émotionnelles à des récits contextuels : quand on entend les théories nazies, qu'on soit chrétien ou juif, il faut vite trouver une contre-théorie afin de s'opposer à ce programme de mépris qui légitime le crime. Mais quand

17. *Ibid.*, p. 79-80.

la victoire arrive, en partie grâce aux communistes, et qu'on découvre que cette théorie à son tour devient totalitaire, il faut encore changer de théorie. La réaction émotionnelle reste la même, toute dictature est insupportable, mais la liberté de jugement a été préservée. C'est par fidélité à soi-même qu'il convient de s'opposer à la théorie qu'on défendait hier. Quand une théorie évolue vers la dictature alors qu'elle parlait de liberté, ceux qui continuent à la suivre révèlent leur soumission et leur perte de jugement.

Ces guerres de théories ne sont pas de même nature que les théories scientifiques qui cherchent à constituer un objet de science, hors de soi. Quand la sténose du canal cervical a été découverte, elle ne dessinait pas le même objet que le détachement mental provoqué par le Largactil. L'objet « sténose du canal cervical » était un objet clinique construit avec des mots qui décrivaient une défaillance musculaire, des éclairs douloureux dans les bras et une décharge électrique lors des flexions de la nuque. Une autre partie de cet objet était composée d'images radiographiques de la colonne vertébrale et de tomographies qui découpaient en tranches les photos de ces vertèbres.

Mais il ne faut pas croire qu'un objet scientifique préparé dans un laboratoire ou qu'un objet clinique puisé sur le terrain sont des objets purs, épargnés par les réactions émotionnelles ou les récupérations idéologiques. Quand Aboulker, Metzger et la petite équipe de la Pitié ont découvert la sténose du canal cervical, ils ont provoqué une vague émotionnelle qui a donné naissance à une série de théories pittoresques. Dans les années 1960, sous l'impulsion d'Alexandre Minkowski, on commençait à découvrir la vie des fœtus. De nombreuses personnes qui n'étaient ni scientifiques ni cliniciennes ont entendu parler de ces publications qu'elles n'avaient pas lues. Elles ont intégré la découverte de l'existence de la sténose du canal cervical avec la vie des fœtus pour en faire leur propre théorie : l'impotence musculaire et les douleurs cervicales s'expliquent par une mauvaise position de la tête pendant la vie intra-utérine, affirmaient-elles. Le bébé a eu le cou tordu pendant plusieurs mois. Il suffit donc de le détordre en imposant chez l'adulte une position inverse pour rétablir la libre circulation du liquide céphalo-rachidien et faire disparaître les symptômes gênants.

On a vu alors apparaître des écoles pittoresques qui organisaient des stages pour redresser les vertèbres cervicales. Elles avaient beaucoup de succès, bien sûr, et croyaient dur comme fer à l'idée qu'elles se faisaient d'une sténose du canal cervical. Les partisans de ces théories se fâchaient quand on argumentait parce que le moindre doute remettait en cause leur bonheur d'avoir trouvé un vrai traitement, moins agressif que celui des chirurgiens et plus naturel. Comme il fallait fournir des preuves pour donner à leur théorie fantasmatique une apparence rationnelle, ils nourrissaient leurs explications avec des références qui traînaient dans l'air du temps sur la position intra-utérine des fœtus et la circulation des fluides cérébraux.

Alors vous pensez bien qu'une théorie qui dit qu'une substance nommée 4 560 R.P. provoque un détachement mental qui permet de moins souffrir de la terreur infligée par des hallucinations ne pouvait pas être entendue sans émoi. Toute réaction émotionnelle doit trouver une rationalisation, une apparente raison qui n'a pour fonction que de donner forme à une impression. Malheur à celui qui ne pense pas comme tout le monde, il sera vécu comme un agresseur.

Il en a toujours été ainsi. Chaque nouvelle manière de penser la souffrance a provoqué l'hostilité. À l'époque où le mariage ne servait qu'à fabriquer du social, il était logique de penser qu'un enfant qui naissait hors mariage devait être malformé ou tourmenté. Ses souffrances servaient de preuve à la nécessité morale de se marier. Les bâtards placés en nourrice mouraient très tôt dans plus de la moitié des cas. On maltraitait, on humiliait les survivants qui quittaient l'orphelinat pour la maison de correction, avant de finir à l'armée où un instructeur brutal les envoyait au massacre. Leur mauvais développement, leurs relations difficiles confirmaient l'immoralité de leur existence. Il fallait les fuir, les punir ou les envoyer dans les bataillons disciplinaires. Leur désespoir était la conséquence de l'immoralité de leur mère. Les enfants malformés étaient souvent maltraités, car, en ignorant l'origine biologique de l'infirmité, on croyait que c'était le résultat de la colère divine. Dans un tel contexte de croyances, celui qui aurait dit que ces enfants souffraient de privation éducative ou de carence affective se serait mis en situation d'être lui-même agressé.

Au XIXe siècle, la syphilis rendait malade une partie importante de la population. Dans les années 1950, le chancre mou ou les maladies de peau qui donnaient à voir la faute vénérienne provoquaient le rejet du malade et sa honte. Il n'osait même pas consulter un médecin de peur de subir son mépris. Cet évitement faisait la fortune des charlatans qui soignaient par correspondance avec des produits inutiles. C'est la pénicilline qui a guéri la honte d'avoir une maladie vénérienne ! Elle a modifié les récits culturels en démontrant qu'il s'agissait d'une maladie infectieuse et non pas d'une punition pour faute sexuelle. Et pourtant, « la maladie mentale qui prend consistance en ce siècle où naît la clinique[18] » a gardé cette mauvaise odeur de faute. On n'ose pas avouer sa dépression, même quand elle est normale après une série d'événements catastrophiques. On masque les symptômes, on souffre en secret, car l'aveu de troubles psychiques ajouterait la honte à un désespoir logique. Alors comment voulez-vous qu'on parle de sa bouffée délirante, même quand elle est guérie ? Tout un pan du monde psychique est inabordable parce qu'il est honteux. Dans un contexte culturel où l'on accorde à la souffrance une fonction de rédemption, il est logique d'attribuer la cause de cette souffrance à une faute. Non seulement on souffre, mais quand on appelle au secours, on s'entend répondre qu'on est coupable. Plus tard, on dira que notre mère est cause de notre malheur et, après Mai 68, c'est la société qui deviendra la source des souffrances psychiques. Pendant quelques années, les étudiants ont dû lire des livres où on leur expliquait que le capitalisme était la cause de la schizophrénie[19]. Quelle que soit l'origine du mal – péché sexuel, transgression morale, culpabilité maternelle ou capitalisme –, on demeurait encore dans l'univers de la faute.

18. Perrot M., « Drames et conflits familiaux », *in* P. Ariès, G. Duby, *Histoire de la vie privée*, Paris, Seuil, 1985-1987, tome 4, p. 268-271.

19. Deleuze G., Guattari F., *L'Anti-Œdipe. Capitalisme et schizophrénie*, Paris, Minuit, 1972.

Quand on prend l'habitude de ces idées réflexes, on croit penser alors qu'on ne fait que réagir. Dans les années 1950, il y eut une campagne sanitaire en faveur du brossage des dents. Vous n'allez pas me croire quand je vous dirai que plusieurs associations se sont créées pour s'y opposer. Au lycée, quelques professeurs indignés interrompaient leurs cours pour nous expliquer que croquer une pomme suffisait pour se nettoyer la bouche et que le brossage des dents n'était utile qu'aux vendeurs de brosses à dents. La nouveauté provoque l'indignation quand on n'en comprend pas l'utilité. Quand je travaillais au centre médico-social de La Seyne, le docteur Raybaud me racontait que, lorsqu'il était externe dans les années 1950 à l'hôpital de Toulon, la diphtérie tuait beaucoup d'enfants parce que les membranes pharyngées du croup les asphyxiaient. Le jeune étudiant prenait le train le matin pour aller à Lyon à l'Institut Mérieux chercher le sérum antidiphtérique, mais le soir, quand il rapportait les précieux flacons, il devait fendre la foule des manifestants qui s'opposaient à ce que l'on plante des aiguilles dans le corps des enfants pour y faire couler un produit. Le militantisme contre les vaccins procède de la même attitude. Après s'être un peu atténué, il connaît un renouveau aujourd'hui, justifié par quelques accidents graves. L'hostilité systématique envers les laboratoires pharmaceutiques, légitimée par quelques excès, oublie que c'est grâce à eux que nous vivons mieux.

Quand on évoque une nouveauté, on bouscule les habitudes de pensée. Les esprits sont encore plus chahutés quand l'innovation oblige à changer de raisonnement et à accepter l'invraisemblable découverte qui voudrait nous faire croire qu'une substance palpable modifie un psychisme invisible, non mesurable et de surcroît caché dans le monde de la faute, de la honte ou de la folie. Quand la découverte est due à une compréhension soudaine et sérendipiteuse, elle ne peut que provoquer des réactions dubitatives.

Hasard scientifique et industrie

C'est encore le « hasard signifiant » de la sérendipité qui a permis la synthèse de l'halopéridol, ce produit qui avait guéri en quelques jours la jeune patiente qui vénérait son taureau en matière plastique.

Paul Janssen, en 1958, travaille dans son entreprise de pharmacie, près d'Anvers. Il entend dire que les coureurs cyclistes qui ont pris des amphétamines manifestent de curieux symptômes : ils continuent à pédaler quand ils ont mis pied à terre, sont hébétés et disent des phrases étranges. On savait que de grands écrivains qui avaient absorbé des tubes entiers de corydrane (amphétamine en vente libre à cette époque) avaient fait des épisodes délirants dont ils se sont inspirés dans leurs livres[20]. Si Janssen avait été psychiatre, il aurait parlé de confusion provoquée par un produit toxique et non pas de schizophrénie. C'est pourtant ce faux diagnostic qui lui a donné l'idée de chercher un antagoniste chimique de l'amphétamine pour soigner les schizophrènes.

20. Rowley H., *Tête-à-tête. Beauvoir et Sartre, un pacte d'amour*, Paris, Grasset, 2006.

Quelques psychiatres belges ont évalué les effets de l'halopéridol et en ont conclu que l'agitation et le délire disparaissaient sans abrutir le malade. Le professeur Jean Bobon, qui expérimentait l'halopéridol, a parlé de miracle et, en quelques années, il est parvenu à convaincre les autorités qu'il fallait ouvrir les services de psychiatrie, créer des ateliers d'art et de musique de façon à entrer en relation avec les schizophrènes. Même l'architecture fut changée puisque, au lieu de construire des services fermés, il convenait désormais de faire des « habitations protégées » avec des jardins, des cuisines et des activités quotidiennes pour réapprendre aux patients à vivre normalement.

Je n'ai jamais revu ma miraculée de l'halopéridol, la jeune femme au taureau divin. Le miracle est ailleurs. Ce succès imprévu a permis de penser la folie avec d'autres mots que « aliénation », « enfermement » ou « dangerosité ». Le simple fait de ne plus avoir peur de ces malades et de pouvoir leur parler a humanisé la folie. Les services fermés, les énormes trousseaux de clés, les surveillants aux yeux pochés par les bagarres avec les fous, la paille dans les dortoirs devenaient impensables alors qu'ils répondaient aux croyances antérieures qui racontaient que les fous étaient dangereux et qu'on ne pouvait pas les comprendre puisqu'ils étaient aliénés.

Une nouvelle manière de voir la folie venait d'être éclairée. On savait depuis longtemps que certaines substances provoquaient des hallucinations, comme une sorte de voyage en pays de Folie d'où l'on pouvait revenir. Un cauchemar, un rêve étrange, l'effroi de ceux qui ont vu la mort en face servaient de rituel initiatique aux prêtres, aux sorciers et aux héros de toutes les cultures qui ont consommé des extraits de champignons comme la mescaline ou la psilocybine pour impressionner les non-initiés. On savait aussi que l'alcool, l'ergot du seigle et d'autres substances pouvaient provoquer des troubles psychiques passagers. Mais, depuis la découverte du Largactil et de l'halopéridol, on se plaisait à penser que l'industrie pharmaceutique saurait fabriquer de vrais médicaments contre les troubles psychiques. Ces découvertes étaient en harmonie avec le discours ambiant qui glorifiait les avancées scientifiques dues à l'industrie triomphante. Grâce à nos progrès, nous allions guérir les maladies, supprimer les injustices sociales et œuvrer au bonheur de tous.

Un psychiatre suisse, Roland Kuhn, modeste praticien à l'hôpital de Münsterlingen, fut d'emblée convaincu qu'une formule chimique pouvait soigner la folie. En prescrivant le Largactil, il constata l'apaisement de nombreux délirants agités et baptisa « guérison » ce changement d'expression clinique. Le Largactil vint à manquer car il était coûteux et le médecin a demandé au laboratoire Geigy de lui fournir une molécule analogue. Le labo lui donna une molécule différente, l'imipramine qui eut un effet différent. Roland Kuhn remarqua son effet antidépresseur et publia en 1957 la guérison de cinq cents cas de mélancolie.

À la même date, un psychiatre new-yorkais, Nathan Kline, publia dans le *New York Times*, un journal non scientifique, un article où il parlait de l'effet euphorisant de l'iproniazide[21]. Dans les sanatoriums, on avait déjà noté que les tuberculeux continuaient à danser,

21. Missa J. N., « Histoire des sciences », *La Recherche*, n° 407, 31 mars 2007.

à s'intéresser aux débats culturels et à vivre d'intenses aventures amoureuses, alors que leurs poumons provoquaient des difficultés respiratoires[22]. Il attribua à un médicament ce qui était dû à un milieu clos, hors société, où l'on fait la fête en urgence avant de mourir. Dans ce contexte scientifique et industriel où les récits racontaient le miracle d'une molécule guérissant le psychisme, c'est à l'isoniazide qu'on attribua l'effet euphorisant, alors que, par ailleurs, ce médicament constituait une réelle victoire médicale en guérissant la tuberculose. Ces remèdes furent donc appelés « antidépresseurs ».

Ça marchait, en effet : les hallucinations étaient moins intenses, les psychotiques croyaient moins à leurs échafaudages délirants, le silence tombait sur les hôpitaux auparavant remplis de cris furieux. Les déprimés souriaient, les anxieux soupiraient de soulagement. Ça marchait, mais comment ?

Ce n'est pas la méthode scientifique qui avait produit ces résultats appréciables. Les premières publications n'avaient pas été faites dans des revues jugées par des spécialistes. C'est la sérendipité qui avait éclairé une nouvelle manière de penser la psychiatrie. Voir la folie autrement fut un progrès incontestable, un soulagement pour tout le monde, mais une amélioration n'est pas une compréhension. Après tout, est-il nécessaire de comprendre ?

Le problème, c'est qu'on ne peut pas s'empêcher de théoriser. On aurait pu en rester là, avec ce progrès artisanal, mais on a aussitôt bâti un système de concepts où l'on expliquait que toutes les souffrances psychiques devaient s'expliquer par une cause métabolique : « Une

22. Mann T., *La Montagne magique*, Paris, Fayard, 1931.

porte est en train de s'ouvrir. Elle nous donnera accès aux mécanismes et aux traitements de la schizophrénie et peut-être de certaines névroses », disait Nathan Kline, euphorisé par sa découverte de l'effet antidépresseur d'un médicament antituberculeux[23].

On aurait pu faire le même constat, en décrivant l'effet euphorisant du Cortancyl (une cortisone synthétique), du vin et de mille autres substances, mais cette découverte sérendipiteuse déclencha une avalanche de publications en psychiatrie biologique où les scientifiques cherchaient la formule chimique précise qui aurait modifié le neuromédiateur précis qui aurait guéri un trouble psychique précis. On passait directement de l'hypothèse à la conclusion. J'ai le souvenir d'avoir lu, dans une excellente revue professionnelle, un article soutenant que le Neuleptil, un neuroleptique composé de propériciazine-hydroxy-4-didéridino-3-propyl-10-phénothiazine-carbonitrile-2 guérissait la névrose obsessionnelle.

J'ai beaucoup aimé Édouard Zarifian. Je l'ai connu en 1967 quand il était jeune interne à Sainte-Anne, dans le service de psychiatrie de Delay et Deniker. Nous sommes tombés en amitié car nous avions la même manière de nous interroger sur le mystère du psychisme. Le cerveau, bien évidemment nécessaire, est insuffisant pour expliquer la totalité d'un monde mental. La fonction affective de la parole et le sens que notre histoire attribue aux événements invitent la psychanalyse à participer au débat. Et comme un être humain ne peut ni

23. Ayd F. J., Blackwell B., *Discoveries in Biological Psychiatry*, Philadelphie, Lippincott, 1970.

se développer ni s'exprimer ailleurs que dans sa culture, nous devons aussi demander l'avis des sociologues.

En 1971, quand j'ai été nommé responsable d'un centre de postcure au Revest, près de Toulon, Zarifian m'envoyait des patients et constituait des dossiers d'analyses biologiques et de commentaires pharmacologiques rigoureux car sa carrière universitaire l'orientait vers la psychiatrie biologique. Après avoir été chef de clinique dans le temple de la psychopharmacologie naissante, il fut engagé dans un grand laboratoire privé. Entouré de vrais scientifiques et disposant d'excellentes conditions de travail, il décida de quitter ce labo parce qu'il ne supportait pas que les cadres commerciaux interviennent dans les orientations thérapeutiques. Pendant vingt ans, il a eu de grandes responsabilités en psychiatrie biologique, il a créé des laboratoires et des postes de chercheur, il a organisé des rencontres et publié dans des revues de biologie. Comme il était le psychiatre français le plus apprécié à l'étranger, il a aidé de nombreux jeunes collègues à trouver un poste aux États-Unis et parfois même à y devenir professeurs d'université.

J'ai pensé qu'il avait choisi le camp de la psychiatrie biologique et renoncé à la psychanalyse, j'avais tort. Après vingt ans de responsabilités, il publia : « Je me suis rendu compte que ça [la psychiatrie biologique] n'avait rien apporté à la psychiatrie. Ça a contribué à une meilleure connaissance au niveau neurologique, mais pas à la compréhension du psychisme[24]. » Ce qui

24. Zarifian E., « Neurosciences et psychismes : les risques et les conséquences d'un quiproquo », *in* « Le marché de la souffrance psychique », *Cliniques méditerranéennes*, n° 77, 2008 et *Perspectives Psy*, vol. 52, n° 1, janvier-mars 2013.

ne veut pas dire qu'il rejetait la neurologie ni même les laboratoires pharmaceutiques qui font correctement leur métier, simplement il s'opposait « au marché de la dépression et au recours exclusif au modèle médical[25] ».

Contresens entre la psychiatrie et la culture

Dans les hôpitaux psychiatriques, avant les années 1960, la pharmacie ne contenait que quelques comprimés d'aspirine, deux ou trois antibiotiques et un peu de Gardenal pour les épileptiques. Les médecins des hôpitaux psychiatriques ne s'occupaient pas de la folie que l'on croyait incurable. Quand les premiers psychotropes sont apparus, les services fermés sont devenus silencieux, ce qui a constitué un immense progrès. Les familles et les soignants ont éprouvé de la gratitude pour cet apaisement. Mais ceux qui n'avaient pas connu l'ambiance furieuse des anciens hôpitaux ont parlé de « silence de mort ». Les « malades » eux-mêmes expliquaient qu'ils souffraient moins de leurs délires et de leurs hallucinations, mais qu'ils ne supportaient pas le vide psychique et le ralentissement corporel. Tout le monde avait raison. Les neuroleptiques, en apportant un soulagement, éteignaient la vie psychique. Il aurait fallu, tout de suite, passer à l'étape suivante du traitement, c'est-à-dire organiser des activités physiques, créer des ateliers, se réunir pour écouter de la musique et parler afin d'amorcer de nouvelles relations humaines et de s'adapter à une autre vie psychique.

25. Zarifian E., « Entretien avec Pascal Keller », *Psychomédia*, n° 2, 2005.

La culture des normaux s'est beaucoup employée à freiner ce progrès. Simone de Beauvoir a ironisé en demandant comment le raphia allait guérir la schizophrénie. Christian Delacampagne eut son heure de gloire en évoquant la flichiatrie : « Cette raison totalitaire, cette raison des psychiatres, cette raison qui objective pour exclure, a une date de naissance précise [...] le triomphe de la bourgeoisie et le passage au capitalisme[26]. » Pour le philosophe, c'est le psychiatre qui condamne le révolté culturel en le faisant passer pour un malade mental à neuroleptiser. Cette idée flottait dans l'air quand Miloš Forman a provoqué une épidémie de haine contre la psychiatrie, au moment où, justement, elle devenait thérapeutique. Quand j'ai vu son film *Vol au-dessus d'un nid de coucou*[27], j'ai été enchanté, j'ai adhéré à l'intrigue pendant tout le spectacle. Le drame racontait l'histoire d'un violeur qui, pour échapper à la prison, se fait interner dans un hôpital psychiatrique. Il sympathise avec les pensionnaires dont les comportements sont gentiment fous, ce qui permet de comprendre que la plus folle, c'est l'infirmière en chef qui tyrannise les malades. Au nom d'une normalité sociale, elle punit la moindre rébellion, d'abord avec des médicaments, puis avec des électrochocs et enfin avec une lobotomie. L'épopée se termine quand un énorme et gentil Indien casse tout dans le pavillon, étouffe son ami devenu légume lobotomisé et s'enfuit dans la brume. J'ai été saisi par l'histoire, emballé par le thème mis en

26. Delacampagne C., *Antipsychiatrie ou les Voies du sacré*, Paris, Grasset, 1974 ; et Bouveresse R., « Christian Delacampagne, *Antipsychiatrie ou les voies du sacré* », *Revue philosophique de Louvain*, vol. 78, n° 38, 1980, p. 321-324.
27. Forman M., *Vol au-dessus d'un nid de coucou*, film de 1975.

scène, mais quand la lumière est revenue et que j'ai vu les yeux rougis de larmes des autres spectateurs, je me suis dit que jamais je ne pourrais leur expliquer que le réel quotidien des hôpitaux psychiatriques était loin de cette émouvante fiction.

Ce film posait un réel problème, mais il n'était pas psychiatrique. À la même époque, une série de livres étaient publiés où l'auteur racontait son enfer chez les fous[28]. Le même scénario alimentait ce courant d'idées : un innocent sain d'esprit est hospitalisé chez les fous suite à une machination. Ce procédé romanesque permettait d'exposer une situation réelle qui, tout en prenant pour décor les étranges comportements des aliénés, avait pour intention de décrire le fonctionnement d'un système totalitaire. Les normaux infligent leur loi et les médicaments punitifs aux rebelles, puis ils récompensent les soumis.

Tel était l'enjeu de Miloš Forman. Invité à Hyères lors de la sortie de son film, il expliqua qu'il avait été fasciné par le cynisme d'une femme, chef de rayon dans un grand magasin. Elle humiliait ses vendeuses par ses comportements méprisants. Les employées se laissaient faire pour ne pas perdre leur emploi. Elles avaient besoin de leur paye à la fin du mois et toute rébellion, en leur rendant un peu de dignité, aurait coûté un prix exorbitant. Alors elles baissaient la tête et laissaient la chef de rayon jouir du pouvoir que lui conférait son statut. Récemment, au Brésil, j'ai entendu Miloš Forman déclarer que ce film était une allégorie du système communiste. Ce n'est pas ainsi qu'il a été

28. Cervetto J. M., *Quatre ans dans l'enfer des fous*, Paris, France Loisirs, 1973.

reçu. Cette fiction intelligente a provoqué des décennies de haine envers la psychiatrie. Miloš avait pourtant raison. J'ai vu ce phénomène de domination cynique à l'armée, dans les hôpitaux de médecine générale et surtout dans les grandes institutions d'État. La haine contre les psychiatres a été déclenchée à une époque où, enfin, ils devenaient soignants. La culture était remplie d'histoires terrifiantes d'internements abusifs – qui sont extrêmement rares, tant les contrôles médicaux et administratifs sont fréquents. À une époque où, justement, les médicaments et les efforts des soignants permettaient de rendre un peu de liberté à un nombre croissant de psychotiques, des rumeurs accusaient les médecins d'enfermement. J'ai souvent vu des schizophrènes, apaisés par la disparition de leurs hallucinations, contester la décision du psychiatre qui venait de leur annoncer qu'ils étaient autorisés à sortir. Terrorisés par la vie sociale, ils préféraient l'asile, ils protestaient en expliquant que c'est dans la culture qu'ils se sentaient lobotomisés par les normaux dont ils avaient peur, et non pas à l'asile où ils étaient protégés.

Édouard Zarifian me donnait parfois rendez-vous dans un excellent petit restaurant du boulevard Saint-Germain, près de l'Institut du monde arabe. Le chef venait discuter avec lui (entre professionnels, ils se donnaient des conseils). Édouard m'avait introduit dans le Club de l'amateur de bordeaux, où j'ai succédé à Jean-Paul Kaufmann qui, à son retour du Liban où il avait été pris en otage, avait décidé de changer de vie. Je ne connaissais rien aux vins, j'étais donc un élève parfait, ébloui par la virtuosité sensorielle du maître qui savait reconnaître un vin, dire son année et citer les plats auxquels il fallait l'associer. Édouard buvait peu mais parlait bien, comme tous les participants à cette aventure. Le sociologue Claude Fischler démontrait que plus une culture était culinaire, moins il y avait d'obèses[29]. Le très sérieux Mac Leod proposait un protocole expérimental de la mesure des flaveurs que nous nous appliquions à saboter tant nous préférions la simple ordonnance des goûts et des mots. On ne badinait pas avec le plaisir dans ce groupe.

Avec Édouard, nous discutions de l'évolution de la psychiatrie ou plutôt de sa naissance, tant la discipline n'avait plus rien à voir avec celle des aliénistes d'avant guerre. Zarifian chantait les louanges de Michel Onfray. Vous avez bien lu. Il me racontait leurs échanges philosophiques au cours de joutes culinaires où chacun faisait assaut de ses immenses connaissances. De repas en repas, j'ai remarqué le doute qui atténuait son estime pour le philosophe. Je crois que cela correspond à l'époque où Zarifian, déçu par la psychiatrie biologique, redécouvrait la psychanalyse, tandis que Michel Onfray, déçu par la psychanalyse, aurait souhaité une psychiatrie plus scientifique et philosophique. Leurs chemins se sont croisés. J'avais conseillé à Édouard d'inviter au restaurant Patrick Pageat, un jeune vétérinaire dont j'admirais l'esprit scientifique et que je voulais intégrer dans un groupe de recherche. Au repas suivant, Édouard fut catégorique : « Il ne faut pas anthropomorphiser les animaux en leur prêtant un monde humain. »

Son jugement n'était pas discutable. Autrefois, les grands patrons invitaient chez eux, une fois par semaine,

29. Fischler C., *L'Omnivore*, Paris, Odile Jacob, 1990.

les internes de leur service afin de repérer celui à qui ils confieraient quelques responsabilités. Édouard Zarifian, signe des temps, faisait ce travail d'orientation dans un excellent petit restaurant.

Deux nourrissons bagarreurs : les psychotropes et la psychanalyse

Dans les années d'après guerre, deux nouveau-nés épistémologiques s'apprêtaient à se livrer bataille. Le premier de ces bébés portait le nom de « psychotrope », dont je vous ai conté la naissance sérendipiteuse. L'autre nourrisson s'appelait « psychanalyse ». Il eut une enfance malheureuse, car il fut maltraité par le marxisme qui triomphait à cette époque. Pendant la guerre, la psychanalyse rencontra de grandes difficultés à choisir son camp. Elle fut pourtant noble et courageuse dans les années d'après guerre. Les quelques dizaines de psychanalystes qui exerçaient en France ont osé affronter les théories de la dégénérescence qu'on enseignait alors dans les universités. Les chaires étaient données à des neurologues qui se servaient de cette théorie pour éviter de réfléchir aux mondes mentaux des aliénés. On disait que la neurologie savait faire de brillants diagnostics de maladies qu'on ne pouvait pas soigner. Et quand un aliéné disait des choses étranges qu'on ne comprenait pas, on faisait un diagnostic de dégénérescence qui rendait inutile toute tentative de compréhension. Quand le malade gênait la famille ou les gens du quartier, on le plaçait au loin, à la campagne, dans un asile. Alors on soupirait, on disait : « C'est bien triste », ce qui permettait de ne plus en parler.

La psychanalyse, elle, prétendait qu'il y avait quelque chose à découvrir, et qu'il était possible de tisser un lien qu'on appelait « transfert » afin de tendre l'oreille pour les aider à s'en sortir. Les praticiens s'installaient en privé dans les quartiers chics, si bien qu'on en trouvait peu dans les universités et les asiles.

Quand je dirigeais des séminaires au CHU de Marseille pour la formation des psychiatres au certificat de spécialité[30], j'étais étonné de voir que tous les débutants connaissaient déjà une théorie de la folie, alors qu'ils n'avaient jamais vu un fou, ni lu un livre, ni mis les pieds dans un milieu psychiatrique. Je crois qu'on peut dire ça de tout un chacun dans la culture, et je crains que votre serviteur n'ait été dans ce cas.

Dès les premiers séminaires, en 1971, je me souviens de conflits fiévreux où un étudiant coléreux disait : « Je suis marxiste, je veux qu'on m'explique comment un ion métallique peut provoquer la folie. » À quoi répondait un autre étudiant probablement spiritualiste qui soutenait que la lobotomie n'avait aucun effet sur le cerveau : « Si on avait fait deux points de suture sur la peau du front, on aurait probablement obtenu les mêmes modifications cliniques. » Un autre affirmait que la notion de névrose collective était ridicule car « on est fou dans sa tête » et pas dans la société, tandis qu'une délicate étudiante en formation psychanalytique s'indignait quand on disait que « la perversion est l'opposé

30. D'abord chez le professeur Jean-Marie Sutter, puis chez le professeur Arthur Tatossian, puis chez le professeur René Soulayrol.

de la névrose » et se taisait, désorientée, quand on lui citait la phrase de Freud : « La névrose est une perversion négative[31]. » Ils ont tous été reçus au certificat d'études spéciales (CES), et je crois bien qu'aucun n'a changé de théorie.

Je ne veux pas dire du mal de ces étudiants, j'ai été comme eux. Un soir, en deuxième année de médecine, je rentrais d'un entraînement de rugby en rêvant à ce que j'aimerais faire plus tard. Je me souviens d'avoir pensé que ce serait agréable d'apprendre une spécialité où l'on aurait à réfléchir sur le cerveau et la folie. J'ai passé un CES en neuropsychiatrie, j'ai pratiqué la neurologie et la psychiatrie et, cinquante ans plus tard, je me demande pourquoi, avant toute connaissance, j'avais ce « désir de théorie intégratrice ». J'avais envie d'ordonner mes idées pour en faire une représentation cohérente qui me ferait plaisir, en agençant des connaissances qui associeraient le cerveau et la folie.

Mon étudiant marxiste désirait penser que notre esprit est gouverné par la matière, tandis que le spiritualiste voulait accumuler des connaissances qui l'auraient aidé à vivre dans la transcendance, loin de toute cette cochonnerie corporelle. Celui qui aime l'éther des pensées abstraites a du mal à s'entendre avec celui qui préfère la boue du terrain.

Si le fou est pensé comme un possédé, l'exorcisme ou le bûcher seront la solution. S'il est pensé comme un malade organique, il conviendra de le purger, comme on le fait pour d'autres maladies. On pourra lui donner quelques grains d'ellébore pour le faire vomir et expulser

31. Laplanche J., Pontalis J.-B., *Vocabulaire de la psychanalyse*, *op. cit.*, p. 309.

ainsi ses mauvaises humeurs. Certains médecins ont proposé la belladone ou la mandragore en guise de tranquillisants médiévaux. Quand le fou était triste, on prescrivait un peu d'absinthe ou d'anis, ce qui devait avoir bon effet. On soignait la mélancolie en faisant écouter de la musique jouée par un orchestre féminin. À Thèbes, on faisait dormir le malheureux dans une chambre du temple, de façon à ce que, le lendemain, il puisse fournir au prêtre quelques rêves qu'il saurait interpréter.

Rien n'a changé, depuis l'Antiquité, dans notre manière de penser la folie. Les partisans du couteau font des lobotomies. L'herbe aujourd'hui s'appelle « pharmacie », elle délivre encore des tranquillisants et des antidépresseurs, et les rêves sont toujours interprétés par des psychanalystes.

Quand le fou nous effraie

Quand le fou nous effraie, il faut l'isoler, ce qui nous soigne bien. On peut dénommer cette expulsion « service fermé » où quelques centaines de malades dangereux doivent en effet être enfermés. Il est tentant d'idéologiser cette rare dangerosité pour se débarrasser de ceux qui nous gênent. La fonction d'enfermement dans les hôpitaux vient facilement à l'esprit. Michel Foucault a certainement exagéré quand il a baptisé « Grand Renfermement » la loi de création de l'Hôpital général en 1656[32]. Au XVIIe siècle, ce fut un progrès

32. Foucault M., *Histoire de la folie à l'âge classique*, Paris, Plon, 1961.

qui a permis de faire sortir des caves et des greniers où ils étaient séquestrés des trisomiques, des malformés et ceux qu'on appelle aujourd'hui « autistes » ou « schizophrènes ». Le mot « hôpital » n'avait pas le sens qu'on lui donne aujourd'hui. On y donnait des soins sans espérer guérir. Ce mot, à l'époque, voulait dire « hospital-ité ». On y hébergeait plus humainement des êtres différents auparavant claustrés dans des bordes[33], dans des greniers ou dans des caves. En fait, la création de l'Hôpital général de Paris le 22 avril 1656 devint rapidement une entreprise où l'on internait ceux qui troublaient l'ordre social : les fous, les agités, les vagabonds et les libertins.

Alexis Carrel était un homme brillant, très croyant et très humain quand il accompagnait des malades à Lourdes et attestait leur guérison miraculeuse. À coup sûr, il a mérité son prix Nobel attribué pour ses travaux sur la suture des vaisseaux. Il en aurait mérité un autre pour avoir mis au point la culture des tissus[34]. Convaincu par les idées du PPF (Parti populaire français), parti d'extrême droite, il a écrit dans un des livres les plus lus dans le monde entier : « Un effort naïf est fait par les nations civilisées pour la conservation d'êtres inutiles et nuisibles. Les anormaux empêchent le développement des normaux, [...] quant aux autres, ceux qui ont tué, qui ont volé à main armée, qui ont enlevé des enfants, qui ont dépouillé les pauvres, qui ont gravement trompé

33. Borde : petit abri de pierres sèches empilées dans les campagnes provençales, où s'abritaient certains psychotiques. J'ai vu à Damas en Syrie, près de la mosquée des Omeyyades, de petits hôpitaux psychiatriques datant du Xe siècle.
34. Sartoli E., « 1914 : Carrel et Dakin se battent pour l'antisepsie », *La Recherche*, juin 2014, n° 488, p. 92-94.

la confiance du public, un établissement euthanasique, pourvu de gaz appropriés, permettrait d'en disposer de façon humaine et économique [...]. Le même traitement ne serait-il pas applicable aux fous qui ont commis des actes criminels[35] ? »

En 1986, Jean-Marie Le Pen préconisait la création de « sidatorium » pour enfermer les « sidaïques » afin de protéger le reste de la population jugée non responsable. Il exprimait ainsi le réflexe de défense archaïque de ceux qui pensent : « Ils me font peur avec cette maladie. Il faut les exclure. » Jusqu'aux années 1960, les tuberculeux aussi étaient considérés comme des malades dangereux. Les grands-parents, en toussant, contaminaient les nourrissons, mais quand les antibiotiques ont été découverts, la culpabilité et la honte ont disparu en quelques années, et les sanatoriums n'ont plus eu de raisons d'exister.

La folie déclenche la peur qu'on éprouve devant une force occulte qu'on ne comprend pas et qui nous possède. « Et si c'était contagieux ? Et si ça m'arrivait ? » Quand les médicaments dits « psychotropes » ont été trouvés, ils ont diminué la souffrance des patients qui s'est exprimée moins violemment. En quelques mois, les fous nous ont fait moins peur et les soignants en ont profité pour tenter de les comprendre au lieu de les isoler. Lors des débats cliniques, dans les années 1950-1960, les optimistes ont appelé « guérison » cet apaisement que d'autres ont qualifié de « camisole chimique ». Chaque camp systématisait beaucoup trop une vérité partielle.

35. Carrel A., *L'Homme, cet inconnu*, Paris, Plon, 1935, p. 434-436.

Le même débat s'est imposé quelques décennies plus tard, quand il a fallu soulager la douleur des cancéreux. J'ai en mémoire une dame âgée dont les muscles avaient fondu sous l'effet d'un cancer digestif mais dont la conscience était intacte. Elle me disait : « Je souffre terriblement dans la journée et, la nuit, je souffre encore plus parce que le souvenir des moments douloureux de ma vie revient me torturer. Pourrait-on me donner des tranquillisants ? » J'étais neurologue à l'hôpital de La Seyne où l'on m'appelait dans les autres services. Je décide d'aller voir le chef de service, réputé pour ses connaissances en cancérologie et je lui propose de donner quelques tranquillisants à cette dame, au moins pour la nuit. « Ce n'est pas un service de dealer, ici, me répond-il d'un air furieux. » « Cette dame souffre énormément et sa famille souffre de la voir souffrir. Quelle est son espérance de vie ? » « Deux ou trois mois », me répond le savant.

Impossible d'argumenter. Ce médecin avait l'impression que je voulais l'entraîner sur la pente du vice. La fille de la malade a demandé à son médecin de famille de lui prescrire des tranquillisants qu'elle a apportés à sa mère en cachette du médecin chef de service !

Aujourd'hui, les cancérologues abordent bien ce problème, mais il a fallu de longues disputes pour aboutir à une solution pourtant simple : la morphine combat la douleur des cancéreux, mais ne soigne pas le cancer. Les psychotropes soulagent certaines souffrances, mais n'abordent pas le problème psychologique. Ceux qui désiraient croire en une théorie qui affirmait que des neuromédiateurs pouvaient expliquer la folie affrontaient sans pitié ceux qui désiraient croire en une théorie où la verbalité était coupée du corps.

La folie, l'épilepsie et tout événement sensationnel provoquent chez le témoin une réaction émotionnelle intense à laquelle il doit donner une forme verbale s'il veut ne plus se sentir désorienté. D'où le besoin psychologique de faire vite une théorie, avant toute connaissance, afin de donner cohérence à ce qu'on vient de voir sans comprendre. Si nous voulons nous apaiser, nous devons expliquer, à tout prix. C'est le contraire d'une pensée opératoire qui recueille des informations, les classes, les évalue et juge pour enfin décider. Rien de tout ça. Ressentant un fort sentiment d'inquiétude et d'étrangeté, l'observateur utilise ce que son histoire lui a appris à voir. En donnant une forme verbale à son émotion, il se donne une illusion de compréhension apaisante. Il croit au corps ou à l'âme, selon la théorie désirée qui donne forme à ce qu'il ressent.

C'est pourquoi tout le monde est capable d'expliquer n'importe quel trouble mental. Le théologien vous dira que c'est dû à un péché, le moraliste affirmera que c'est ce qui arrive aux déviants, le sociologue découvrira le déséquilibre social qui provoque la souffrance intime, le biologiste trouvera le neuromédiateur responsable, le toxicologue expliquera que le cannabis n'est pas anodin et le béotien intégrera ces données éparses en affirmant que la sérotonine donne le mauvais œil, que la génétique explique pourquoi dans le quartier ils sont tous dégénérés et que le gouvernement ne fait rien pour empêcher tout ça. Rien n'est plus expliqué que la folie, ce qui prouve qu'on n'y comprend rien !

La métaphore du déraillement me semble pertinente, quoiqu'un peu mécanique pour un psychiatre. On peut dérailler parce qu'une roue est cassée, parce qu'il y a un obstacle sur la voie ou parce qu'on se fait un chemin parallèle. Quand on délire, on sort du sillon, ce qui ne veut pas dire qu'on laboure mal, on laboure ailleurs, c'est tout. On n'est pas sur l'autoroute, mais ça roule quand même : « Mais les braves gens n'aiment pas que l'on suive une autre route qu'eux[36]. »

Les diables qui font perdre la raison sont nombreux dans l'Ancien Testament : Nabuchodonosor fait un rêve qui déplaît à Dieu, c'est pourquoi il est puni, marche à quatre pattes, aboie et lape l'eau des rivières en compagnie des vaches. Homère nous raconte qu'Ajax massacre des moutons parce qu'il croit voir des ennemis déguisés. Hérodote décrit le fou Cambyse, roi de Perse qui s'était moqué de la religion, fournissant ainsi la preuve de sa folie[37]. Les Assyriens expliquaient l'épilepsie par une possession diabolique et, jusqu'à la fin de l'Inquisition, c'est un prêtre qu'on appelait pour envoyer parfois l'épileptique au bûcher. La conception surnaturelle de la folie convulsive impliquait un traitement surnaturel fait d'offrandes, de sacrifices et de punitions afin d'expier la faute, le péché.

Quand la société féodale s'organisait autour du château et de l'église, la simple errance devenait une preuve de folie. Toute personne qui ne prenait pas sa place dans son groupe était considérée avec suspicion. Dans un tel contexte, un homme errant était un homme dangereux qu'il était normal d'agresser. Il fallait le punir puisqu'il était transgresseur[38].

---

36. Brassens G., « La mauvaise réputation ».
37. Porter R., *Madness. A Brief History*, New York, Oxford University Press, 2002, p. 10-13.
38. Ariès P., Duby G., *Histoire de la vie privée*, *op. cit.*, tome 2, p. 504.

Explications totalitaires

Cette attitude se réveille facilement dans une culture totalitaire. À l'époque du nazisme européen, un homosexuel était agressé au nom de la morale. J'ai le souvenir d'une psychiatre russe qui, après la chute du Mur, m'expliquait qu'il était normal de mettre les dissidents dans des hôpitaux psychiatriques parce qu'il fallait être fou pour s'opposer au communisme. Elle m'a appris une sémiologie étrange, grâce à laquelle on pouvait faire un diagnostic de schizophrénie avant l'apparition de tout symptôme. Il suffisait de ne pas être d'accord avec les dirigeants : « Puisqu'ils nous veulent du bien et gouvernent au nom du peuple, il faut être fou pour s'y opposer ! » Un errant déclenche encore aujourd'hui une sensation de folie. Qu'il s'agisse d'errance spatiale comme celle des nomades, de divagation comme celle des fous qui s'agitent la nuit, de digression idéologique des dissidents qui s'opposent aux dirigeants ou de divergence intellectuelle d'un innovateur qui conteste les dogmes scientifiques, tous ceux qui ne suivent pas Panurge se retrouvent en situation de fous provocateurs. C'est dans ces termes que mon aimable psychiatre russe m'expliquait le « délire des réformateurs », les « obsessions réformistes » et la folie dangereuse des « passions religieuses ».

En France, à l'époque de la psychiatrie biologique naissante, on pouvait lire de rigoureuses publications sur la « tache rose » qui permettait de faire un diagnostic de schizophrénie en analysant les urines. Il suffisait de tremper une bandelette de buvard dans l'urine du malade pour dépister une gamma-G-immunoglobuline qui s'imbibait sur la languette où, sous l'effet de l'oxygène de l'air, elle donnait une tache rose. Il fallait alors extraire la substance puis l'analyser chimiquement pour découvrir la taraxéïne, une P-tyramine, métabolite de la dopamine dont l'excès avait un effet amphétaminique[39]. Cette doxa biologique, méthodologiquement parfaite, ne fut jamais confirmée. Je l'avais pourtant lue avec un certain plaisir : « Ce serait bien que ce soit vrai. » Autour de moi, les internes en psychiatrie se divisaient comme d'habitude entre ceux qui y croyaient et ceux qui n'y croyaient pas.

On retrouve aujourd'hui les mêmes ingrédients biologiques dans une publication souvent citée[40] : un ensemble de gènes code pour la synthèse d'un acide aminé qui transporte la sérotonine dans les synapses. Ce neuromédiateur provoque une tranquillité émotionnelle qui aide à mieux réagir en cas de malheur[41]. J'ai souvent utilisé ce travail scientifique dans mes réflexions sur la résilience, pour dire que la génétique fournissait le point de départ d'un processus développemental qui, dès le début de la synthèse, subit les pressions du milieu affectif et des structures sociales. Mais je dois avouer que je n'ai jamais vu une molécule de sérotonine. En dissertant, je lui ai donné une autre forme d'existence…

39. Heath R. G., Heslinga F. J., Van Tilburg W., Stam F. C., Karlsson J. L., *The Biological Basis of Schizophrenia*, Springfield (Illinois), Charles C. Thomas, 1966.
40. Caspi A., McClay J., Moffitt T. E., Mill J., Martin J., Craig I. W., Taylor A. et Poulton R., « Role of genotype in the cycle of violence in maltreated children », *Science*, 297, 2002, p. 851-854.
41. Caspi A., Sugden K., Moffitt T. E., Taylor A., Craig I. W., Harrington H., McClay J., Mill J., Martin J., Braithwaite A. et Poulton R., « Influence of life stress on depression. Moderation by a polymorphism in the 5-HTT gene », *Science*, 2003, 301, p. 386-389.

dans la parole ! En citant à mon tour une publication souvent citée, je m'intégrais au troupeau des psychiatres qui voguaient sur le fleuve de la psychiatrie biologique.

La gentille psychiatre russe était navrée qu'on pense que l'URSS utilisait la psychiatrie à des fins politiques. Elle m'expliquait que la molécule de la schizophrénie provoquait une perte de contact avec la réalité sociale. C'est pourquoi, me disait-elle, un des premiers symptômes se manifeste dans l'opposition au système communiste. « Nous refusons les traitements magiques, précisait-elle, nous sommes des médecins rationnels, nous soignons avec des médicaments. » C'est ainsi que de grands intellectuels russes furent neuroleptisés afin de les guérir de leur délire d'opposition.

En 1977, le congrès mondial de psychiatrie eut lieu à Honolulu. L'exclusion de la Russie de l'Association mondiale de psychiatrie fut votée à une forte majorité. Cette utilisation de la psychiatrie nous paraissait délirante puisqu'elle se mettait au service d'une pensée totalitaire. Elle renforçait la théorie, comme le font les dogmes, au lieu de la réfuter, comme l'aurait fait une procédure scientifique.

Quelques années plus tard, en 1983, en Avignon, je participais au congrès de l'Association des psychiatres privés fondée par Gérard Blès. Pendant plus de dix ans, il avait été interne dans le service de Pierre Bernard, un des créateurs de la psychiatrie moderne[42]. Les réformes de 1970 l'avaient forcé à quitter les hôpitaux psychiatriques sans possibilité de carrière, puisque les nouvelles voies administratives n'avaient pas encore été votées

42. Ey H., Bernard P., Brisset C., *Manuel de psychiatrie, op. cit.*

après la dissolution de Mai 68. Gérard s'est engagé dans le sauvetage de Plioutch, ce mathématicien hospitalisé pour dissidence. Il l'a aidé à se débarrasser des neuroleptiques dont l'effet visible a disparu en quinze jours et a contribué à sa reconversion en neurophysiologie en Angleterre. Très sensible à toute utilisation politique de la psychiatrie, il avait invité une jeune psychiatre de Buenos Aires à témoigner de la persécution des psychiatres argentins par la dictature militaire. Comme certains praticiens argentins avaient participé à ces tortures, un vote à main levée a décidé de l'exclusion de l'Argentine de la fédération mondiale : « Qui est contre ? » Je fus le seul à lever la main. Ça fait un drôle d'effet d'être en désaccord avec quatre cents collègues expérimentés. C'est difficile de s'opposer à la pression des idées véhiculées par le groupe. J'étais devenu un errant que tout le monde regardait avec suspicion.

J'ai douté de ma réaction jusqu'en 1990, où j'ai été invité à l'Institut Bechterev à Saint-Pétersbourg. Le patron de ce célèbre centre de soins et de recherches s'appelait Szmulewicz, ce qui est le nom de ma mère. Je lui ai demandé si nous étions apparentés. Dans sa réponse distante, j'ai cru entendre « peut-être ». Soudain ses mots se sont durcis quand il nous a reproché de les avoir exclus lors du congrès d'Honolulu : « Vous nous avez abandonnés dans les mains du KGB. Ils ont pu faire ce qu'ils voulaient puisqu'il n'y avait plus aucun contrôle extérieur. » Quand un opposant qui avait été diagnostiqué « schizophrène torpide[43] »

43. Torpide vient de torpeur. Une schizophrénie dormante, en quelque sorte, une psychose qui ne s'exprime pas. Le malade est fou, mais personne ne le sait.

était hospitalisé par contrainte dans un service de psychiatrie, le médecin le faisait sortir dès le lendemain. Mais il risquait alors d'être arrêté, de voir ses enfants exclus de l'école et d'entendre certains de ses confrères l'accuser d'avoir fait sortir un authentique délirant. C'est angoissant d'être seul à ne pas penser comme les autres.

Les psychiatres qui avaient adhéré à la théorie de Serbsky, l'universitaire qui avait découvert la molécule de la schizophrénie torpide, soutenaient que les sionistes dirigeaient l'attaque contre la psychiatrie soviétique. Ils ne remettaient pas en cause l'affirmation dogmatique qui disait qu'un dissident était schizophrène, bien au contraire ils cherchaient dans le contexte culturel un énoncé qui aurait pu confirmer leur théorie.

Les psychiatres de l'Institut Bechterev se sont opposés à ces hospitalisations en demandant à tout le personnel de signer les certificats de sortie des schizophrènes torpides. On ne pouvait tout de même pas mettre en prison le chef de service, ses assistants, les infirmières, les cuisiniers et les femmes de ménage ! Puis, heureux de leur acte de résistance, ils nous demandèrent de les aider à rentrer dans un laboratoire pharmaceutique pour y faire une psychiatrie moderne.

Psychiatrie de campagne en Provence

C'est dans un tel contexte de psychiatrie naissante que j'ai été nommé à l'hôpital psychiatrique de Digne dans les Alpes de Haute-Provence. On choisissait l'hôpital par ordre de classement au concours de l'internat des hôpitaux psychiatriques. Les deux premiers reçus avaient choisi Marseille, j'aurais pu choisir Nice qui n'était pas encore CHU, mais j'ai choisi Digne, pour ne pas être trop loin d'une ville universitaire.

De retour à Paris, j'ai dit à ma femme, qui était chercheuse à l'Inserm[44] : « C'est raté. J'ai choisi Digne. Je ne sais pas où c'est. Je vais démissionner. » Elle m'a répondu : « C'est un peu difficile de vivre à Paris, avec un bébé. » Nous avons alors fait le plan suivant : « Si on est bien accueillis et si la neige est bonne, on y va. Si on est mal reçus et si la neige est mauvaise, je démissionne. » La neige n'a jamais été aussi bonne et la soirée de bienvenue a été très sympathique. Nous avons passé à Digne, dans ce petit hôpital de montagne, quelques années heureuses, fondatrices même, puisque ce choix a orienté toute notre existence.

Je n'avais aucune expérience de cette psychiatrie. Je n'avais connu que l'effrayant service fermé du docteur Jean Ayme. Plus tard, grâce à la politique de secteur, grâce à l'apaisement provoqué par les neuroleptiques et surtout grâce à la psychanalyse, ce médecin militant a ouvert son service, ce qui a servi de modèle aux autres hôpitaux. Mes seules connaissances concernaient la psychiatrie biologique, celle des troubles mentaux provoqués par les traumas crâniens, les tumeurs, les intoxications et les deliriums tremens alcooliques. La psychiatrie asilaire m'était inconnue. Mais quand j'ai vu l'entrée de l'hôpital de Digne, les parterres de fleurs, les pavillons à flanc de montagne, les grands espaces verts

44. Institut national de la santé et de la recherche médicale.

où se promenaient les patients bavardant avec les infirmières, j'ai éprouvé un sentiment de paix et de poésie.

Bien sûr, la poésie était dans mon regard, car la vie dans un hôpital n'est pas toujours rose. Très peu de cris, comme on pouvait encore en entendre dans les hôpitaux parisiens, très peu d'agitation, un peu trop de silence même.

Les infirmiers ont été mes premiers maîtres. Ils savaient ce que le mot « schizophrénie » voulait dire, ils faisaient la différence entre un psychopathe et un dément, ils connaissaient les médicaments et l'art de la relation avec les agités ou avec les engourdis. Les chefs de service n'étaient pas spécialistes en psychiatrie, mais comme ils baroudaient dans les hôpitaux depuis des décennies, ils avaient acquis une expérience de terrain plus pertinente que les diplômes. Des savants non universitaires, comme Henry Ey et Charles Brisset, avaient organisé une sorte d'enseignement à l'hôpital Bonneval près de Paris, et de temps à autre à l'hôpital Sainte-Anne chez Jean Delay. C'est parmi ces médecins d'asile que se trouvaient les innovateurs, les créateurs de ce qui a fait les « Trente Glorieuses » de la psychiatrie.

Avant Mai 68, les catégories étaient claires dans les hôpitaux : les hommes d'un côté, les femmes de l'autre. Les permissions étaient facilement accordées et les « sortants » étaient rendus à la société bien plus souvent que ce que l'on entendait dans la culture. Avant la commercialisation des neuroleptiques, plus de 80 % des schizophrènes hospitalisés ne ressortaient plus jamais des hôpitaux. Quelques années après, entre 1960 et 1970, les chiffres s'étaient inversés : 25 % des psychotiques restaient à l'hôpital, 25 % faisaient comme les portes tournantes, ils sortaient et rentraient sans cesse, mais 50 % parvenaient à se socialiser, parfois très bien, mais souvent avec un handicap.

La psychanalyse était peu pratiquée dans les hôpitaux. Elle a pourtant joué un grand rôle dans la très nette amélioration des soins parce que les médecins, eux, étaient analysés, ce qui changeait leur attitude soignante. Au lieu d'étudier les dégénérescences psychiatriques, de couper les cerveaux ou d'inonder un organisme avec des produits chimiques, ils cherchaient à établir des « transferts » avec les psychotiques, ce qui a introduit dans la culture des hôpitaux psychiatriques un intérêt et un respect du malade qui n'existaient pas toujours avant. « En 1956, il n'y a que 619 psychanalystes [...] mais pratiquement tous [les soins des psychiatres] reposent sur des concepts et des pratiques qui dérivent directement de Freud[45]. »

Mai 68 allait faire fleurir les bourgeons de la nouvelle psychiatrie dans des directions opposées. Nous lisions avec intérêt Michel Foucault, nous y apprenions que la loi sur le Grand Renfermement en 1656 avait exclu les fous et les marginaux. Nous adhérions à ses idées, puis nous sortions de l'hôpital par la porte grande ouverte où passaient les familles pour faire leurs visites et les pensionnaires, en sens inverse, pour aller se balader en ville. Le réel du quotidien était dissocié de la représentation culturelle de ce réel.

Il s'appelait Alfred et sa corpulence me faisait penser à Chéri-Bibi. Je crois me rappeler qu'il était chauve et que son cou était presque aussi large que ses

45. Pichot P., *Un siècle de psychiatrie*, *op. cit*, p. 197.

énormes épaules. Il travaillait beaucoup dans l'hôpital où les chênes poussaient en abondance. Il se déplaçait avec sa hache sur l'épaule et abattait un grand nombre d'arbres. Il nous séduisait par son mélange de force et de gentillesse. Un jour où les murs d'un pavillon s'étaient fissurés, Alfred avait tout de suite repéré et expliqué aux architectes le trajet du cours d'eau qui passait sous le bâtiment et le faisait craquer. Nous l'admirions, en un certain sens : comment fait-il pour savoir ça ? Lui était émerveillé par ma fille, âgée de 8 à 10 mois. Il la tenait doucement dans ses bras et tendait son index qu'elle agrippait aussitôt : « C'est beau, un bébé », disait-il attendri.

Un jour où j'étais de garde, je fus appelé par le maire d'un village voisin. Il me demandait d'aider la gendarmerie parce qu'un fou s'était échappé. Quand je suis arrivé, la place était encerclée et les gendarmes m'attendaient. Alfred, assis sur la margelle de la fontaine, s'était aspergé le visage car il faisait très chaud. Il était rouge, en sueur, et sa grosse hache était appuyée contre la pierre. « Est-il dangereux ? », m'ont demandé les gendarmes. Je me suis avancé, j'ai dit bonjour à Alfred, je me suis aspergé le visage, à mon tour, il a ramassé sa hache et nous somme rentrés à l'hôpital, côte à côte, en bavardant.

Les témoins avaient eu peur d'Alfred. Intimidés par sa masse musculaire, sa hache, sa rougeur et sa sueur, sachant que le bonhomme n'était pas du village et devinant qu'il était de « La Tour » (l'hôpital psychiatrique du département), ils avaient aussitôt intégré ces données dans une représentation qui s'harmonisait avec les récits terrifiants qu'ils avaient entendus sur les fous des hôpitaux. Je ne sais pas avec quelle étiquette Alfred était rentré à l'hôpital, mais je sais que son image avait composé une représentation délirante chez les normaux.

Le dernier concours avant Mai 68 avait sélectionné une trentaine d'internes pour toute la région Marseille-Provence. Après 1969, au concours suivant, il y eut plus de trois cents postes pour les mêmes hôpitaux. La psychiatrie n'étant pratiquement pas enseignée, seuls les étudiants intéressés choisissaient cette voie. J'ai rapidement fait figure d'ancien pour ces jeunes recrutés. Je me souviens d'une jeune et brillante étudiante qui, au début du stage, était venue me demander conseil : « Comment fait-on pour soigner un schizophrène ? » « On donne un peu de neuroleptiques pour diminuer ses hallucinations et on cherche à entrer en relation avec lui. » Le lendemain, elle me disait : « Je lui ai donné dix gouttes d'halopéridol. Eh bien, il n'est pas guéri ! »

Ce n'était pas sa faute. On lui avait appris un modèle médical inapplicable en psychiatrie. On ne soigne pas une schizophrénie comme on soigne une angine. C'est pourtant un tel schéma de raisonnement qui lui avait permis de réussir ses examens. Sur le terrain, certains internes ont continué à réciter les dogmes jusqu'à leur retraite, tandis que d'autres ont évolué et fondé la psychiatrie moderne.

Quelques universitaires m'ont donné de petites tribunes (cours, séminaires, congrès et direction de travaux) : Jean-Marie Sutter, René Soulayrol, Arthur Tatossian, Henri Dufour et André Bourguignon essentiellement. À partir du décret du 17 mars 1971, les enseignants non universitaires (60 %) devinrent plus nombreux que les universitaires (40 %). Quelques années plus tard, la plupart de ces séminaires ont disparu parce qu'ils n'intéressaient pas les étudiants. Ce qui n'a pas été le cas du mien, très demandé, car il était le seul à traiter de sujets ignorés par les universitaires : l'éthologie, l'attachement et, plus tard, la résilience. Jusqu'à ce que François Resch, le président de l'université de Toulon, vienne me demander d'en faire un diplôme interuniversitaire, que j'ai organisé avec l'aide de Marcel Rufo, de Philippe Dumas et, plus tard, de Michel Delage. Ce cheminement marginal explique comment j'ai été engagé par les universitaires dans un chemin para-universitaire, bien accueilli par les étudiants et la culture.

Soigner à gauche ou à droite ?

C'est passionnant, utile et souvent douloureux d'être innovateur. Mettre dans la culture une nouvelle manière de soigner provoque régulièrement les mêmes réactions : l'amour des uns et la haine des autres. L'aventure de la maternité des Bluets illustre cette idée. Dans les années d'après guerre où le communisme enchantait un Français sur trois, plusieurs centres de soins médico-sociaux furent fondés.

En 1950, Fernand Lamaze, obstétricien, assiste en Russie à un accouchement sans douleur. Il voit une femme paisible se concentrer sur l'accouchement, maîtriser son corps et son esprit, et calmement mettre au monde son enfant. J'ai le souvenir terrifiant des hurlements de douleur dans les salles de travail des maternités françaises. Je pense à cette jeune femme trempée de sueur, blanche comme un linge qui entre deux contractions crucifiantes implorait : « C'est fini... C'est fini... Je vous en supplie, je ne supporte plus, je rentre chez moi », et la sage-femme amusée lui répondait : « Mais non, ce n'est pas possible. Ce n'est pas vous qui décidez. » Elle avait raison ! Les femmes étaient soumises à un processus naturel rendu terrifiant par notre culture qui glorifiait la souffrance. J'entendais souvent des récits de femmes adultes racontant les inimaginables douleurs de l'accouchement. Des histoires horribles décrivaient comment il arrivait que des bébés soient découpés dans l'utérus et sortis par morceaux afin de sauver la mère. « Choisissez », disait l'obstétricien en s'adressant au père hébété par l'angoisse, « la mère ou l'enfant ? ». La culture organisait une véritable préparation à l'accouchement avec douleur.

Fernand Lamaze est rentré en France émerveillé par ce qu'il avait vu. La clinique des Bluets, fondée par la CGT et le syndicat des métallurgistes, lui offrait un lieu où il pouvait expérimenter et préparer les femmes à l'accouchement sans douleur. Les réactions hostiles furent immédiates. Lamaze fut accusé de charlatanisme, de publicité illégale, de gains abusifs et traduit devant le conseil de l'ordre des médecins. Françoise Dolto et Bernard This qui, eux aussi, entraient dans la culture par des voies innovatrices, volèrent à son secours. Il fut blanchi en 1954, mais, très affecté par la violence des agressions, eut un accident vasculaire qui allait beaucoup le fragiliser. Il n'avait pas découvert l'accouchement sans douleur, mais il l'avait popularisé en dehors des autoroutes de la pensée et, aidé par quelques psychiatres[46], il avait perfectionné son application. Il donnait des conférences publiques et fut invité par l'Académie de médecine. De nombreux films techniques et grand public furent réalisés[47] aidant ainsi l'accouchement sans douleur à devenir une nouvelle pratique.

La découverte technique de la maîtrise de la douleur de l'enfantement a rapidement été submergée par son implication idéologique. L'Union des femmes françaises, la maternité des Métallurgistes, le maire communiste de Saint-Denis finançaient ces travaux pour des raisons humaines, et aussi parce que l'accouchement dit « sans douleur » était susceptible de fournir une preuve de la pertinence de la pensée communiste.

Les obstétriciens russes expliquaient que la douleur était maîtrisée grâce à la théorie des réflexes conditionnés de Pavlov approuvée par Staline. Dans le contexte de la guerre froide, le journal *L'Aurore*, la droite française et le clergé conservateur soutenaient que l'effondrement culturel provoqué par le communisme empêchait toute découverte scientifique. L'accouchement sans douleur démontrait le contraire. La culture conservatrice critiquait même la disparition de la douleur. Certains journaux féminins soutenaient qu'une femme qui enfante sans souffrir ne pouvait pas aimer son bébé, elle mettait bas comme une vache. Ménie Grégoire, dont les émissions de radio étaient très écoutées, et certains psychanalystes expliquaient que la douleur de l'enfantement

46. René Angelergues et Bernard Muldworf, principalement.
47. Le Chanois J.-P., *Le Cas du docteur Laurent*, 1957, avec Jean Gabin et Sylvia Montfort. Ce film romance ce qui est réellement arrivé à Fernand Lamaze.

permettait aux femmes de s'accomplir. Malgré le pape Pie XII qui avait reconnu la moralité de la disparition de la douleur, certains prêtres rappelaient le *In dolore paries* (« Tu enfanteras dans la douleur ») de la Bible.

Cette histoire, qui a été bénéfique pour l'épanouissement des femmes puisqu'elle les a menées sur le chemin de la maîtrise de leur corps, a été douloureuse pour Fernand Lamaze.

Aucune découverte ne peut se faire en dehors du contexte des récits collectifs. Ce fut une victoire pour la pensée communiste, donc un scandale pour la droite conservatrice. La théorie de l'accouchement sans douleur était fausse puisque les réflexes conditionnés corticaux n'ont rien à voir dans cette affaire. Et pourtant, ça marchait très bien. Un succès thérapeutique n'est pas une preuve de la pertinence de la théorie. Pendant des siècles, une théorie disait que les femmes n'apportaient rien dans la constitution de l'enfant. Elles se contentaient de porter le bébé qu'un homme avait planté dans leur ventre. La preuve, c'est que le nouveau-né ressemblait à son père. On sait aujourd'hui que non seulement les femmes apportent la moitié de l'équipement génétique de l'enfant, et peut-être même un peu plus puisqu'elles sont les seules à transmettre les mitochondries[48] et qu'elles sont les premières à marquer leur empreinte affective dans le développement de l'enfant. Cela n'a pas empêché la fausse théorie du conditionnement du cortex de jouer un rôle primordial dans la libération des femmes.

48. Mitochondrie : petite granule incluse à l'intérieur d'une cellule qui transforme le sucre en énergie.

Les recherches des praticiens servent souvent à valider l'efficacité d'un médicament ou à signaler ses effets secondaires. Elles peuvent aussi évaluer l'efficacité d'une technique et parfois produire une discipline nouvelle.

Quand Stanislas Tomkiewicz participait aux premières réunions qui ont structuré la réflexion sur la résilience à la Fondation pour l'enfance, il citait souvent la lutte contre la douleur d'Annie Gauvain-Picquart[49] et de Daniel Annequin[50]. Quand nous étions jeunes médecins, nos maîtres nous enseignaient que les enfants ne pouvaient pas ressentir la douleur puisque leur système nerveux n'était pas terminé. Il ne fallait donc pas anesthésier les enfants car on risquait de supprimer l'expression des symptômes. Pour ne pas commettre cette faute médicale, on suturait leurs plaies, on arrachait leurs amygdales et on réduisait leurs fractures sans anesthésie. Il suffisait de fortement les immobiliser pour les empêcher de se débattre. Le postulat était fondé sur les récits culturels qui glorifiaient le courage de ceux qui savaient souffrir sans se plaindre. « Un garçon serre les dents et ne pleure pas », disait-on. Une fillette est grandie par la douleur. Annie Gauvain-Picquart se demandait simplement sur quoi se fondait l'affirmation qu'un bébé est insensible à la douleur. Aucun argument scientifique ni clinique n'avait mené à cette proposition. C'était l'air du temps simplement qui poussait à cette affirmation. Puisque personne n'échappait à la douleur qu'on ne savait pas maîtriser, nos maîtres et les poètes

49. Gauvain-Picquart A., Meignier M., *La Douleur de l'enfant*, Paris, Calmann-Lévy, 1993.

50. Annequin D., *T'as pas de raison d'avoir mal*, Paris, La Martinière, 2002.

nous apprenaient à la sublimer : « Rien ne nous rend si grand qu'une grande douleur », nous enseignait-on à l'école en nous faisant réciter Alfred de Musset.

Le slogan de la maturité neurologique qui permet le transport des messages physiologiques de la douleur ne me paraissait pas convaincant. « Nos enfants commencent à parler dès le début de la deuxième année, alors que leur cerveau est loin d'être mature », pensais-je. C'est Jean-Pierre Visier qui, au cours d'un séminaire sur la résilience à Montpellier, a expliqué comment le postulat s'enracinait dans les stéréotypes culturels. Quand il a dit : « Les thérapeutes s'engluent dans l'idéologie », il m'a fait comprendre qu'un grand nombre de traitements n'ont rien de scientifique. Ce sont des praticiens qui, en remettant en cause le dogme de l'insensibilité des bébés, ont impulsé ce mouvement d'idées et de recherches qui permet aujourd'hui de mieux contrôler la douleur.

Sexologie et gourmandise

La même aventure est arrivée en sexologie. J'ai connu Mireille Bonierbale quand elle était chef de clinique à Marseille, dans les années 1970. Cette jeune femme expliquait d'une voix affirmée, avec des gestes illustratifs, comment une partenaire pouvait retarder l'éjaculation de son amant. Comme j'étais, moi aussi, soumis aux slogans de notre culture (on ne parle pas de ces choses-là), j'éprouvais un sentiment mêlé d'étonnement, d'amusement et d'intérêt alors que, dans l'esprit de Mireille, il s'agissait simplement d'un problème humain qu'il convenait d'affronter. Quand certains hommes ou certains couples expriment cette souffrance dans l'intimité d'une consultation médicale, les réponses thérapeutiques dépendent des théories apprises par le thérapeute. Quand le soignant a une envie de psychanalyse, il propose un traitement psychanalytique. Mais quand il a une représentation organique de la sexualité, il propose des médicaments vasculaires. Sa décision révèle son engagement dans une des théories culturelles de son contexte, mais ne répond pas à la demande de l'homme rendu malheureux par ce plaisir qui lui échappe et qu'il ne peut partager.

Mireille Bonierbale souhaitait « une autre approche des conduites sexuelles[51] ». Entourée par un petit groupe de pionniers[52], elle a organisé des rencontres, dirigé des travaux et, dès 1974, entreprit un enseignement. Tous ces praticiens avaient des formations hétérogènes en médecine générale, en gynécologie, en endocrinologie, en psychiatrie et en psychologie, mais tous pensaient qu'on ne peut comprendre la sexualité humaine qu'en intégrant des données de domaines différents. Aucune spécialité ne peut à elle seule expliquer toute la sexualité.

Le contexte culturel de l'époque permettait cette audace. Mai 68 avait dévoilé les problèmes sans apporter de solution. Masters, le gynécologue, et Johnson, la psychologue, proposaient des interventions

---

51. Bonierbale M., Waynberg J., « Soixante-dix ans de sexologie française, Paris », *Sexologies*, 16, 3, 2007, p. 169-262.
52. Willy Pasini, Georges Abraham, Marie Chevret, Robert Porto, Philippe Brenot...

thérapeutiques[53]. Gérard Zwang, un chirurgien cultivé, exposait sa conception vasculaire et éthologique[54] de la sexualité. La loi Neuwirth, en légalisant la « pilule » en 1967 avait diminué les angoisses de grossesses non souhaitées et libéré la parole. On pouvait enfin aborder cette question de manière médicale et psychologique, et non plus seulement par la religion ou la morale.

En quelques années, ce petit groupe a organisé des rencontres et écrit de nombreux articles dans des revues professionnelles. Une bonne moitié des universitaires s'est engagée dans ces recherches, tels les cofondateurs Willy Pasini et Georges Abraham[55], tandis qu'une autre moitié se tenait à distance. Certains psychanalystes, comme Pierre Fedida, pensaient que la sexologie ne pouvait pas être un objet de pensée. Le conseil de l'ordre des médecins s'opposait à cet enseignement marginal en expliquant que la sexologie est à la sexualité ce que la gourmandise est à la nourriture. Et Michel Foucault, dans sa lutte contre toutes les formes d'oppression, a critiqué les sexologues qui sauraient tout sur la sexualité… « et voilà comment la sexologie fonctionne en rabattant le mouvement centrifuge vers le mouvement centripète ou “sexipète”, si j'ose dire[56] ».

Où en est-on, quarante ans plus tard ? L'ordre des médecins, après la découverte du Viagra, a reconnu que

53. Masters W. H., Johnson V. E., *Human Sexual Response*, New York, Bantam Books, 1966 ; traduction française, *Les Réactions sexuelles*, Paris, Robert Laffont, 1967.
54. Zwang G., *La Fonction érotique*, Paris, Robert Laffont, 1972 ; et *Les Comportements humains. Approche éthologique*, Paris, Masson, 2000.
55. Abraham G., Pasini W., *Introduction à la sexologie médicale*, Paris, Payot, 1974.
56. Foucault M., « Le fusil au bout du pouvoir », entretien avec Christian Laval, *Grand Angle libertaire*, « Histoire des idées », 1977. Disponible sur : www.grand-angle-libertaire.net-le-fusil-est-au-bout-du-pouvoir-entretien-inédit-avec-michel-foucault.

la sexologie était une discipline médicale qui améliorait le fonctionnement des corps et des relations affectives. Et les « foucaldiens » qui craignaient la « flichiatrie » du biopouvoir[57] reconnaissent que, bien au contraire, la sexologie a apporté dans la culture une grande tolérance pour les mille manières de s'aimer. Quant aux sexologues, ils donnent la parole aux psychanalystes, aux urologues et aux biologistes, dans une optique qui intègre ces disciplines au lieu de les opposer. Certains même ont acquis une renommée internationale, comme François Giulano pour ses découvertes sur la fonction érectile, Serge Stoleru pour ses recherches sur les centres neurologiques du plaisir, et Mireille Bonierbale est devenue un chercheur parmi les plus avancés sur la transsexualité.

Ces travaux marginaux ont impulsé des recherches et des manières de penser qui ont transformé l'accouchement, la prise en charge de la douleur et le soin des troubles sexuels. De même, la pratique de secteur qui a amélioré l'existence de plusieurs centaines de milliers de malades mentaux en les soignant hors des murs s'est installée lentement dans les hôpitaux psychiatriques.

Révolution culturelle et nouvelle psychiatrie

Les guerres sont des révolutions culturelles puisque, après chaque destruction, il faut reconstruire et penser une autre manière de vivre ensemble. Après la Seconde Guerre mondiale, quelques médecins des hôpitaux

57. Foucault M., *Les Anormaux. Cours au Collège de France*, Paris, Seuil, 1999.

psychiatriques ont « tenté de sortir de l'asile où Pinel et Esquirol [les] avaient enfermés au début du XIXe siècle[58] ». L'asile enfermait les fous, protégeait les non-fous en leur épargnant le désordre des agités et « fabriquait des incurables par l'isolement [imposé] aux malades[59] ». Avant la guerre, il y avait déjà eu des tentatives pour soigner en dehors des murs de l'asile. Les colonies familiales de Dun-sur-Auron accueillaient avec bonheur des malades qui n'avaient pu être hospitalisés dans les asiles surpeuplés. À Grenoble, le docteur Bonnet plaçait les malades dans des fermes, Édouard Toulouse ouvrait son service et l'hôpital Henri-Rousselle organisait des consultations en dispensaire de ville pour éviter les hospitalisations. Tout se passait très bien, contrairement à ce qu'avaient prévu les sages.

La guerre a joué le rôle d'un électrochoc pour les psychiatres : « Des milliers de malades mentaux, du fait de la famine, sont morts d'œdème de carence [...]. Depuis octobre 1940, des camps d'extermination pour "incurables" fonctionnent (en Allemagne) [...]. De janvier à août 1941, dix mille malades mentaux furent gazés[60]. »

Il fallait ouvrir les hôpitaux, mais l'opinion publique considérait que cette manière de soigner était une véritable folie. Le changement fut facilité par la convergence de trois phénomènes : la découverte des médicaments dit « psychotropes », l'engagement de

---

58. Postel J., *Éléments pour une histoire de la psychiatrie occidentale*, Paris, L'Harmattan, 2007, p. 336-343.
59. *Ibid.*, p. 343.
60. Trillat E., « Une histoire de la psychiatrie au XXe siècle », *in* J. Postel, C. Quétel, *Nouvelle histoire de la psychiatrie*, Paris, Dunod, 2007, p. 355-356.

praticiens expérimentés et Mai 68 qui allait créer une période sensible propice à de nouvelles manières de penser et de soigner (« L'esprit de secteur, c'est d'abord le refus de la ségrégation du malade mental, le refus de son exclusion[61] »).

Plus tard, des universitaires comme Serge Lebovici et Roger Mises ont rejoint cette nouvelle attitude et joué un grand rôle dans la circulaire du 16 mars 1972 qui allait officialiser, en ville, les dispensaires, les ateliers et les communautés thérapeutiques. En une quinzaine d'années, les hôpitaux se sont désencombrés, leur population a diminué de moitié.

Alors on a vu apparaître, comme d'habitude après chaque progrès, des raisonnements abusifs. Les neuroleptiques soulagent les psychotiques, ce qui est vrai, donc la psychose s'explique par la biologie, ce qui est faux. Les médecins non universitaires ont provoqué un net progrès, ce qui est vrai, donc les universitaires ne comprennent rien à la psychiatrie, ce qui est faux. Les malades sont chronicisés à l'intérieur des murs, ce qui est vrai, donc il suffit d'abattre les murs pour leur rendre leur liberté intérieure, ce qui est faux. Sur les dizaines de milliers de vagabonds recensés en France dans les années 1970, la plupart étaient des psychotiques qui auraient été mieux soignés et moins malheureux à l'intérieur des hôpitaux psychiatriques.

Toutes ces questions ont été soulevées dans des revues de professionnels comme *Psychiatries*, *Le Quotidien du médecin*, *Nervure* ou *Synapse* qui était la

61. Mignot H., « L'application de la politique de secteur », *in* J. Ayme, *Chronique de la psychiatrie publique*, Toulouse, Érès, 1995, p. 103-105.

plus lue. Fondée par Norbert Attali et nourrie par de jeunes universitaires comme Michel Reynaud ou des psychanalystes du CNRS comme Zafiropoulos, elle était agréable à lire, car elle mêlait le cinéma avec les articles scientifiques, elle abordait les problèmes dans un langage quotidien qui n'aurait pas permis à l'auteur d'être publié dans une revue scientifique, mais qui aidait les lecteurs à mieux aimer leur métier.

Comme d'habitude à chaque nouveauté, le groupe s'est divisé en deux. Ceux qui aiment l'incertitude de la découverte ont affronté ceux qui préfèrent la certitude du passé. À l'hôpital, on ne parlait que de « mixture » et d'ouverture. La « mixture » était le nom donné par les pensionnaires aux équipes de soins qui devenaient mixtes. Quand on n'a pas de connaissances, on ne peut qu'imaginer, et chacun fantasmait sur la débauche sexuelle qui allait plonger les hôpitaux dans la « mixture ».

Avant la Seconde Guerre mondiale, un schizophrène qui entrait à l'hôpital avait très peu de chances d'en sortir. La chronicisation était pour eux l'adaptation à l'immobilité des murs. Michel Foucault n'avait pas tort, malgré l'excès de sa notion de « Grand Renfermement », quand il écrit : « L'internement se fait massif [...] chose de police [qui] se donnait pour tâche d'empêcher la mendicité et l'oisiveté [...] source de tous les désordres[62]. » Il fallait ouvrir les hôpitaux, mais par manque d'argent et par faiblesse des débats publics, un premier décret de 1958 fut engourdi dans les tiroirs des ministères. La fièvre de Mai 68 allait le

62. Foucault M., *Histoire de la folie à l'âge classique*, *op. cit.*, p. 63.

réveiller et donner la parole à quelques psychiatres de campagne qui avaient déjà écrit le livre blanc de la psychiatrie[63] où ils théorisaient le secteur de soins. Edgar Faure, Sylvie Faure et Philippe Paumelle en furent les artisans. Grâce à ces débats, les politiciens ont préparé la première circulaire ministérielle de 1972, acte de naissance de la nouvelle psychiatrie.

Lucien Bonnafé fut l'un de ces meneurs. Étudiant à Toulouse avant la guerre, il avait côtoyé les artistes comme Max Ernst et Man Ray. Les surréalistes s'intéressaient à l'inconscient et courtisaient Freud qui les éconduisait. Quand j'ai rencontré Bonnafé à Saint-Alban, il m'a raconté l'histoire suivante qui est à l'origine de sa conviction qu'il fallait ouvrir les hôpitaux psychiatriques. Un malade hypocondriaque refusait de quitter son lit d'hôpital tant il était convaincu que le simple fait de se lever aller provoquer un infarctus mortel. Pendant l'Occupation, la mortalité dans les asiles était effrayante. Bonnafé a réuni les patients de son service et leur a dit : « Si vous restez ici, vous allez tous mourir. Alors, partez, rentrez chez vous si c'est possible, allez où vous pouvez, vous aurez plus de chances de vivre. » Monsieur Hypocondriaque, terrorisé, se leva et rentra chez lui à Mont-de-Marsan, à pied ! Il fut hébergé pendant la guerre et, la paix revenue, retourna, à pied, reprendre son lit à l'hôpital. Bonnafé disait qu'il avait été stupéfait par le changement de tableau clinique de certains schizophrènes qui s'étaient améliorés… en quittant l'hôpital ! Certains patients, incapables d'autonomie, étaient morts

63. *Livre blanc de la psychiatrie française. L'Information psychiatrique*, Toulouse, Privat, 1965-1967, 3 tomes.

dans la rue, mais le simple fait que la folie ait pu changer d'expression selon le contexte prouvait qu'une partie des symptômes attribués à la maladie était provoquée par les murs de l'asile.

Un petit groupe de copains psychiatres très engagés dans le marxisme et la désaliénation des hôpitaux se constitua à l'hôpital de Saint-Alban. Ils se désignèrent eux-mêmes comme le « groupe du Gévaudan », ils protégèrent Paul Éluard menacé par les nazis, ils accueillirent Tristan Tzara, Antonin Artaud, Georges Canguilhem, Jean Dubuffet, Jacques Lacan, Félix Guattari, sans compter les inconnus. Ça pensait fort, à Saint-Alban, ça rêvait d'avenir et de liberté dans ce petit hôpital, à quelques kilomètres du gouvernement de Vichy. Ces jeunes psychiatres furent marqués par l'« extermination douce[64] » des malades mentaux. Dénoncer la mort de quarante mille malades mentaux n'a pas été une affaire facile.

Le déni protège les non-fous

À la Libération, le déni protégea les non-fous. La mort de malades isolés, affamés dans des chambres glacées, était désagréable à entendre. Au moment où la liberté revenait en France, le silence était préférable afin de ne pas mettre en lumière cette tragédie. Max Laffont, à cause de cette enquête, a failli être refusé en thèse de médecine et, lorsque j'ai proposé à Lucien

64. Laffont M., *L'Extermination douce*, Bordeaux, Le Bord de l'Eau, 2000.

Bonnafé de publier son travail, j'ai reçu une lettre très sèche de Deniker me demandant de ne pas remuer la boue. Quelle bonne définition de l'effet protecteur du déni ! Le simple fait d'éviter de soulever un problème fangeux permet de ne pas être sali, mais empêche de l'affronter. Deux grands dangers menacent la mémoire d'un si terrible épisode de l'histoire des asiles : le premier, c'est de ne pas en parler, le second, c'est d'en parler. Se taire, c'est se faire complice de la tragédie : quarante mille morts, comme si de rien n'était. Mais prendre position, c'est se transformer en accusateur à la recherche d'un coupable.

La mémoire d'Alexis Carrel a souffert de ceux qui aiment régler leurs comptes avec le passé. En 1935, ce grand médecin a publié un essai que Michel Foucault aurait qualifié de « biocratique » qui, jusqu'en 1950, a eu un énorme succès international[65]. Tout le monde a commenté ses idées. J'ai lu ce livre quand j'étais lycéen et j'en ai gardé un souvenir agréable. De nombreuses pages pourraient être citées par des penseurs de gauche : « Il serait nécessaire [...] de détourner notre attention [...] de l'aspect matériel de notre existence, et de consacrer plus d'efforts à améliorer nos relations humaines » (p. 77). « L'augmentation des psychonévroses est la preuve d'un défaut très grave de notre civilisation moderne » (p. 224). « La vie moderne agit sur la pathologie de l'esprit » (p. 226). « Nous ne ferons disparaître la folie et le crime que par une meilleure connaissance de l'Homme [...] par des changements profonds de l'éducation et des conditions sociales » (p. 435).

65. Carrel A., *L'Homme, cet inconnu*, *op. cit.*

Il est vrai qu'il a aussi écrit : « Ceux qui ont tué, qui ont volé à main armée, qui ont enlevé des enfants [...], un établissement euthanasique, pourvu de gaz appropriés, permettrait d'en disposer de façon humaine et économique [...], le même traitement ne serait-il pas applicable aux fous [...][66] ? » (p. 435-436).

Carrel était un proche du maréchal Pétain qui l'a aidé à constituer sa Fondation pour l'étude des problèmes humains dont l'énorme budget a permis d'engager quelques-uns des chercheurs et praticiens qui allaient construire les plus belles réussites de la médecine et de la science d'après guerre. En 1940, un grand nombre de Français étaient pétainistes. Ce nom, « Pétain », avant les lois antijuives et la rafle du Vél'd'Hiv, désignait le « héros de Verdun ». Dans une France humiliée, il était difficile de ne pas l'aimer. Aujourd'hui, ce nom a changé de signification. Il veut plutôt dire « collaborateur, traître, vendu à l'occupant allemand ».

Le mot « eugénisme » lui aussi a pris un sens différent. « Carrel adhérait à l'opinion dominante, mais il ne fut pas lui-même protagoniste en ce domaine[67]. » À cette époque « eugénisme » évoquait une sorte d'hygiénisme qui avait permis à la médecine de faire beaucoup de progrès depuis le XIXe siècle[68]. La dérive facile de ce mot a consisté à employer la métaphore d'une société souillée par les Juifs, les Slaves, les Tziganes et les Nègres qu'il fallait donc éliminer... par hygiène !

---

66. *Ibid.*
67. Pichot A., *La Société pure. De Darwin à Hitler*, Paris, Flammarion, 2000, p. 9.
68. Jorland G., *Une société à soigner. Hygiène et salubrité publique en France au XIXe siècle*, Paris, Gallimard, 2010.

Est-il possible de penser hors contexte ? Je me souviens d'une communication de jeunesse avec Roger Leroy, à la Société médico-psychologique où nous présentions un travail sur la sociabilité des schizophrènes[69]. La doxa des années 1970 disait qu'ils étaient isolés et ne pouvaient pas faire de rencontres. En appliquant une méthode d'observation éthologique, nous soutenions qu'ils avaient une manière de se socialiser discrètement, en dehors des lieux habituels. Les auditeurs semblaient intéressés par ce petit travail quand le président de séance a dit : « Je ne peux pas croire à cette publication parce que vous avez parlé de sociabilité sans évoquer la lutte des classes. » Pour ce psychiatre, tout phénomène social ne pouvait s'observer qu'à la lumière du slogan « lutte des classes ».

Quelques années plus tard, au cours de mes séminaires chez Jean-Marie Sutter et René Soulayrol, j'ai reçu des rebuffades analogues en expliquant la composante éthologique de la théorie de l'attachement : « Cette théorie n'est pas valable parce que vous n'avez pas parlé d'inconscient. » J'avais beau répondre que le concept de refoulement était difficile à appliquer chez les macaques ou les goélands argentés, ceux qui avaient besoin d'un mot de passe pour ouvrir sur leur théorie, n'entendant pas ce mot, refusaient d'écouter. Les interlocuteurs ne parvenaient pas à admettre qu'un psychanalyste comme John Bowlby s'intéresse aux comportements des animaux et en tire des hypothèses pour la condition humaine. J'avais l'impression que, pour

69. Leroy R., Cyrulnik B., « Rencontres et sociabilité dans une institution de postcure psychiatrique », *Annales médico-psychologiques*, 1973, vol. 1 (5), p. 673-679.

ces psychiatres, il suffisait de prononcer un mot clé pour être admis dans la chorale intellectuelle où tout le monde chante le même refrain. Ce procédé crée un agréable sentiment d'appartenance, mais empêche le plaisir de juger par soi-même.

Récitation culturelle et vie quotidienne

Pendant ce temps, loin de ces tracasseries d'intellos, la condition des pensionnaires dans les asiles s'améliorait régulièrement.

Quelques moments difficiles, bien sûr, comme ce réveillon de Noël que j'ai passé, seul, face à un jeune homme armé qui voulait se défendre contre le complot organisé par les journalistes de la télévision qui ne cessaient de voler ses idées. Quelques hébéphrènes (schizophrènes dont le psychisme s'est éteint) déambulaient en marmonnant, tandis que d'autres patients côtoyaient les infirmières ou téléphonaient à leur mère pour leur demander de venir vivre à l'hôpital psychiatrique où, disaient-ils, « on est mieux qu'en ville ».

Quelques mois après ma prise de fonction à l'hôpital psychiatrique de Digne, un gentil psychotique venait taper tous les soirs à la porte de mon logement et m'offrait une belle truite. Je comprenais mal ses explications, mais je le remerciais beaucoup. Avec ma femme, nous expliquions ce petit prodige par la sagesse des paysans bas-alpins qui savaient vivre dans la nature et leur habileté à attraper les truites à la main, en les traquant sous un rocher. Jusqu'au jour où le propriétaire du restaurant, juste en face de l'entrée de l'hôpital est venu se plaindre parce qu'un homme, chaque soir, venait « pêcher » une truite dans son vivier. Nous avons donc été nourris gratuitement par ces larcins amicaux.

La psychiatrie subissait encore l'empreinte médicale. « Il faut être fou pour se suicider », disait-on dans les dîners en ville. Quand une famille appelait les pompiers pour réanimer le coma médicamenteux d'un désespéré, ils emmenaient logiquement le « malade » à l'hôpital psychiatrique. Nous recevions donc des comas toxiques, plus ou moins profonds, dans des structures asilaires conçues pour abriter des délirants. J'avais organisé une chambre de trois ou quatre lits où nous faisions des réanimations qui aujourd'hui se font dans les hôpitaux généraux. C'était le désarroi dans les familles et chez les soignants. Le comateux se réveillait au milieu des déments et des schizophrènes, les familles, pensant que le suicidant était atteint d'un trouble mental, avaient honte de son geste et évitaient toute visite, ce qui aggravait son isolement et sa détresse.

Les comas barbituriques étaient plus graves que les comas aux tranquillisants que l'on voit aujourd'hui. J'adaptais la réanimation aux résultats du laboratoire et beaucoup d'infirmières ne comprenaient pas pourquoi je changeais souvent le traitement. Le malentendu venait du fait que l'on enseigne encore un savoir fragmenté : si le mal est psychique, il faut un psychologue ; si le mal est organique, il faut un médecin. Lors d'un suicide, c'est un savoir intégré qui permet de mieux secourir ces personnes. Au moment du coma, il faut un réanimateur, mais tout de suite après, il faut une relation affective pour sécuriser le survivant, puis il faut un travail psychologique pour l'aider à maîtriser le problème existentiel qui l'a mené à la tragique impulsion.

C'est ainsi qu'on raisonne aujourd'hui, en intégrant les données pour mieux aider les suicidants à s'en sortir. C'est pourquoi la neurologie ne s'oppose plus à la sociologie. Quand Durkheim, fondateur de la sociologie[70], a rendu mesurable le fait que les pics de suicide correspondaient à des crises sociales, on en a trop vite conclu que seule la société était responsable. Il est vrai qu'après la Révolution française, entre l'an VI et l'an IX et sous l'Empire en 1812, il y eut des épidémies de noyades[71]. Tout bouleversement social augmente le taux de suicide, comme aujourd'hui en Chine, en Inde, en Grèce et même aux États-Unis où il vient de s'accroître brusquement de 20 %. Mais, quand on associe ces chiffres avec la clinique, on constate que, dans une culture chamboulée, ceux qui pensent au suicide sont ceux qui ont été isolés au cours des premiers mois de leur existence[72].

Très récemment, les neurosciences ont rendu photographiable que certains nouveau-nés, isolés précocement, ont un lobe préfrontal qui paraît atrophié. La synaptisation de cette zone cérébrale n'a pas été stimulée par le milieu. Or une des fonctions de ce lobe consiste à freiner l'amygdale rhinencéphalique, une amande de neurones au fond du cerveau qui est le socle neurologique des réactions de frayeur. Quand une tumeur

70. Durkheim E., *Le Suicide*, Paris, PUF, 1897.

71. Ariès P., Duby G., *Histoire de la vie privée*, *op. cit.*, tome 4.

72. Mishara B. L., Tousignant M., *Comprendre le suicide*, Montréal, Presses universitaires de Montréal, « Paramètres », 2004.

ou un abcès stimule cet amas de neurones, le sujet est effrayé à la moindre stimulation. Ce qui revient à dire qu'une personne qui a été précocement isolée, à cause d'un accident de la vie, a acquis une vulnérabilité neuro-émotionnelle[73]. À la moindre frustration, elle sera embarquée dans un intense désarroi difficile à contrôler. Lorsque, des années plus tard, lors d'un moment critique de son existence, elle sera isolée ou agressée, elle se sentira abandonnée. S'il n'y a personne autour d'elle, sa réaction autocentrée prendra la forme d'une idée suicidaire[74].

Quand une donnée médicale ou scientifique surgit dans une culture qui n'y est pas préparée, cette information, jusqu'alors impensée, paraît stupide tant elle s'oppose aux stéréotypes. Les onguents d'Ambroise Paré, les vaccins, les perfusions et même les brosses à dents et les machines à laver ont été combattus par ceux qui ressentaient ces innovations comme des agressions immorales : « Croquer une pomme tous les matins suffit à se nettoyer les dents, et c'est plus naturel »... « Quand on est courageux, on lave sa vaisselle, seuls les paresseux utilisent une machine. »

Quand, à l'hôpital psychiatrique en 1968, j'ai parlé d'« atrophie cérébrale », j'ai sidéré quelques infirmiers et provoqué les éclats de rire de quelques médecins qui avaient appris qu'un cerveau ne change jamais. Une masse cérébrale qui fond, ça leur paraissait rigolo.

---

73. Jollant F., Olié E., Guillaume S., Ionta A., Courtet P., « Le cerveau vulnérable : revue des études de neuropsychologie, neurophysiologie et neuro-imagerie », *in* P. Courtet (dir.), *Suicides et tentatives de suicide*, Paris, Flammarion, 2010, p. 57-65.
74. Cyrulnik B., « Déterminants neuro-culturels de suicide », *in* P. Courtet, *Suicide et environnement social*, Paris, Dunod, 2013, p. 147-155.

Pourtant, en neurologie, j'en avais vu tous les jours. L'encéphalographie gazeuse montrait à la radio des espaces anormalement élargis entre le cerveau et la paroi osseuse. Cette information, banale pour un neurologue, n'était pas familiarisée par les bavardages quotidiens, ce qui provoquait des éclats de rire ou des réactions incrédules.

Tout était à repenser après 1968, tout restait à découvrir. La psychiatrie hospitalière était présentée en tant qu'oppression institutionnelle à cause de philosophes comme Michel Foucault et Christian Delacampagne, qui traquaient toutes les formes de domination[75]. D'excellents films nous avaient bouleversés, comme *La Tête contre les murs*[76], où un jeune homme instable, abusivement hospitalisé dans un service pour malades mentaux difficiles, est enfermé dans une cellule capitonnée, persécuté et finalement détruit par le système psychiatrique.

Il fallait que j'aille voir comment ça se passait. Le docteur Plas, chef de service, me rédigea un ordre de mission pour un « placement d'office », comme on disait alors. Un médecin généraliste venait d'alerter la préfecture parce qu'un « delirium tremens » tirait au fusil sur toute personne qui s'approchait de sa ferme. Je suis monté dans une camionnette banale, en compagnie de deux infirmiers souriants. Ils connaissaient monsieur P., car ils avaient été ensemble à l'école du village. Ce détail, probablement, expliquait leur décontraction.

75. Foucault M., *Histoire de la folie à l'âge classique*, Paris, Gallimard, 1972 ; Delacampagne C., *Antipsychiatrie ou les Voies du sacré*, *op. cit.*

76. *La Tête contre les murs*, film de Georges Franju, avec Charles Aznavour, Pierre Brasseur et Jean-Pierre Mocky, 1958.

On a moins peur d'un homme qu'on a connu enfant. Plus la ville est grande, plus les placements d'office sont nombreux et violents, car on a facilement peur des inconnus.

En montant vers la ferme, une femme nous attendait sur la route. Deux enfants jouaient à ses côtés. Elle nous a expliqué : « Les voisins ont entendu des coups de fusil. J'ai appelé le docteur qui s'est laissé impressionner ; pouvez-vous revenir plus tard car la moisson approche ? Revenez plus tard, pour le faire hospitaliser. »

Ce n'était pas la première fois que monsieur P. souffrait d'hallucinations au cours de ses accès de delirium tremens. Pour se défendre, il tirait sur tous les êtres vivants qui approchaient de sa ferme. Il avait déjà tué un chien et raté de peu sa femme qu'il n'avait pas reconnue. Devant le refus des infirmiers de surseoir à l'hospitalisation d'office, elle a dit : « Alors, faites attention, il a deux fusils. » Nous nous sommes approchés de la maison, lentement, en l'appelant par son prénom parce qu'il paraît que ça adoucit les agités. Il dormait en effet entre deux fusils. Un infirmier, sur sa droite, l'a réveillé doucement et je me suis à peine rendu compte que le fusil à gauche venait de disparaître. C'est alors l'infirmier à gauche qui lui a parlé, tandis que disparaissait le fusil de droite. On pouvait désormais s'expliquer. Je lui ai dit que nous allions l'emmener à l'hôpital psychiatrique : il a vigoureusement protesté. J'ai sorti le papier officiel et je l'ai lu : il a accepté sans un mot. J'étais étonné par le pouvoir des mots quand ils énoncent la loi. Quand monsieur P. a compris que c'était inexorable, il s'est calmé et tranquillement s'est dirigé en chancelant vers la camionnette. C'est alors qu'un infirmier a dit :

« Tu chasses toujours la grive ? » L'homme a fait signe que oui. « Peux-tu nous montrer où tu te postes ? » La camionnette a fait un détour, a grimpé quelques jolies routes forestières, et tandis que l'homme sortait de sa somnolence pour s'agiter en repoussant quelques animaux imaginaires qui le menaçaient, il a indiqué l'affût où il se cachait pour attendre les grives. Puis, la camionnette a rejoint l'hôpital, l'homme a été réhydraté, très peu neuroleptisé. Le lendemain, après sa toilette, frais et reposé, il demandait gentiment quand il allait sortir car la moisson l'attendait. Ce que je venais de voir était incroyablement loin de *Vol au-dessus d'un nid de coucou* et de l'horreur des lobotomies. Allez raconter ça en public, vous n'intéresserez personne.

Ouvrir un asile, c'est angoisser les normaux

Quelques années plus tard, il a fallu quitter les hôpitaux psychiatriques. C'est fou ce que les psychiatres y étaient bien soignés. Tout y était poésie, amitié, étrangeté, la vie normale paraissait fade quand on vivait dans un asile. La folie posait en termes insolites toutes les questions de la condition humaine. En 1971, il a fallu libérer les postes pour accueillir la marée des futurs psychiatres. La nouvelle psychiatrie n'était pas encore sur ses rails. Le décret ne fut promulgué qu'en 1972. Mon ami Jacques Maler me proposa de lui succéder et de m'occuper d'un centre de postcure pour femmes, La Salvate, près de Toulon. Le bâtiment était magnifique :

une demeure d'armateur encadrait une large cour où une glycine centenaire donnait une ombre poivrée. De grands cyprès et des champs de figuiers entouraient cette maison transformée en clinique. Les portes étaient tellement ouvertes qu'on ne les voyait pas. On entrait par une allée bordée de vases et de grands lauriers roses, et toutes les fenêtres donnaient sur la cour intérieure ou sur la montagne. L'accueil fut très amical et l'impression de beauté et de liberté qu'exprimaient les bâtiments convenait à la psychiatrie que je rêvais de faire.

Quelques jours après ma prise de poste, un Gitan très élégant, la chemise blanche bouffante ouverte sur sa poitrine et les doigts couverts de bagues, vient me voir et me demande où était Malerito.

« Connais pas Malerito. » « Si, si, c'est le torero qui travaille. »

C'est ainsi que je découvris que Maler le doux psychiatre, fervent de Françoise Dolto qu'il allait voir à Paris une fois par semaine, faisait des remplacements de médecine générale afin de payer la squadra qui l'entourait quand il combattait les taureaux dans la région de Nîmes.

L'étrange poésie de la psychiatrie allait donc continuer, pour mon plus grand bonheur. La famille Thomas qui dirigeait l'établissement acceptait toutes les innovations que je leur proposai. L'ouverture des hôpitaux psychiatriques était une évidence pour eux : « Comment voulez-vous soigner si l'on enferme les gens ? » Le professeur Deniker à Sainte-Anne, à Paris, et Édouard Zarifian devenaient mes correspondants et m'envoyaient des patientes psychotiques pour que l'on tente de les resocialiser. Quelques années plus tard, quand Zarifian m'a invité à participer à la luxueuse aventure du Club de l'amateur de bordeaux, j'ai découvert que, pendant son internat, il avait passé un diplôme d'œnologie et qu'il améliorait son petit salaire d'interne en organisant des visites de caves. Vous voyez que la psychiatrie n'est jamais loin de la poésie.

Les patientes bavardaient dans des chaises longues au milieu de la cour parfumée par la glycine. Certaines, incapables de parler, se tenaient immobiles. Quelques-unes déambulaient, à l'ombre dans les couloirs... La psychiatrie était belle et facile dans ces conditions !

Il était nécessaire d'ouvrir les portes, mais il fallait que nos patientes, pour être désaliénées, se mêlent à la population, de façon à ce qu'on ne les étiquette plus comme « folles schizophrènes ». Nous avons donc décidé de faire une fête dans l'établissement et d'inviter le maire et quelques voisins. Beaucoup ont accepté, et l'élu, gentiment, a fait le joli cœur au milieu de jeunes femmes élégamment apprêtées pour l'événement. À voix basse, il a demandé : « Mais où sont les schizophrènes ? » Les femmes qui l'entouraient ont répondu en souriant : « C'est nous, les schizophrènes. » Il a tellement été stupéfait qu'il s'est immobilisé, sans un mot. Je crois qu'à son tour il a dû connaître un moment d'hébétude schizophrénique. Ce petit événement, plusieurs fois répété, m'a fait comprendre que le regard porté sur le patient peut aggraver la dissociation ou la calmer. Certains schizophrènes sont réellement inquiétants. Leurs déambulations, leurs propos étranges, leurs fous rires incohérents, leurs explosions inattendues nous mettent mal à l'aise et provoquent des réponses angoissées. Les croyances délirantes que les gens normaux colportent sur les schizophrènes créent des situations théâtrales où il est parfois difficile de savoir qui est fou. Régulièrement, quelques infirmières ou éducatrices emmenaient trois ou quatre patientes au cinéma, à Toulon. Promenade facile, elles allaient prendre le bus dans une jolie rue du village, descendaient jusqu'à Toulon, place de la Liberté entourée de cinémas, et rentraient le soir. Pas d'héroïsme dans cette affaire, une gentille relation, quelques menthes à l'eau et petits bavardages.

Un après-midi, je reçois un coup de téléphone depuis Paris et j'entends une dame me demander des nouvelles de sa fille Madeleine : « Ça peut aller. On donne peu de renseignements par téléphone. » « Pouvez-vous me la passer ? » « Elle est au cinéma. » « Comment ça, au cinéma ? Si un marin la viole, je vous fais un procès ! »

On a beau savoir que Toulon est un port de guerre, il arrive qu'un marin ne viole pas une femme.

Ce genre d'incohérence de normaux était fréquent. Un jour, un voisin furieux est entré dans l'infirmerie (il n'avait pas eu de mal à entrer puisque toutes les portes étaient ouvertes). « Où est ma botte ? hurla-t-il en s'adressant à l'infirmière. Ce matin je n'ai trouvé qu'une botte. Il faut être fou pour voler une seule botte ! » Cette réflexion étant logique, nous avons fait une brève enquête et découvert que la veille, il était rentré chez lui un peu embrumé par l'alcool, il avait enlevé une botte dans sa chambre et l'autre dans son jardin où nous l'avons retrouvée. La logique aussi peut être délirante.

La structure des événements peut modifier l'expression des symptômes schizophréniques. Un jour, un grand bonheur est arrivé à La Salvate : les canalisations d'eau ont éclaté ! C'était l'été, il faisait chaud, les filles ne pouvaient ni boire ni se laver et la réparation risquait de prendre plusieurs jours. Nous aurions pu appeler les pompiers, mais les Thomas ont préféré demander aux pensionnaires d'aller à la fontaine du village pour y remplir des seaux : jamais l'ambiance n'a été aussi gaie et amicale. Quelques jours sans conflits, avec des sourires et beaucoup de fatigue, car le village était à deux kilomètres. Il fallait passer un bâton dans l'anse d'un seau et se mettre à deux pour le porter. Même les hébéphrènes marchaient en souriant, même les hallucinées entendaient moins leurs voix, même les persécutées s'appliquaient à mettre un pied devant l'autre, ce qui rendait plus supportables leurs idées délirantes.

Au milieu des années 1970, j'ai reçu une association de protection de malades mentaux qui souhaitait visiter l'établissement. Les Thomas n'étaient pas chauds, mais comme nous recevions beaucoup de stagiaires et comme l'évaluation des premiers résultats nous rendait fiers de notre travail[77], nous les avons accueillis. Sont arrivées une dizaine de personnes graves, polies, distantes et parlant peu. Nous avons promené cette petite équipe à qui nous expliquions sans retenue nos espoirs, nos succès et nos échecs, lorsqu'un visiteur au visage sombre a demandé : « Où est la salle où vous faites vos lobotomies ? » J'ai répondu qu'il n'y en avait pas.

---

77. Cyrulnik B., Thomas M., Thomas D., Billet J.-P., « Moments psychiatriques et guérison suffisante. À propos d'un suivi de 3 000 patientes pendant dix ans », *Psychiatries*, n° 51, 1982. Dans cette enquête, nous avons établi que 50 % des schizophrènes quittaient toute démarche psychiatrique ; 25 % sortaient et rechutaient ; 25 % connaissaient une évolution asilaire.

« Où sont les cellules d'isolement et les camisoles de force ? » Nous nous sommes séparés sans dire un mot. Une enquête rapide auprès des syndicats et du conseil de l'ordre nous a fait découvrir que nous avions accueilli dans nos murs une délégation de l'Église de Scientologie dont je connaissais mal la théorie. Leurs visages fermés et la manière de nous quitter m'ont fait penser que la visite que nous venions de leur offrir n'aurait aucune influence sur leur désir de croire que nous étions des persécuteurs d'innocents.

Les patientes parlaient peu et l'équipe soignante était réduite puisqu'il s'agissait d'un centre de postcure. La plupart des psychiatres correspondants jouaient le jeu en nous confiant des psychotiques à resocialiser, mais certains hôpitaux profitaient de cette possibilité de transfert pour se débarrasser de leurs cas difficiles. La solution médicamenteuse n'était pas satisfaisante, elle apaisait jusqu'à l'engourdissement, sans régler le problème. Il fallait trouver le point précis qui calmait l'agitation délirante afin de permettre la relation, en évitant la dose qui aurait engourdi le psychisme. Dans cette transaction, le patient n'était pas seul en cause puisque, à l'hôpital de Digne, nous avions constaté que lorsqu'un psychiatre n'est pas sécurisé par son équipe soignante, il ne peut compter que sur les médicaments, alors il en donne trop. À La Salvate, les nombreux ateliers et les dynamiques de groupe permettaient d'encadrer ces patients, de leur donner la parole et de privilégier la relation.

Les nombreux stagiaires et étudiants, en psychologie ou en droit, me surprenaient par leurs convictions acquises avant toute expérience. Ces très jeunes gens débarquaient sur le terrain, armés de récitations théoriques qui leur donnaient une grande aisance, mais les empêchaient de découvrir le monde intime des patients. Tout se passait comme si, entre 15 et 20 ans, on se fabriquait un gabarit, une sorte d'appareil à voir le monde qui formate ce qu'on perçoit.

Une agrégée de philo qui souhaitait devenir psychanalyste, choquée par les ateliers et les groupes de parole, ne concevait la guérison qu'en termes de relations intimes afin de faire surgir l'inconscient. Un matin où nous discutions à l'infirmerie, avant de nous répartir les tâches de la journée, elle a serré la main de tous les soignants présents, sans voir qu'elle avait « oublié » l'étudiant noir qui lui aussi se destinait à la psychanalyse. Une autre étudiante dont la vision du monde était plus organique s'étonnait qu'on ne trouve pas le médicament efficace contre la schizophrénie. Un stagiaire barbu avait entrepris de donner du LSD à une jolie schizophrène, afin de l'aider à redescendre de son voyage initiatique délirant qui allait la guérir. Tous étaient prisonniers des théories qui leur plaisaient.

Nous n'avions pas besoin d'expérience professionnelle pour acquérir de telles connaissances. Nous débarquions en psychiatrie, armés d'un moule qui donnait forme au monde auquel nous voulions croire. Un flash de mémoire, quelques mots comme un slogan, une référence à la vedette intellectuelle de notre choix nous donnaient l'illusion de comprendre le phénomène psy. Ceux qui avaient dans l'œil un gabarit biologique percevaient les altérations biologiques d'un schizophrène, son indifférence à la douleur, comme cette dame qui marchait un peu courbée alors qu'elle souffrait de péritonite. Ces étudiants faisaient remarquer que la mort étonnamment brutale des psychotiques (comme un coup de fusil dans la tête) était bien plus fréquente avant l'ère des neuroleptiques. À l'opposé, ceux qui avaient en tête un gabarit psychanalytique voyaient plutôt les fous rires dissociés, les ruptures de discours et les coq-à-l'âne dont ils cherchaient à découvrir le sens caché. Quant aux stagiaires juristes ou sociologues, ils s'inquiétaient de la désocialisation des schizophrènes qui habitaient surtout dans les quartiers pauvres.

Et tous avaient raison, mais ce savoir fragmenté donnait des certitudes qui empêchaient de comprendre.

Folie ou souffrance ?

Mon séminaire d'éthologie avait été transféré à l'hôpital Sainte-Marguerite, chez le professeur René Soulayrol, dont Marcel Rufo était l'agrégé. La salle de cours était construite comme un petit amphithéâtre grec, l'enseignant en bas sur une plate-forme, les spectateurs sur les gradins.

J'avais écrit à Jacques Gervet, au CNRS d'Aix-Marseille où il dirigeait un laboratoire d'éthologie. Je rêvais de m'associer à une équipe de recherche, tout en restant praticien. Il m'avait répondu qu'il était plus important de soigner que de chercher, ce que j'avais interprété comme un refus. Aussi, j'ai été surpris quand je l'ai vu assis, au premier rang des étudiants, lors du séminaire que je consacrais au « Sommeil dans le monde vivant ». L'objet « sommeil » me permettait de parler autant des animaux que des êtres humains, sans provoquer l'indignation de ceux qui clamaient que « l'éthologie rabaissait l'homme au rang de la bête ». Tous les êtres vivants dorment, mais le déterminant biologique du sommeil doit s'adapter aux pressions écologiques. Un jeune, quelle que soit son espèce, sécrète plus de sommeil rapide qu'un vieil organisme. Et quand il vit dans un milieu insécurisant, il avance la phase du sommeil paradoxal. Les phases lentes ainsi raccourcies stimulent moins la sécrétion des hormones de croissance[78]. Cet appauvrissement hormonal d'un enfant élevé dans un milieu insécurisant explique le nanisme affectif.

Quelque temps après, j'étais invité dans les îles du Frioul, près de Marseille, à une réunion du CNRS. C'était austère et passionnant. Le style des scientifiques est différent de celui des médecins. Il y a moins de précautions oratoires lors des inévitables désaccords, pas de hiérarchie apparente et, finalement, beaucoup d'idées à partager amicalement ou fiévreusement. Nos savoirs différents étaient complémentaires. Nous n'avions pas toujours la rigueur de leurs méthodes, mais nous pouvions valider ou réfuter leurs résultats. Ils ignoraient étonnamment la clinique psychiatrique et nous ne savions pas toujours tirer profit de leurs publications. Nos enjeux étaient différents, mais pas du tout opposés. Les revues professionnelles servaient surtout à soigner et à comprendre notre métier, mais on ne fait pas une carrière avec des publications qui donnent des conseils

78. Cyrulnik B., « Les animaux rêvent-ils ? Quand le rêve devient liberté », *in* E. Adam, J. Dupont (dir.), « L'homme et les autres animaux », *Le Coq-Héron*, n° 215, décembre 2013.

analogues à des recettes : comment rédiger un certificat médical, mieux prescrire un médicament ou se remémorer la sémiologie d'une maladie.

J'admirais beaucoup la trajectoire médicale et l'aventure intellectuelle de Cyrille Koupernik. Je me sentais proche de ce Russe blanc, orthodoxe, praticien expérimenté, invité aux rencontres universitaires et engagé dans les débats culturels. À cause de la proximité de nos noms, il nous arrivait souvent de recevoir des invitations, des chèques et parfois des critiques adressés à l'autre. C'était une bonne occasion de personnaliser nos relations. Il publiait des conseils thérapeutiques dans *Le Concours médical* où il m'est arrivé d'écrire et avait participé à un précis de psychiatrie qui a formé une génération de médecins[79]. Son cheminement non académique lui avait donné une liberté d'esprit qui lui permettait de ne pas se soumettre à la hiérarchie universitaire ou aux récitations à la mode. Il critiquait les excès de médicaments et les explications exclusivement biologiques, alors qu'il était neurologue. Il critiquait la psychanalyse dogmatique, alors qu'il savait bien que cette relation était utile en psychothérapie. Il critiquait les excès de l'antipsychiatrie, alors qu'il était lui-même critique envers la psychiatrie. Je me souviens de controverses avec Christian Delacampagne, où le philosophe paraissait fumeux comparé à la clarté de Koupernik. Je m'identifiais beaucoup à cet aîné que je comprenais sans peine.

En 1978, il avait coorganisé à New York une réunion qui allait orienter mon cheminement intellectuel.

---

79. Loo H., Zarifian E., Koupernik C., *Précis de psychiatrie*, Paris, PUF, 1982.

Dans l'avant-propos des actes de ce congrès[80], Anna Freud avait écrit : « C'est donc moins l'enfant qui est vulnérable que le processus de développement lui-même[81]. » C'est exactement l'attitude intellectuelle qu'expriment aujourd'hui les chercheurs en neurosciences qui étudient l'acquisition d'une vulnérabilité neuro-émotionnelle[82]. À cette époque, les psychanalystes et les biologistes se côtoyaient sans conflit majeur, c'était avant la radicalisation des groupes de recherche et des revues dont la spécialisation exclusive empêchait les rencontres entre disciplines différentes.

Je trouvais désormais l'attitude qui me convenait pour essayer de comprendre l'événement psychopathologique : décrire la souffrance qui s'exprime par des comportements et des paroles, puis analyser l'ontogenèse, la construction afin de tenter de la guérir. « Vous enfoncez les portes ouvertes », a-t-on dit alors. À ceci près qu'il a fallu vingt ans pour les ouvrir, ces portes. Parmi les premiers ouvreurs, il y a eu Pierre Straus et Michelle Rouyer[83]. Avant l'intervention de ces praticiens, on ne parlait que de « mamans-gâteaux » et de « papas-pélicans ». Avec de tels stéréotypes culturels, comment voulez-vous penser la maltraitance ? Ces deux

80. Anthony E. J., Chiland C., Koupernik C., *The Children in his Family*, tome 4 : *Vulnerable Children*, New York, John Wiley & sons, 1978 ; traduction française, *L'Enfant dans sa famille*, tome 4 : *L'Enfant vulnérable*, Paris, PUF, 1982.
81. Freud A., « Avant-propos », *in* Anthony E. J., Chiland C., Koupernik C., *L'Enfant dans sa famille*, vol. 4 : *L'Enfant vulnérable*, *op. cit.*, p. 14.
82. Keren M., Tyano S., « Antecedents in infancy of personality disorders : The interplay between biological and psychological processes », art. cit., p. 34.
83. Straus P., Rouyer M., « Le devenir psychologique des enfants maltraités », *in* E. J. Anthony, C. Chiland, C. Koupernik, *L'Enfant dans sa famille*, vol. 4 : *L'Enfant vulnérable*, *op. cit.*, p. 395-402.

auteurs ont posé les questions qui ont déclenché plus de trente années de recherches internationales.

Dans ce même livre, Albert Solnit proposait comme Piaget « de nouveaux sentiers à explorer ou à prévoir pour l'avenir[84] ». Il écrit que : « La vulnérabilité évoque des sensibilités et des faiblesses réelles [...], mais il existe une tendance opposée [...] [qui] peut être considérée comme une force, une capacité de *résistance* [je souligne] au stress, aux pressions et aux situations potentiellement traumatisantes[85]. [...] nous avons à définir le risque, la vulnérabilité et la *résistance* [je souligne encore][86]. » Si j'ai souligné deux fois le mot « résistance », c'est parce qu'il y a eu un contresens lors de la traduction. Dans le texte anglais, Solnit parlait de « résilience », mais comme ce mot n'existait pas encore en français (en 1980), il a été traduit par « résistance », ce qui n'est pas la même chose. La résistance définit la manière dont une personne affronte une épreuve, dans l'instant, en face à face. Elle tient le coup si, avant l'affrontement, elle a acquis des facteurs de protection émotionnelle, si l'agression n'a pas été durable ou n'est pas survenue lors d'une période sensible. Alors que la résilience désigne, après le coup, la manière dont cette personne essaye de reprendre vie. Quand la vie revient, on parle de résilience ; quand elle ne revient pas, on constate un syndrome psychotraumatique et d'autres troubles variés. La paternité du mot aurait dû être attribuée à

84. Solnit A. J., « L'enfant vulnérable, rétrospective », *in* E. J. Anthony, C. Chiland, C. Koupernik, *L'Enfant dans sa famille*, vol. 4 : *L'Enfant vulnérable*, *op. cit.*, p. 485.
85. *Ibid*, p. 486.
86. *Ibid*, p. 492.

Solnit[87], ce professeur de psychiatrie à l'Université Yale (États-Unis), alors que c'est à Emmy Werner qu'on en attribue la maternité[88]. Ce qui n'est pas une injustice, au contraire ! Sa méthode rigoureuse et son travail clair et méthodique portaient sur 698 enfants maltraités et abandonnés dans l'île de Kauaï (Hawaii). Cette publication a soulevé le mystère de ces 28 % d'enfants qui, trente ans plus tard, sont parvenus à se développer dans un contexte incroyablement adverse. Une forte majorité (72 %) d'entre eux a été fracassée par l'absence de famille, les agressions physiques ou sexuelles, et les maladies, ce qui était prévisible. Mais comment 28 % de ces enfants ont-ils pu apprendre un métier sans avoir été à l'école et comment ont-ils pu fonder une famille sans troubles majeurs ? C'est cette surprise qu'Emmy Werner a nommée « résilience ».

Avec Marcel Rufo et Jean-Claude Fady, nous avons organisé une première rencontre à la faculté de médecine de Marseille[89]. J'étais à côté de Roger Misès qui a joué un grand rôle dans les progrès de la psychiatrie

87. Solnit A. J., « Change and the sense of time », *in* E. J. Anthony, C. Chiland (éd.), *The Children in his Family*, vol. 5 : *Children and Their Parents in a Changing World*, New York, John Wiley & sons, 1978, p. 22 ; Solnit A. J., « Change and continuity in an age of transition (man as planner and problem solver : dealing with risk, vulnerability and resilience) », *in* E. J. Anthony, C. Chiland (éd.), *Yearbook of the International Association for Child and Adolescent Psychiatry and Allied Professions*, John Wiley & sons, 1980, p. 1-19.

88. Werner E. E., Smith R. S., *Vulnerable but Invincible : A Longitudinal Study of Resilient Children and Youth*, *op. cit.* Certains précurseurs ont employé le mot « résilience » sans le théoriser : Paul Claudel, *Œuvres en prose,* Paris, Gallimard, « Bibliothèque de la Pléiade », 1965, p. 1205 ; André Maurois, *Leila ou la Vie de George Sand*, Paris, Hachette, 1952.

89. Cyrulnik B., « Les sentiers de chèvres et l'autoroute », *in* V. Duclert, A. Chatriot (éd.), *Quel avenir pour la recherche ?*, Paris, Flammarion, 2003, p. 70-79.

et dans l'aide aux enfants autistes. Pendant que Fady exposait le *pecking order* chez les poules[90], je l'entendais ronchonner : « Qu'est-ce que les poules ont à voir avec la psychiatrie ? » Posée ainsi, la question est amusante, mais ce que voulait dire l'éthologue, c'est que le monde vivant est ordonné bien avant qu'apparaisse l'ordre de la parole. En se décentrant de la condition humaine, il est intéressant de se demander pourquoi un ordre règne dans les poulaillers, pourquoi pas le chaos ? Mais pour ceux qui ne se soucient que des troubles psychiatriques humains, les poules, en effet, n'ont pas grand-chose à dire.

Labo en milieu naturel

Nous nous réunissions souvent, dans le port d'Hyères, sur un magnifique bateau à vapeur, un steamer, baptisé *Crooner* où nous disposions dans chaque recoin de fiches pour noter nos idées et de vin rouge pour les stimuler. Ce mélange d'universitaires (Rufo et Dufour), de chercheurs (Fady et Garrigues) et de praticiens a produit un grand nombre d'hypothèses, de travaux et de rencontres éthopsychiatriques.

Ces réunions étaient gaies (Rufo n'y était pas étranger), surprenantes et cafouilleuses. Dans le cadre du Séminaire de méthodologie de la recherche en psychiatrie, à Marseille, auquel je participais, le professeur Sutter m'avait demandé d'organiser une rencontre, afin de mettre un peu d'ordre. J'avais donc associé à ce petit

90. Schjelderup-Ebbe T., « Social behavior in birds », *in* A. Murchison (éd.), *A Handbook of Social Psychology*, 1935, p. 947-972.

noyau de chercheurs Albert Demaret[91], qui travaillait à Liège avec le professeur Jean-Claude Ruwett[92] et avec Claude Leroy qui dirigeait le Laboratoire d'éthologie humaine de l'Institut Marcel-Rivière à La Verrière[93]. Les publications scientifiques furent bien acceptées par l'ensemble des chercheurs que le modèle animal ne surprenait pas. Jacques Cosnier et Hubert Montagner constituaient les références de cette démarche naissante, nous gravitions autour de leurs idées, qui définissaient l'attitude éthologique[94] et la méthode d'observation[95]. Après les exposés scientifiques à l'hôpital de la Timone, il convenait d'organiser un « après-congrès » afin de personnaliser les relations de ce petit groupe. Mes amis les Garcia avaient retapé un splendide ketch de dix-huit mètres, le *Fortuna*, et Pierre Buffet, au Manoir, dans l'île de Port-Cros, m'avait proposé d'héberger les congressistes. Du port d'Hyères à l'île de Port-Cros, le voyage aller fut paisible. Une petite brise inclinait légèrement le bateau et nous bavardions d'éthologie en regardant le soleil se coucher. Le soir, au Manoir, ce fut la fête. Ce

91. Demaret A., *Éthologie et psychiatrie. Valeur de survie et phylogenèse des maladies mentales*, Bruxelles, Mardaga, 1979.

92. Ruwett J. C., *Biologie du comportement*, Bruxelles, Mardaga, 1975.

93. Leroy C., « Urbanisme et identité », *Santé et architecture*, n° 83, octobre-novembre 1979 ; Beigbeder J.-D., « À la mémoire du docteur Claude Leroy », *La Lettre de la psychiatrie française*, n° 220, décembre 2013.

94. Cosnier J., « Spécificité de l'attitude éthologique dans l'étude des comportements humains », *in* B. Cyrulnik, « Éthologie humaine », *Psychologie médicale*, numéro spécial, 9, 11, 1977, p. 1025-1029.

95. Montagner H., *L'Attachement. Les débuts de la tendresse*, Paris, Odile Jacob, 1988. Les premières thèses d'État en éthologie humaine ont été faites par : Deveaux M., *Contribution physiologique au concept de proxémie*, université de Grenoble, 1975, et Godard D., *Agression et isolement. Approche éthologique*, université de Franche-Comté, Besançon, 1978.

bel hôtel avait accueilli dans les années 1930 la comtesse de Noailles, son groupe d'admirateurs, Jean Paulhan et l'équipe de la NRF. Ce soir-là, Claude Leroy révéla un talent inattendu de danseur de tango. Tout se passait à merveille pour tisser des liens amicaux et intellectuels entre des chercheurs qui auraient pu ne jamais se rencontrer. Comment faire parler un primatologue comme Jean-Claude Fady avec un électroencéphalographiste comme Claude Leroy ? Comment un spécialiste des comportements de feinte des diamants tachetés comme Albert Demaret[96] pouvait-il inspirer un neuropsychiatre comme Pierre Garrigues ? Les rencontres se faisaient en bavardant et les promesses de travaux communs s'engageaient amicalement.

Tout allait pour le mieux jusqu'au moment du retour. La nuit, un vent d'est s'est levé et la houle, en quelques heures, est devenue très forte. Il fallait rentrer parce que les congressistes devaient tous reprendre leurs fonctions dans leurs universités, leurs labos ou leurs cabinets. Plus question de bavarder, il faisait froid et la mer nous secouait durement. Albert Demaret était venu dans le Midi, vêtu d'un beau manteau de loden vert, comme on en porte à Liège. Et comme son visage était devenu plus vert que son manteau, il est descendu dans la cabine, pour se réchauffer. C'est ma fille, alors âgée de 10 ans, qui est allée le chercher en lui expliquant que lorsque la mer est agitée, on souffre plus au fond d'un bateau que sur le pont. Lui qui était venu pour voyager dans

96. Albert Demaret était psychiatre, mais accompagnait Jean-Claude Ruwett ornithologue dans ses études sur les coqs de bruyère. Le mâle diamant tacheté attire sur lui le prédateur en faisant semblant d'avoir une aile brisée pendant que la femelle s'enfuit avec les petits.

un Midi tropical a rampé vers la surface en espérant ne pas mourir de froid et de troubles digestifs.

Jacques Cosnier n'était pas venu à ces journées de méthodologie de la recherche à Marseille, mais il avait organisé à Lyon, avec Hubert Montagner, une série de rencontres entre scientifiques et cliniciens. Les travaux étaient passionnants[97] et l'ambiance facilement orageuse. Était-ce dû à l'esprit des scientifiques, plus vifs quand ils exprimaient leurs désaccords, ou étaient-ce plutôt les divergences politiques de ces fortes personnalités ? Le groupe de Rennes, solidarisé par le marxisme-léninisme autour de Gaston Richard, faisait de solides publications avec Jean-Marie Vidal et Jean-Charles Guyomarc'h. Raymond Campan[98] à Toulouse était plus paisible, mais, au moindre désaccord, ils dégainaient leurs arguments contre Rémy Chauvin et Pierre-Paul Grassé, ce médecin ornithologue qui souhaitait réhabiliter Lamarck. Il est certain que la simple présence de ces deux-là constituait un événement. La créativité de Rémy Chauvin était surprenante, au moins une idée originale par seconde. Il avait écrit un livre sur les surdoués, dont les ventes avaient dépassé 400 000 exemplaires[99]. Aimé Michel, rédacteur de la

97. Cosnier J., « Observation directe des interactions précoces ou les bases de l'épigenèse interactionnelle », *La Psychiatrie de l'enfant*, 1, 1984, p. 107-126 ; Cosnier J., « Les prérequis d'une approche éthologique du langage », *Psychologie médicale*, 2, 1984, p. 287-295.

98. Vidal J.-M., *Empreinte filiale et sexuelle. Réflexions sur le processus d'attachement après une étude expérimentale sur le coq domestique*, thèse de sciences naturelles, université de Rennes, 1976 ; Guyomarc'h J.-C., *Abrégé d'éthologie*, Paris, Masson, 1995 ; Campan R., Scapini E., *Éthologie, approche systémique du comportement*, Bruxelles, De Boeck Université, 2002.

99. Chauvin P., *Les Surdoués*, Paris, Stock, 1975.

belle revue scientifico-ésotérique *Planète*, lui avait donné l'idée de s'intéresser à ces enfants à l'intelligence exceptionnelle, afin de s'opposer au misérabilisme de ceux qui préféraient s'occuper des débiles, des retardés et des handicapés. Chaque été, j'allais lui rendre visite à Saint-Vincent-les-Forts, dans son beau chalet qui avait une vue sublime sur les montagnes de l'Ubaye et le lac de Serre-Ponçon. Il y recevait beaucoup de psychiatres (dont Cyrille Koupernik), beaucoup de scientifiques et quelques ufologues qui organisaient, à Sisteron et sur le plateau de Valensole, des rendez-vous avec les Martiens qui préféraient atterrir en Haute-Provence que dans la banlieue parisienne. Pour ce psychologue, philosophe et ingénieur du son, la science était fantastique puisqu'elle faisait surgir du réel une vision miraculeuse du monde. Pour lui, les « soucoupes volantes » n'étaient pas plus invraisemblables que l'hélice de l'ADN. « La nature est surnaturelle, disait-il, parce que c'est un miracle que j'aie pu survivre après le handicap de la polio que j'ai eue à 5 ans. » Il avait fondé avec Louis Pauwels et Jacques Bergier une très belle revue, *Planète*, qui donnait forme à sa conception d'une science magique. Il admirait ses cofondateurs dont l'intelligence faisait des performances stupéfiantes qu'il me racontait comme un conte de fées. Cette revue a connu un grand succès populaire parce qu'elle était belle, intelligente et émerveillante. Il sollicita de nombreux articles d'éthologie animale et dirigea une *Encyclopédie Planète*, préfacée par Rémy Chauvin qui, avec sa créativité habituelle, démontrait comment la découverte des mondes animaux pose des problèmes profondément humains. Dès 1964, il prévoyait : « Nous assisterons au complet remplacement des animaux domestiques par des robots familiers [...]. Au fond de moi-même, quelque chose issu d'innombrables siècles obscurs me fait souhaiter qu'il n'en soit pas ainsi[100]. »

Aimé Michel avait invité Konrad Lorenz dans ce cadre merveilleux pour y tourner un film sur l'éthologie animale[101], mais il était tracassé par un incident survenu au cours du tournage. Tout se passait bien, grâce au travail d'Aimé Michel et à la bonhomie de Konrad Lorenz qui était un homme très gai et agréable à côtoyer, lorsque, soudain, un technicien avait quitté le plateau sans un mot. On avait attendu son retour, une heure... deux heures... trois heures, jusqu'à ce qu'un collègue parvienne à le rejoindre au moment où il se dirigeait vers la gare : « Je refuse de participer à un film qui critique Lacan », avait dit cet indigné. Impossible de retrouver la phrase qui avait blâmé le psychanalyste, mais quelques mots l'avaient probablement froissé. Depuis 1968, Lacan devenait célèbre et les lacaniens de l'époque ignoraient que leur grand homme s'était fortement inspiré de l'éthologie animale qu'il avait pourtant honnêtement citée. Aimé Michel en avait parlé à Cyrille Koupernik, qui avait pensé que cette réaction était l'indice d'un risque d'évolution sectaire de la pensée lacanienne. Il fallait se soumettre à la pensée du maître et le réciter mot à mot, sans la moindre critique, sous peine de paraître blasphématoire. Pierre Legendre soutenait que Freud et Lacan aimaient la contestation qui oblige

100. Graven J., *L'Homme et l'Animal*, préface de Rémy Chauvin, Encyclopédie Planète, 1964, p. 26.
101. *De l'animal à l'homme. Un entretien avec Konrad Lorenz*, film de Jacques Brissot et Aimé Michel, ORTF, coll. « Un certain regard », 1968.

à préciser la pensée, ce que conteste Michel Onfray[102]. Pour ma part, je pense que de nombreux psychanalystes se servent de la pensée de Lacan pour s'affranchir du carcan de la procédure analytique, mais j'en connais d'autres qui récitent un petit stock de phrases du maître et méprisent ceux qui se trompent d'une virgule, comme on le fait dans toute secte.

Science, culture et idéologie

Ce qui n'empêche que les deux phrases malheureuses que Lorenz avait écrites en 1940 sur l'hygiène raciale et la domestication, ajoutées à celles de Louis Pauwels et Alain de Benoist[103], fortement engagés à droite, ont suffi à étiqueter l'éthologie comme théorie d'extrême droite, alors que la majorité des chercheurs se situaient à gauche, parfois même à l'extrême gauche. La pensée paresseuse aime les étiquettes.

Rémy Chauvin, qui n'était pas un homme de gauche, s'intéressait à la parapsychologie dont il aurait aimé faire une discipline scientifique. Sur ce point (et sur ce point seulement), il n'était pas très loin de Freud qui avait tenté, avec sa fille Anna, des expériences de télépathie. Après tout, pourquoi pas ? Les hypothèses scientifiques sont souvent poétiques ou farfelues avant d'être soumises au tribunal de l'expérimentation, de la reproductivité et de la réfutabilité. On parle bien

102. Onfray M., *Le Crépuscule d'une idole, op. cit.*

103. Benoist A. de, « Konrad Lorenz et l'éthologie moderne », *Nouvelle école,* n° 25-26, 1975 ; et *Vu de droite*, Paris, Copernic, 1977.

aujourd'hui en termes biologiques d'intersubjectivité et de transmission intergénérationnelle de l'émotion provoquée par un traumatisme[104]. On photographie des atrophies cérébrales et on dose les modifications biologiques transmises d'un cerveau à l'autre par des fantômes transgénérationnels. Si ça n'est pas de la parapsychologie, ça ! La méthode et les capteurs techniques (résonance magnétique fonctionnelle et dosage des neuromédiateurs) ont transformé une hypothèse farfelue, apparemment magique, en donnée scientifique. Peut-être même est-ce l'évolution normale de la pensée scientifique ? Après tout, c'est invraisemblable de vivre, c'est magique, tellement le nombre de conditions nécessaires à la vie est faramineux. Eh bien, non seulement on vit, mais on peut en faire, petit bout par petit bout, une analyse scientifique.

Ce qui m'étonne, c'est l'attrait de la pensée d'extrême droite pour les sciences ésotériques. Charles Richet, excellent physiologiste, aimait faire tourner les tables, décrire des ectoplasmes et communiquer avec les grands noms de l'au-delà. Ces pratiques constituaient, à l'heure du thé, de passionnants événements mondains où se côtoyaient des gourous et des universitaires, utilisant un bric-à-brac scientifique pour séduire les bourgeois.

Alexis Carrel, grand médecin qui, lui aussi, a eu quelques phrases malheureuses, accompagnait des malades à Lourdes en espérant un miracle[105]. C'est beau, généreux,

104. Bustany P., « Neurobiologie de la résilience », *in* B. Cyrulnik, G. Jorland, *Résilience. Connaissances de base*, *op. cit.*, p. 59-64.
105. Carrel A., *Voyage à Lourdes*, Paris, Plon, 1949.

intelligent et sans fondement rationnel. C'est « métapsychique », dit-on quand on veut désigner un phénomène inexpliqué, caché derrière le monde visible, enfoui sous le conscient et agissant dans le mystère de la télépathie et des forces obscures qui nous gouvernent à notre insu.

De nombreux chercheurs en éthologie animale étaient intéressés par des rencontres avec les praticiens dans l'espoir de stimuler une éthologie humaine qui balbutiait dans les laboratoires[106]. Léon Chertok et Isabelle Stengers m'avaient invité à Paris à l'École des hautes études où ils tenaient un séminaire. J'y ai retrouvé Rémy Chauvin, brillant et fougueux comme d'habitude, qui m'encourageait à travailler sur l'interdit de l'inceste chez les animaux, alors que j'étais invité pour y parler d'interactions précoces. Je crois bien que cette locution est née dans l'éthologie animale quand Bertrand Kraft, Jacques Cosnier et Hubert Montagner ont montré la voie. Dès 1974, ils avaient rendu observable le fonctionnement du monde préverbal[107]. Françoise Dolto avait donné un éclairage psychanalytique sur le bébé tout juste né[108]. Étienne Herbinet et Marie-Claire Busnel avaient observé comment se nouent les premières interactions sensorielles[109]. Pour rassembler ces chercheurs

---

106. Claude Bensh, Jacques Paty, Jean-Claude Rouchouse, Jacques Goldberg, Annick Jouanjean, Pierre Jouventin, René Zayan, Jacques Miermont et bien d'autres ont tenté une éthologie humaine modélisée par Jacques Cosnier et Hubert Montagner.

107. Montagner H., « Communication non verbale et discrimination olfactive chez les jeunes enfants : approche éthologique », *in* E. Morin, M. Piatelli-Palmarini (éd.), *L'Unité de l'homme*, Paris, Seuil, 1974 ; Montagner H., *L'Enfant et la Communication*, Paris, Stock, 1978.

108. Dolto F., *Lorsque l'enfant paraît*, Seuil, 1977-1978, 3 tomes.

109. Herbinet E., Busnel M. C. (dir.), *L'Aube des sens*, Paris, Stock, 1981.

de laboratoire et de terrain, nous avions organisé, avec Jacques Petit et Pierre Pascal, dans l'île des Embiez près de Toulon, une très stimulante rencontre où nous avions pour enjeu de mettre en lumière comment se tissent les premiers nœuds de l'attachement[110]. Ce qui paraît évident aujourd'hui était surprenant au début des années 1980, où l'on enseignait qu'un bébé ne voyait rien, ne sentait rien, ne comprenait rien et qu'il suffisait de mesurer ses *ingesta* et ses *excreta*. À cette époque, il fallait choisir son camp et mépriser ceux qui faisaient l'autre choix. Grâce aux progrès de la procréation médicale assistée, on commençait à parler de « mères porteuses », où il fallait associer les biologistes de la reproduction, les obstétriciens, les psychologues et même les linguistes puisqu'on venait de découvrir que les fœtus percevaient les basses fréquences de la voix maternelle avec un début d'organisation phonétique[111].

Marcel Rufo et René Soulayrol n'étaient pas étrangers à la joyeuse amitié de cette réunion. Les psychanalystes ne supportaient pas la biologie qui, pour eux, évoquait la langue du Diable, celle de la matière (fécale, forcément). Bernard This m'avait traité de médecin nazi, puisque nous faisions des observations scientifiques sur les bébés. Il fallait, disait-il, les considérer comme des personnes et non pas comme des objets de science. Il se trouve que, bien au contraire, c'est la démarche

110. Petit J., Pascal P., « Éthologie et naissance », *Société de psychoprophylaxie obstétricale (SPPO)*, n° 10, mai 1988 ; Cyrulnik B., « L'attachement, entrave ou liberté ? », *Le Groupe familial*, n° 107, « Le tissage des liens autour de la naissance », avril-juin 1985.

111. Querleu D., Renard X., Versyp F., « Vie sensorielle du fœtus », *in* Tournaire M., Levy G., *Environnement de la naissance*, Paris, Vigot, 1985.

scientifique qui a démontré que « les bébés sont des personnes[112] » et non pas des morceaux de matière ou des objets de fantasmes. Ce psychanalyste a pourtant été utile à la cause des bébés, peut-être parce qu'il suivait Françoise Dolto qui avait déclaré son intérêt pour une démarche scientifique qui confirmait sa thèse.

Le lendemain de ce colloque, une journaliste avait proposé à l'éditrice Laurence Pernoud un article où elle expliquait qu'il fallait interdire l'avortement puisque les fœtus étaient des personnes communicantes. J'ai été interrogé par une télévision allemande qui me demandait pourquoi nous militions contre l'avortement, ce qui était un contresens. Une « université pour fœtus » fut même créée aux États-Unis. Elle vendait des appareils pour stimuler les bébés afin de les rendre plus intelligents !

En même temps que cette tentative de récupération idéologique et commerciale, naissait un véritable mouvement scientifique qui allait bouleverser nos mœurs, en changeant la représentation de la sexualité, du couple et des enfants[113]. On ne mettait plus des enfants au monde pour assurer la survie de notre groupe, mais pour épanouir l'aventure de notre personne.

Le fait de renoncer aux causalités totalement explicatives et d'associer des chercheurs de laboratoire avec des praticiens avait fait apparaître des solutions différentes. Quand deux pédiatres anglais, inspirés par l'éthologie, ont publié un travail qui montrait qu'une séparation précoce

---

112. Martino B., *Le bébé est une personne*, film pour la télévision, 1984. Ce film, fondateur d'une autre manière de voir le bébé, est structuré par de nombreuses observations éthologiques. Plus récemment, Bouyer R.-J, *Les Mémoires d'un bébé* (Cinétévé, 2009), a fait un recensement rigoureux de ces observations d'éthologie humaine.
113. Cyrulnik B., *Sous le signe du lien*, *op. cit.*

de la mère et de son enfant provoquait des troubles des interactions précoces[114], presque tout le monde en a conclu qu'une séparation précoce provoquait des troubles définitifs. Effrayés par le succès de cette généralisation abusive, les deux chercheurs ont tenté de relativiser. Trop tard ! C'était rentré dans les stéréotypes culturels ! Ce n'est qu'au début des années 1980 que d'autres cliniciens, raisonnant non plus en termes de causalités linéaires, mais en termes systémiques, ont nuancé cette donnée scientifique. « La théorie de l'attachement développée par Bowlby, s'inspire à la fois de travaux éthologiques et de la psychanalyse. [...] nombre de gens en déduisent que les enfants ayant subi des ruptures familiales [...] feront preuve d'affectivité perturbée. [Or] beaucoup d'enfants, malgré ces expériences "s'en sortent[115]". » Quand on raisonne en termes systémiques, on comprend sans peine que la survenue d'événements ultérieurs pourra corriger ces troubles... ou les aggraver.

À mort la pensée causalitaire, vive la pensée systémique

À la même époque, Serge Lebovici disait : « J'ai suivi des enfants qui, en toute logique, auraient dû mal se développer. Or ils vont très bien. Il serait important

114. Klaus M. H., Kennel J. H., « Maternal attachement : Importance of the first post-partum days », *J. Med.*, n° 286, 1972, p. 460-463.

115. Duyme M., « Attachements précoces et amours tardives », *Le Groupe familial*, n° 107, « Le tissage des liens, autour de la naissance », avril-juin 1985, p. 75-78 ; et Duyme M. et Dumaret A., « La réversibilité des carences socio-familiales précoces : une étude d'enfants adoptés », *in* J.-F. Saucier et L. Houde, *Prévention psychosociale pour l'enfance et l'adolescence*, Montréal, Presses de l'Université de Montréal, 1990.

de comprendre pourquoi. » La remarque de ce grand psychanalyste était proche de celle de Michaël Rutter qui répondait à Emmy Werner : « Ces enfants [qui s'en sortent] ont quelque chose à nous apprendre. » La surprise de ces bons développements après des événements cruels ou malgré des conditions adverses posait la question de cet étrange processus développemental qui a été désigné par le mot « résilience ».

C'est pourquoi Claude Leroy avait organisé dans son laboratoire d'électroencéphalographie à la MGEN à La Verrière des rencontres d'éthopsychiatrie. Il avait invité Georges Thinès, philosophe qui proposait une réflexion sur la phénoménologie des comportements animaux[116]. Assez curieusement, on trouve une grande proximité de pensée avec Jacques Lacan[117], qui reprend les données de Buytendijk sur l'*Umwelt* des animaux[118] et précise que ce rapprochement entre l'homme et l'animal n'a pas à nous étonner, dès lors que nous avons saisi l'importance pour l'homme de son image spéculaire. John Richter de Londres et Pierre Garrigues de Montpellier apportaient leur expérience de praticiens devenus scientifiques. Serge Lebovici avait d'abord été réticent envers l'éthologie et la théorie de l'attachement

---

116. Thinès G., *Phénoménologie et science du comportement*, Bruxelles, Mardaga, 1980.

117. Lacan J., *Le Séminaire*, livre I : *Les Écrits techniques de Freud 1953-1954*, Paris, Seuil, 1975, p. 157-159 ; *Le Séminaire*, tome III : *Les Psychoses, 1955-1956*, *op. cit.*, p. 107-110 ; textes rassemblés par Dominique Godard *in* B. Cyrulnik, *Si les lions pouvaient parler*, *op. cit.*, p. 92-97.

118. Buchanan B., *Onto-Ethologies : The Animal Environments of Uexküll, Heidegger, Merleau-Ponty and Deleuze*, *op. cit.* ; Thinès G., Zayan R., Buytendijk's F. J. J., *Contribution to Animal Behavior : Animal Psychology or Ethology ?*, Université de Louvain, 1975.

parce qu'il pensait, comme tous les psychanalystes, que le bébé aime sa mère parce qu'elle le nourrit. Quand Bowlby, psychanalyste lui-même, a soutenu que la pulsion première, avant toute nourriture, c'est la recherche de proximité sécurisante, Lebovici s'est intéressé à l'éthologie. Avec Jacques Cosnier, Hubert Montagner et Benoist Schaal[119], il a organisé un enseignement à l'hôpital de Bobigny où il m'a demandé d'intervenir[120].

À cette époque, on parlait beaucoup de Gregory Bateson, un anthropologue étonnamment pluridisciplinaire (biologiste, botaniste, psychothérapeute, ethnologue et éthologue), ce qui était mal vu puisque, n'étant pas hyperspécialisé, il était considéré comme un amateur. Il se définissait lui-même comme « homme de terrain », terrorisé par l'idée d'être immobile dans une bibliothèque ou desséché par la stricte application de protocoles scientifiques. Après une cascade de tragédies familiales, il avait décidé de vivre aux États-Unis et avait trouvé un travail à l'hôpital psychiatrique de Palo Alto d'où il décrivit ce que ressentaient les schizophrènes : « L'agression vécue, perturbante, subie par un être humain soumis à un ensemble simultané d'injonctions déroutantes[121]. » La schizophrénie étant la maladie mentale la plus expliquée du monde, certains affirmaient qu'il s'agissait d'une dégénérescence cérébrale avec un

119. Schaal B., *Ontogenèse des communications olfactives entre la mère et son nouveau-né. Approche par l'éthologie expérimentale*, thèse en neurosciences, Besançon, université de Franche-Comté, 1984.

120. Cyrulnik B., Garnier Y., « Approche éthologique des comportements d'espace chez les schizophrènes », *Bull. Soc. Psy*, 1976.

121. Benoit J.-C., *Gregory Bateson. La crise des écosystèmes humains*, Genève, Médecine et Hygiène, 2004, p. 6.

MBD (*minimal brain damage*), petit dégât cérébral qui provoquait de gros troubles psychiques[122], tandis que d'autres dénonçaient une malveillance familiale : « Rendre l'autre fou est dans le pouvoir de chacun. [...] mon père m'a rendue folle[123]. » « L'effort pour rendre fou peut consister [...] en l'équivalent psychologique du meurtre[124]. » Pendant plusieurs années, ces affirmations antagonistes ont radicalisé la pensée des psychiatres. Il fallait choisir son camp. Après la noyade d'un enfant autiste, un grand nom de la psychanalyse (un homme que j'admirais) avait écrit : « Il s'est noyé pour réaliser le désir de sa mère. » Ceux qui ne croyaient pas à l'existence d'un effet intersubjectif ricanaient et cherchaient la molécule qui aurait pu altérer le cerveau et expliquer l'accident.

Bateson, en 1952, avait réalisé une recherche éthologique au zoo de San Francisco. Pendant deux ans, il avait filmé un couple de loutres. Les animaux, parfaitement adaptés à la pauvreté du milieu carcéral de leur cage, se contentaient de dormir et de manger. Un jour, Bateson eut l'heureuse idée de faire virevolter un morceau de papier au bout d'une canne à pêche. Enfin un événement dans une vie de loutre ! Les animaux s'éveillaient, plongeaient et exerçaient leur corps à la bagarre et à la poursuite de cette « proie ». Bateson, bouleversé par cette découverte, écrit : « Que des mammifères non humains échangent, comme nous, des

122. Debray-Ritzen P., Melekian B., *Les Troubles des comportements de l'enfant*, Fayard, 1973.
123. Fedida P., « Préface », Searles H., *L'Effort pour rendre l'autre fou*, Paris, Gallimard, 1977, p. 11.
124. Searles H., *L'Effort pour rendre l'autre fou*, *op. cit.*, p. 163.

messages quasi abstraits m'imposait la révision presque totale de mes idées[125]. » Cette observation ressemble à l'histoire trop belle de la « pomme de Newton » qui, en tombant, lui fait soudain comprendre la gravitation terrestre. Bateson, en voyant deux mammifères jouer, comprend soudain qu'ils sont « engagés dans une séance interactive dont les unités d'action ou signaux étaient similaires mais non identiques à ceux du combat[126] ». Les loutres se bagarraient et comprenaient en même temps que ce n'était pas une vraie bagarre. Pour déchiffrer ce message paradoxal, il fallait que les animaux aient accès à un certain degré de méta-communication des signaux de combat qui signifient « ceci n'est pas un combat ». On se mord pour de bon quand on joue à se mordre, et pourtant ce n'est pas une vraie morsure. La compréhension éthologique de ce paradoxe (ce qui ne veut pas dire contradiction) dépasse de loin le niveau stimulus-réponse des apprentissages.

Pour un amateur pluridisciplinaire, il n'y avait pas de place dans une filière classique qui exigeait de choisir entre la biologie, la psychologie ou la sociologie. Les fonds de recherche attribués à des travaux marginaux ne sont pas rares aux États-Unis. Bateson a pu recruter deux étudiants, Jay Haley passionné d'hypnose et John Weakland qui travaillait sur l'imaginaire social. La Macy Jr Foundation finança un projet sur les relations familiales dans la schizophrénie, ce qui permit à Don Jackson et à son interne W. F. Fry d'ouvrir leur service de psychiatrie pour y faire une observation. Ce

125. Benoit J.-C., *Gregory Bateson. La crise des écosystèmes humains*, *op. cit.*, p. 62.
126. *Ibid.*, p. 62.

que Bateson avait compris grâce à l'éthologie du jeu chez les loutres devint une hypothèse d'observation chez les schizophrènes et leur famille. Les troubles ainsi décrits n'étaient ni biologiques ni verbaux, il s'agissait d'une communication affective altérée qui induisait un défaut d'interprétation des signaux. Ce nouvel éclairage a attiré de nombreux chercheurs. La grande anthropologue Margaret Mead, avec qui il s'est marié, mais aussi Wiener, cybernéticien, Lewin, sociologue, von Foerster, mathématicien, Lilly, spécialiste de la communication chez les dauphins, le psychothérapeute Carl Rogers, le phénoménologue inspiré par l'éthologie Abraham Maslow et même l'antipsychiatre Ronald Laing furent impliqués. Ce brassage hétérogène a été le point de départ du mouvement des thérapies familiales qui s'est bien organisé en Italie sous l'impulsion de la passionnante Maria Selvini, en Belgique autour de Mony Elkaïm, d'Edith Goldbetter et Stephan Hendrick, et en France grâce à Jean-Claude Benoit et Michel Delage.

Voilà comment, en partant de l'observation du jeu chez les loutres du zoo de San Francisco, Gregory Bateson a découvert le paradoxe logique qui a permis d'améliorer le sort des schizophrènes et d'aider un grand nombre de familles en difficulté affective.

De nombreux scientifiques formés à l'éthologie animale auraient aimé élargir le champ de leurs recherches et développer une éthologie humaine. Hubert Montagner savait déjà faire les deux : il savait décrire les comportements des insectes, les réactions olfactives des nouveau-nés et les débuts de la tendresse humaine. Il n'a jamais extrapolé, jamais confondu un bébé avec une abeille, mais il a appliqué la méthode d'observation éthologique à des êtres vivants d'espèces différentes. De la même manière, John Bowlby, inspiré par l'éthologie animale, principalement par le primatologue Harry F. Harlow[127], a étayé sa théorie de l'attachement : « Si la théorie de Bowlby est bien reçue par les éthologues, c'est aussi parce qu'elle est cohérente avec la théorie qui se propose de rendre compte de l'évolution des espèces[128]. » Tous les éthologues n'ont pas « bien reçu » cette ouverture de leur discipline. Certains considéraient qu'ils étaient propriétaires de ce savoir et qu'un psychanalyste n'avait pas à s'instruire de leurs travaux. La plupart, au contraire, étaient heureux de ce prolongement humain de l'éthologie animale, comme le souhaitaient les fondateurs. Konrad Lorenz a, un peu trop rapidement, généralisé ses observations à la condition humaine[129]. Tinbergen s'est enhardi à appliquer des découvertes éthologiques à l'autisme, une branche de la psychiatrie où il n'avait pas d'autres compétences qu'une mobilisation personnelle[130]. Cette audace un peu maladroite a pourtant contribué à améliorer la sémiologie comportementale de ces enfants autistes qui n'ont pas accès à la parole[131].

127. Harlow H. F., Harlow M. K., « Effects of various mother-infant relationships on rhesus monkey behavior », *in* B. M. Foss (éd.) *Determinants of Infant Behaviour*, Londres, Methuen, 1969, p. 15-36.

128. Montagner H., *L'Attachement. Les débuts de la tendresse*, *op. cit.*, p. 31.

129. Lorenz K., *L'Envers du miroir*, Paris, Flammarion, 1975.

130. Tinbergen E. A., Tinbergen N., *Early Childhood Autism. An Ethological Approach*, Paul Parey Verlag, 1972.

131. Lannoy J. D. de, Da Silva Neves V., « Une analyse éthologique des interactions sociales d'enfants autistiques en situation de thérapie », art. cit.

Macaque au pays des merveilles

La rencontre la plus fertile et la plus innovante fut celle de René Zazzo qui eut l'idée d'organiser un colloque imaginaire sur l'attachement[132]. Il écrivit un article sur les origines de l'affectivité qu'il a envoyé à des éthologues (Rémy Chauvin), à des psychanalystes (Serge Lebovici, Daniel Widlöcher) et à des praticiens (Cyrille Koupernik).

Ce petit livre fut un grand événement dans les milieux du psychisme. Tout le monde l'avait lu et en débattait. Cet essai épistolaire a bouleversé notre petit monde. Deux maisons d'édition avaient, auparavant, refusé la traduction des livres de Bowlby, probablement sous la pression de certains psychanalystes opposés à l'éthologie. Mais l'engouement provoqué par ce colloque épistolaire sur l'attachement a rendu sa traduction inévitable.

Avec Maurice Ohayon, nous avions invité René Zazzo à Marseille. Physiquement, il me faisait penser à Lucien Bonnafé dont il avait le style de boxeur de gauche. Sa pratique de l'éthologie animale était modeste, mais la manière dont il s'en servait pour questionner le monde humain semblait répondre à un vœu de Freud qu'il avait formulé dans son *Abrégé de psychanalyse*[133]. Peter Gay commente ainsi son approche du phénomène psychique : « Freud affirme catégoriquement que le rôle privilégié que la psychanalyse accorde à l'inconscient a

---

132. Zazzo R., *L'Attachement*, Neuchâtel, Delachaux et Niestlé, 1974.
133. Freud S. [1938], *Abrégé de psychanalyse*, Paris, PUF, 1950.

permis de faire de la psychologie une branche semblable à toutes les autres des sciences naturelles[134]. »

René Zazzo a répété l'expérience d'Henri Wallon qui, en 1931, avait déjà montré le désarroi des chiens face à leur image dans un miroir. Lacan, très tôt, dès 1936, au Congrès de l'API (Association psychanalytique internationale) avait réfléchi à cette situation naturelle quasi expérimentale pour en faire une théorie de l'unification de la représentation de soi[135]. Donald Winnicott et Françoise Dolto avaient eux aussi fait leurs gammes avec le miroir. L'éthologie citée par Lacan était alors inconnue du public, et les balbutiements de la théorie de l'attachement étaient très critiqués par les féministes[136]. Il fallait se mettre au clair. Invité par Anne Ancelin Schützenberger, j'avais passé une semaine à Nice en compagnie de Paul Watzlawick qui avait rejoint l'école de Palo Alto[137], et j'avais constaté qu'il n'était pas sexiste et que son grand humour exprimé dans ses livres ne se retrouvait pas dans sa vie quotidienne.

René Zazzo nous avait montré une série de films à mourir de rire et à plonger dans un abîme de réflexion. Un chien de berger est canalisé vers un miroir dans un

134. Gay P., *Freud. Une vie*, *op. cit.*, p. 94.
135. Laplanche J., Pontalis J. B., *Vocabulaire de la psychanalyse*, *op. cit.*, p. 452.
136. Guedeney N., Guedeney A., « Le débat sur les crèches : la polémique entre S. Scarr et J. Belsky », *L'Attachement. Concepts et applications*, Paris, Masson 2002, p. 62-64 ; Vicedo M., « The social nature of the mother's tie to her child : John Bowlby's theory of attachment in post-war America », *British Journal for the History of Science*, 44, septembre 2011, p. 401-426 ; Karen R., *Becoming Attached*, New York, Oxford University Press, 1998, p 319-328.
137. Watzlawick P., Weakland J., Fisch R., *Changements, paradoxes et psychothérapie*, Paris, Seuil, 1975.

tunnel grillagé[138]. Lorsqu'il se trouve nez à nez avec son image, il manifeste quelques signes d'alerte silencieuse : réaction d'immobilité, oreilles pointées, prêt à fuir ou à combattre. Dans le miroir, l'« autre chien » adopte la même attitude, alors le chien réel baisse la tête, pour signifier sa soumission, mais le chien-image, exécute en même temps le même comportement. Alors le chien réel se redresse puisqu'il n'est plus dominé, et le chien-image aussi. Incapable de se coordonner avec cet étrange chien virtuel, le chien réel évite l'image et, craintif, se réfugie dans un coin.

Un macaque manifeste la même interaction comportementale, mais il ajoute une sorte de manipulation expérimentale : quand il voit que le macaque virtuel fait en même temps la même chose que lui, le macaque réel se retourne, et se baisse pour regarder l'autre entre ses jambes écartées. Comme l'autre, dans le miroir adopte exactement la même posture, notre macaque fait une crise de nerfs, se met à hurler et à secouer les parois du tunnel.

René Zazzo a organisé la même situation d'observation avec des petits enfants d'âges différents. Il leur pose des questions de façon à repérer le moment où ils vont se désigner dans le miroir, par leurs propres noms. D'abord, ils souriaient à un « autre » bébé. Puis ils disent : « C'est Emmanuel, là. » Plus tard, vers 3 ans seulement, ils diront : « C'est moi. Je suis là[139]. » Puis, comme Gordon Gallup l'avait fait pour des

138. *Un autre pas comme les autres,* film de J. D. Lajoux, 1977.

139. Zazzo R., « Le miroir chez l'enfant et l'animal », *in* B. Cyrulnik, *Le Visage, sens et contresens,* Paris, Eshel, 1988, p. 21-30.

chimpanzés[140], Zazzo fait une tache de crème au chocolat sur la joue de l'enfant afin de repérer à quel âge celui-ci devient capable de renverser l'image virtuelle de son visage dans le miroir, d'essuyer le chocolat réel sur sa propre joue et de se lécher les doigts.

À partir de ces travaux fondateurs, les éthologues animaliers entreprirent de décrire le comportement face au miroir des poissons, des oiseaux, des chats, des chimpanzés, des éléphants et d'autres animaux. Les pédiatres s'inspiraient des *Reflets dans le miroir* de René Zazzo[141]. Les psychanalystes essayaient de décrypter le stade du miroir de Lacan, et Claude Leroy, par la même méthode, découvrait que les schizophrènes, au moment des poussées dissociatives, ne reconnaissaient plus leur image.

Une éthologie humaine était donc possible. Elle intégrait des savoirs différents où chacun donnait des idées et des méthodes d'observation à l'autre[142]. Ce moment fécond rassemblait les chercheurs et les praticiens dans un aller-retour constant entre la clinique humaine et l'éthologie animale, faisant avancer les connaissances autant sur la condition animale que sur le développement de la conscience de soi chez nos enfants.

---

140. Gallup G., « Chimpanzés : Self-recognition », *Science*, vol. 167, janvier 1970, p. 86-87.

141. Zazzo R., *Reflets dans le miroir et autres doubles*, Paris, PUF, 1993.

142. Demaret A., *Éthologie et psychiatrie*, Bruxelles, Mardaga, 1980 ; Lannoy J. D. de, Feyereisen P., *L'Éthologie humaine*, *op. cit.* ; Peterson A. F., Garrigues P., Roquefeuil de G., « Jeu et activité créatrice : le jeu en tant que résolution de problème chez l'animal et l'enfant », *in* J. Guillemot, M. Myquel, R. Soulayrol, *Le Jeu, l'Enfant*, Paris, ESF, 1984 ; Feyereisen P., Lannoy J. D. de, *Psychologie du geste*, *op. cit.*

Objet pur du labo, sujet flou des praticiens

C'est probablement pour cette raison que Jacques Gervet m'a demandé d'organiser, en 1986, une rencontre entre les chercheurs du CNRS et les praticiens de la région de Marseille. L'Institut de biologie marine de Tamaris à La Seyne-sur-Mer accueillait nos réunions et, pour les repas, nous avions dressé des tables dans les jardins du fort Balaguier. Ce fut à la fois un succès et un échec. Le succès venait des scientifiques qui soulevaient des problèmes surprenants : quand on chauffait une capsule d'alcool sous une araignée, les vapeurs modifiaient ses performances cognitives et, quand elle était ainsi « saoulée », elle tissait une toile parfaitement symétrique. La perfection de sa toile prouvait que l'alcool avait diminué sa capacité à s'adapter au milieu dont elle ne traitait plus les informations sans cesse variables du vent et de la lumière. Une toile asymétrique révélait que l'araignée pouvait résoudre les problèmes posés par son milieu, alors qu'une toile parfaitement symétrique révélait qu'elle était soumise à son équipement génétique. C'est ainsi que l'araignée résolvait le vieux problème philosophique de l'inné et de l'acquis : c'est en termes de transaction entre ce qu'elle est au fond d'elle-même et ce qui est autour d'elle, que l'araignée nous faisait réfléchir.

On s'étonnait de la présence d'animaux dans les berceaux de nos bébés, on se demandait comment le « Teddy Bear » s'était transformé en nounours apaisant. On critiquait Desmond Morris pour l'aspect spectaculaire de ses publications, puis on l'admirait pour l'aspect spectaculaire de ses publications[143]. Cet ancien responsable du département des mammifères au zoo de Londres avait réalisé une brillante étude étholinguistique, où il décrivait les comportements paraverbaux selon les cultures[144]. Jean-Marie Vidal commençait à réfléchir au comportement des enfants autistes observés à travers un concept lacanien. Et Michel Cabanac analysait les comportements non conscients des humains à la recherche du bien-être quotidien.

Quel succès !

L'échec est venu du trop petit nombre de médecins présents. René Soulayrol avait fait un exposé sur la maladie de Hirschsprung, trouble digestif d'enfants angoissés. Les éthologues surpris ne trouvaient pas de lien avec leur éthologie animale. Par bonheur, Pierre Garrigues avait rendu observable qu'un schizophrène ne crie pas au hasard. En l'observant comme le faisaient les éthologues, il démontrait que les psychotiques se mettaient toujours au même endroit pour crier, ce qui devait bien avoir une signification fonctionnelle pour eux[145].

Et puis, c'est tout. Je crois que les médecins avaient évité cette rencontre, pas assez clinique pour eux. Peut-être aussi avaient-ils été intimidés par la rigueur et l'austérité des scientifiques. Quand nous déjeunions dans les jardins du fort Balaguier qui donne

143. Morris D., *Le Zoo humain*, Paris, Grasset, 1969 ; et *Le Singe nu*, Paris, Le Livre de Poche, 1971.
144. Morris D., *La Clé des gestes*, Paris, Grasset, 1977.
145. Garrigues P., « Éthologie sociale d'enfants handicapés mentaux vivant en collectivité thérapeutique », *Psychologie médicale*, 9, 1977, p. 3.

sur un paysage beau à couper le souffle sur la rade de Toulon, les scientifiques, plongés dans leurs idées, continuaient à travailler comme s'ils avaient été à la cantine du CNRS. J'avais loué un bateau pour personnaliser les relations en naviguant le long des côtes. Seul Jean-Marie Vidal était venu. Les autres avaient préféré retourner dans leurs laboratoires. Ce n'est pas un détail, c'est un symptôme de nos manières de fonctionner différemment.

Par bonheur, plus tard, d'autres cliniciens sont venus nous rejoindre et ont organisé des réunions plus proches de notre pratique. Des vétérinaires comme Patrick Pageat[146] et Claude Béata[147] considèrent l'éthologie des animaux familiers comme une sémiologie clinique où les comportements des animaux qui nous côtoient résultent de transactions entre ce qu'ils sont et ce que nous sommes avec eux.

Ces raisonnements interactifs produisent de nouvelles descriptions. Je me souviens de ce travail où Claude Béata avait accepté que l'on filme une de ses consultations, analysée selon les principes des systèmes familiaux[148] : un petit chien saute sur la table d'examen, le vétérinaire pose des questions au couple qui l'amène chez le praticien. Le chien inquiet se met à gémir, ce qui oblige les humains à parler de plus en plus fort. Les deux « parents » entrent en compétition pour capter l'attention du médecin et c'est madame qui l'emporte,

146. Pageat P., *Pathologie du comportement du chien*, Paris, Éditions du Point vétérinaire, 1995 ; et *L'Homme et le Chien*, Paris, Odile Jacob, 1999.
147. Béata C., *La Psychologie du chien*, Paris, Odile Jacob, 2004 ; et *Au risque d'aimer*, Paris, Odile Jacob, 2013.
148. Film vidéo d'Antoine Alaméda.

le véto finit par ne s'adresser qu'à elle. Monsieur ronchonne et se met en retrait. Le chien maintenant gémit et jappe très fort. Monsieur boude. Le chien aboie et couvre la voix des humains. Soudain, monsieur, excédé, prend son journal et le claque sur la tête du chien et… tout le monde se tait ! C'est bien ce que souhaitait monsieur : faire taire madame.

Dans un autre travail qui associait des vétérinaires et des psychiatres, nous avions montré comment un chien de remplacement, acheté en urgence pour prendre la place d'un chien qui venait de mourir, souffrait d'incontinence sphinctérienne et de troubles du développement[149]. Cet animal avait été mis là pour être aimé à la place du chien disparu, de façon à permettre au propriétaire de ne pas souffrir. Un tel environnement sensoriel, incohérent, tutorisait mal les développements du chien. On l'appelait pour le caresser et soudain on le rejetait car on le trouvait « moins bien que l'autre », le chien disparu. Cette observation clinique a joué un rôle important pour élucider comment un monde mental peut agir sur le monde mental d'un autre. Ce n'est pas la magie, c'est la biologie des interactions qui permet le murmure des fantômes, l'intersubjectivité entre une personne traumatisée et ses proches[150].

Ces observations de communication entre humains et animaux étaient souvent gaies. Michel Sokolovski était encore chef de clinique chez Marcel Rufo quand nous avions prévu d'observer les comportements d'un cerf dans

149. Cyrulnik B., Alaméda A., Béata C., François C., *Le Chien de remplacement*, Éditions du Point vétérinaire, 1995, p. 23-26.
150. Cyrulnik B., *Le Murmure des fantômes*, Paris, Odile Jacob, 2003.

un jardin zoologique de la région de Toulon. La veille, j'avais été sur le terrain pour préparer le travail, mais les animaliers m'avaient prévenu que l'observation serait difficile car le cerf était en rut. J'avais aussitôt téléphoné à l'hôpital Sainte-Marguerite à Marseille pour prévenir Michel. Mais une secrétaire taquine avait couvert les murs de pancartes où l'on pouvait lire : « Monsieur Sokolovski, prenez garde, le cerf est en rut. » Les infirmières protégeaient en riant le jeune chef de clinique, mais je ne sais pas ce qu'ont pensé les familles des malades.

Quelques observations de biologie interactionnelle avaient déjà été faites par Irène Lezine et Colwin Trevarthen. C'était charmant d'analyser comment une mère et son bébé synchronisaient leurs mimiques et leurs gestes[151]. Les études sur le sourire des bébés n'étaient pas tristes[152] et démontraient que, même lorsque le point de départ était biologique, même quand un amas de neurones dans le tronc cérébral déclenchait la contraction musculaire des muscles des lèvres qui exprimait un geste que l'on appelle « sourire », c'était l'interprétation de la mère qui transformait cet acte moteur en relation émotionnelle[153].

Les observations éthologiques d'animaux face aux miroirs et d'interactions mère-enfant intéressaient beaucoup de monde. Quelques professeurs de philosophie

151. Trevarthen C., Huxley P., Sheeran L., « Les activités innées du nourrisson », *La Recherche*, n° 6, 1975, p. 447-458.

152. Challamel M. J., Lahlou S., « Sleep and smiling in neonate : A new approach », *Sleep Research*, 7, 1984, p. IX.

153. Rufo M., Reynard F., Soulayrol R., Coignet J., « À propos du sourire comme signal d'une interaction précoce parents-bébé dans un service de prématurés », *Psychologie médicale*, 16, 2, 1984, p. 279-285.

utilisaient ces expérimentations pour inviter leurs élèves à réfléchir à l'apparition de la conscience de soi dans le monde vivant ou à la possibilité d'une pensée sans paroles. Des généticiens commençaient à évaluer les modifications de comportements sous l'effet des pressions du milieu. Et quelques psychologues décrivaient une sémiologie qui permettait de repérer comment les enfants se préparaient comportementalement à entrer, vers le 18e-20e mois, dans le monde de la parole[154]. Après s'être synchronisés avec les adultes, les bébés, vers le 18e mois, s'immobilisent et deviennent très attentifs quand un adulte parle, comme s'ils pensaient : « Il y a une énigme derrière ces vocalités, peut-être désignent-elles quelque chose qui n'est pas là ? » Deux mois plus tard, ayant saisi le truc de la parole, ils n'ont plus qu'à apprendre les mots de leur langue maternelle ; ça leur prendra dix mois, pas plus, pour apprendre une langue, trois mille à quatre mille mots, les règles de grammaire et les exceptions : dix mois, sans école et sans livres !

Actuellement, toute une série de philosophes et d'historiens construisent une nouvelle théorie de la condition animale[155]. Le bilan de ces travaux, depuis le prix Nobel attribué à l'éthologie en 1973, est fait d'échecs, de réussites et de promesses.

---

154. Jouanjean-L'Antoëne A., *Genèse de la communication entre deux jumelles (11-24 mois) et leurs parents. Approche éthologique, différentielle et causale*, thèse de doctorat de sciences, université Rennes-I, 1994.

155. Fontenay E. de, *Le Silence des bêtes*, Paris, Fayard, 198 ; Despret V., *Naissance d'une théorie éthologique*, Paris, Les Empêcheurs de penser en rond/Synthélabo, 1996 ; Burgat F., *Animal, mon prochain*, Paris, Odile Jacob, 1997 ; Baratay E., *Le Point de vue de l'animal*, Paris, Seuil, 2012 ; Ricard M., *Plaidoyer pour l'altruisme*, Paris, NiL, 2013 ; Lestel D., *Les Origines animales de la culture*, Paris, Flammarion, « Champ Essais », 2009.

L'échec, c'est que le mot « éthologie » a été enrôlé par les politiciens d'extrême droite, à cause des deux phrases malheureuses de Konrad Lorenz et de la sociobiologie qui fut combattue en France, mais bien acceptée aux États-Unis[156]. Peut-on expliquer la condition humaine au moyen de l'étude des interactions chimiques chez les fourmis ? Même s'il est concevable que nous recevons comme les fourmis des empreintes visuelles, que nous subissons l'influence des phéromones, ces vapeurs émises par un organisme qui influencent un organisme voisin, on ne peut tout de même pas réduire la condition humaine à ces déterminants physico-chimiques. C'est ainsi que, lorsqu'une spécialité est coupée des autres, les scientifiques ont tendance à penser que leur découverte est totalement explicative.

Il me paraît plus juste de dire que les meneurs des premières recherches éthologiques n'ont pas su organiser un groupe qui aurait pu prendre le pouvoir universitaire : « L'éthologie n'existe pas à proprement parler en France, où les zoologues français n'ont pas constitué un domaine de recherche indépendant sur le comportement animal[157]. » Il existe bien sûr, d'excellents chercheurs[158], mais leurs publications n'entrent pas dans la culture. Alors que, paradoxalement, les questions soulevées par leurs travaux et traitées par des essayistes, qu'ils soient philosophes ou cliniciens, provoquent un véritable bouillonnement culturel.

156. Wilson E. O., *Sociobiology : The New Synthesis*, Cambridge, Harvard University Press, 1975 ; et *On Human Nature*, Cambridge, Harvard University Press, 1978.
157. Lemerle S., *Le Singe, le Gène et le Neurone. Du retour du biologisme en France*, Paris, PUF, 2014, p. 90.
158. Baudoin C., *Le Comportement. Pour comprendre mieux et davantage*, Paris, Le Square, « Parole publique », 2014.

C'est à eux que la réussite éthologique peut être attribuée. Ces cliniciens bénéficient des hypothèses et des méthodes mises au point par des éthologues animaliers[159] pour décrire les interactions précoces[160] et les comportements pré- et paraverbaux[161].

Cette retombée de l'éthologie a provoqué un curieux phénomène. Il suffisait de dire qu'un travail avait été inspiré par l'éthologie animale pour provoquer des critiques telles que : « L'homme ne peut pas être un animal puisqu'il parle[162] », ou : « Pourquoi rabaissez-vous l'homme au rang de la bête ? » Mais quand on exposait le même travail sans citer ses sources animales, on provoquait des louanges. C'est le cas d'un grand nombre de travaux sur l'attachement qui sont de plus en plus enseignés hors de France, alors que les hypothèses et les méthodes sont inspirées par l'éthologie, science-carrefour. Cela explique pourquoi beaucoup de chercheurs, de cliniciens et de philosophes se réclament de l'éthologie, alors que les unités de recherche se font de plus en plus rares. La réduction épistémologique, due à la méthode scientifique, construit un objet de science qui a du mal à vivre hors d'un laboratoire. Les articles scientifiques, publiés pour faire une carrière, ne sont pas lus dans la culture générale. Les décideurs politiques ne sont donc pas sensibilisés et ne voient pas

159. Desor D., Kraft B., « Les comportements parentaux », *Comportements*, 6, 1986.

160. Cyrulnik B., Petit J., « Ontogenèse des cris de bébé », Colloque CNRS, Marseille, *Bulletin SFECA*, 1987.

161. Cosnier J., Brossard A. (dir.), *La Communication non verbale*, Neuchâtel, Delachaux et Niestlé, 1984.

162. Idée merveilleusement traitée dans le livre de Vercors, *Les Animaux dénaturés*, Paris, Minuit, 1952.

d'intérêt à financer un laboratoire d'éthologie animale. Ce n'est pas logique, car les cliniciens, les éducateurs, les psychologues ou les vétérinaires adoptent une attitude interrogatrice qui aide à mieux comprendre et à mieux soigner les hommes et les animaux[163].

163. Cyrulnik B., « Modèle animal ? », *Bull. Acad. natl. méd.*, 96, n° 9, 2012, p. 1899-1906, Académie de médecine, séance du 18 décembre 2012.

CHAPITRE 3

UNE HISTOIRE N'EST PAS UN DESTIN

La nef des fous

Il faisait beau, nous avons monté les voiles, et le bateau a quitté le port d'Hyères en glissant doucement sur l'eau. Je ne savais pas que *Noah-Noah*, un ketch de dix-sept mètres, allait changer ma manière de comprendre la schizophrénie. Quelques semaines auparavant, Henri Boutillier, chef de service à l'hôpital psychiatrique de Pierrefeu, dans le Var, m'avait raconté à quel point il avait été marqué par la pensée d'Henri Ey dont il avait été l'interne. Il me disait que cet homme n'était pas un psychiatre de bibliothèque. Il avait un grand talent pour établir un contact avec les psychotiques en conflit avec la réalité. Tout en pensant à leur problème, il disait à voix haute ce qu'il venait de comprendre et demandait à son jeune interne de noter ses idées. C'est ainsi qu'Henri Ey écrivait sur le terrain. Puis il se retirait dans son bureau et raturait, vérifiait et reformulait sans cesse de façon à donner à son travail une forme partageable. Il disait que l'homme n'est que « nature à laquelle il s'oppose. Son destin et ses institutions font si peu partie de la nature que celle-ci est au contraire destinée à être maîtrisée par lui[1] ».

L'homme est par nature un être dont les institutions modifient le destin naturel. Un tel raisonnement s'oppose à la pensée fixiste où un être humain est caractérisé par un déterminisme inexorable, biologique pour certains, verbal ou spirituel pour d'autres. La pensée fixiste est avantageuse parce qu'elle donne des certitudes et des clartés aveuglantes. C'est confortable de voir un monde immobile, mais c'est tellement abusif !

Henri Boutillier me disait qu'Henry Ey était fasciné par la perte de liberté des psychotiques, mais que d'énormes surprises pouvaient survenir quand un simple changement de situation apportait un souffle de liberté. Je lui racontais que l'hôpital psychiatrique de Digne avait acheté une ferme dans la montagne et que certains schizophrènes, au lieu de déambuler dans les couloirs des pavillons, allaient y planter des lavandes et faire un peu de maçonnerie. Lorsque ces patients se concentraient sur une tâche, la psychose les opprimait moins. Elle s'effaçait presque quand nous parlions avec eux de la culture des plantes ou de la fabrication d'un objet artisanal.

Quelques semaines plus tard, Henri me téléphone pour me dire : « La direction de l'Action sanitaire est d'accord pour que je loue un bateau pour y emmener des psychotiques. Accepterais-tu de naviguer avec eux et d'en faire une observation clinique ? » Un groupe fut composé de sept patients, sept infirmiers, un petit

1. Ey H., *Naissance de la médecine*, Paris, Masson, 1981, p. 195.

équipage de marins, un interne dont je dirigeais la thèse[2] et moi-même. En embarquant, le skipper, qui bien sûr portait une casquette de marin breton, a dit : « Je ne veux pas savoir qui est malade et qui ne l'est pas. Vous êtes tous ici des hommes d'équipage. »

J'avais auparavant rendu visite à Pierre Garrigues à l'Inserm de Montpellier pour lui demander conseil. Il m'avait expliqué qu'il suffisait de tracer l'éthogramme des regards (qui regarde qui ?) et de l'appropriation spatiale (qui se place où ?)[3] pour rendre observable leur manière d'interagir.

Le jour du départ, on a pu constater que l'équipage et les soignants s'étaient tous disposés en surface, sur le pont près du gouvernail et des passavants, tandis que les patients s'étaient installés au fond du bateau, à l'abri des regards[4]. Une telle appropriation spatiale constituait déjà un aveu non conscient de la place que l'on s'attribuait à l'intérieur d'un groupe social.

J'ai été marqué par ces navigations. Quand, au cours d'une escale, nous allions au marché acheter des légumes en compagnie d'une schizophrène, quand nous faisions la vaisselle ensemble, accroupis sur le quai, on pensait moins que cette coéquipière était une malade, ce qui ne veut pas dire qu'on oubliait l'étrangeté de nos relations. En se côtoyant dans la vie quotidienne, nous tissions mieux la proximité. Un statut médical, une

2. Drai J. J., *La Communication non verbale. Étude théorique : De l'animal à l'homme. Étude pratique : Orientations visuelles sur un groupe d'enfants à l'heure du repas*, thèse de doctorat, faculté de médecine, Marseille, 1980.

3. Garrigues P., « Étude de l'interaction sociale et du comportement moteur chez un enfant autiste », *Psychologie médicale*, 11 (3), 1979, p. 496-502.

4. Rimé B., « Les déterminants du regard », *L'Année psychologique*, 77, 2, 1977.

étude scientifique, en éloignant notre regard, auraient facilité la mise à distance intellectuelle, auraient composé une représentation plus objective, mais, en même temps, auraient dilué la relation. C'est le changement d'attitude du clinicien ou du scientifique qui recueille des informations différentes. Comprendre et soigner ne sont pas forcément associés.

Maxime était sympathique et souriant. À l'hôpital, il participait volontiers aux activités du pavillon. Les soignants avaient préparé sa sortie, mais, en naviguant avec lui chaque jour et chaque nuit, nous avons compris qu'il ne pourrait jamais vivre seul. Quand on lui demandait d'acheter du pain, il acceptait avec enthousiasme, courait vers la boulangerie et se perdait dans le village. À cette époque, les familles de malades mentaux étaient peu associées aux soins. Aujourd'hui, leur aide et leur témoignage sont de précieux outils[5].

Avant sa poussée dissociative, Maxime avait été moniteur de voile, nous lui avons donc confié la barre. Il a bien fallu constater qu'il ne savait plus gouverner un bateau. Quand son attention était attirée d'un côté, il tournait la tête pour regarder, et tournait en même temps les bras qui tenaient le gouvernail, si bien que le bateau se déroutait et prenait mal le vent. L'organisation de la vie hospitalière, en décidant de l'heure des repas, des visites et des activités, avait gommé toute expression de la personnalité de Maxime. Il paraissait équilibré à l'hôpital parce qu'il était entièrement cadré par le

5. L'Unafam (Union nationale des amis de familles de malades mentaux) participe à ces progrès. Le patient schizophrène, soutenu par sa famille, elle-même soutenue, rechute moins, et s'équilibre avec moins de médicaments : le système familial fonctionne mieux, malgré le trouble.

règlement hospitalier. À la première liberté, il a révélé qu'il avait perdu sa faculté de juger.

Vivien, lui, a été métamorphosé dès le premier jour de mer. Il a rapidement quitté le fond du bateau pour venir à l'air libre s'asseoir parmi les soignants. Il riait de tout, participait aux discussions, à la cuisine et aux corvées de vaisselle avec une joie contagieuse. Les infirmiers n'en revenaient pas, eux qui l'avaient vu pendant des mois abattu, sur une chaise et contemplant le sol. Certains avaient fait de cette immobilité un symptôme d'hébéphrénie qui définit une schizophrénie vide, une agonie psychique dépourvue d'hallucinations et de délire, mais une âme morte. Personne n'avait pensé que Vivien s'était parfaitement adapté aux murs de l'asile. Il avait suffi de changer les cloisons, de les remplacer par les parois d'une cabine de bateau dans un paysage changeant, avec un entourage parlant, pour inviter Vivien à s'adapter à un autre monde, vivant celui-là. Dès son retour à l'hôpital, Vivien a demandé sa sortie.

Charlotte était inquiète. Tout l'effrayait dans ce monde inconnu. Elle regrettait la sécurité de l'asile où tout est toujours à la même place, où tous les mots, tous les jours sont répétés de la même manière. Le matin, vers 10 heures, pendant la consultation, elle entrait dans le bureau sans frapper et demandait : « Quand est-ce que je sors ? » Le médecin répondait : « Plus tard. » Et Charlotte, rassurée, recommençait à déambuler dans le couloir. Une nuit noire où je tenais la barre, elle a surgi sur le pont avec sa valise à la main. Elle portait des lunettes noires et criait : « Tout est noir ici. » Elle a enjambé la filière, mais nous étions au large, il a fallu l'attraper. Un psychologue a parlé avec elle toute la nuit pour l'empêcher de sauter dans l'eau. À l'escale au Lavandou, une ambulance l'attendait pour la ramener à l'hôpital. Le monde extérieur était pour elle une prison d'angoisses. Les murs de l'asile lui ont rendu son calme intérieur.

L'escale à Saint-Tropez a été plus étonnante. Au mois de mars, en 1975, le port était vide et le ketch a pris le quai à la voile. Les hommes sont descendus et, sans un mot, dos voûté, tête en avant et yeux au sol, ils se sont rendus à la plage des Canoubiers. Une baigneuse aux seins nus se faisait caresser par le soleil de printemps. Les hommes, gravement, l'ont entourée pour regarder sa poitrine. Irritée, la baigneuse a menacé : « Je vais appeler la police. » Vivien a répondu : « Ça nous est égal, on n'ira pas en prison, on est schizophrènes. »

Rosine a traîné sur le quai, regardé les magasins et bavardé avec les passants. L'un d'eux lui a dit qu'il possédait une maisonnette dans les vignes et qu'il gagnait sa vie en coloriant des tableaux. Ils se sont bien entendus. Quand elle est rentrée à l'hôpital, il est venu la chercher. Ils vivent ensemble aujourd'hui et je l'ai vue récemment colorier sur un chevalet quelques dessins du port de Saint-Tropez recopiés par des Asiatiques d'après des cartes postales. Joli, simple et pas cher. Bonheur parfait.

Ces bouleversements de tableaux cliniques m'avaient désorienté. Les signes cliniques qu'on nous apprenait à l'université n'étaient donc pas inhérents au sujet. Ils résultaient d'une transaction entre ce qu'est le sujet et ce qui est autour de lui. Pourrait-on être sans monde ? Changez le contexte, et vous changerez l'expression de ce que vous êtes. Dans ce cas, toute vision psychiatrique est beaucoup trop fixiste. En croyant que la souffrance est inhérente au sujet, le psychiatre risque de l'emprisonner dans le carcan conceptuel de l'observateur. Ce qui ne veut pas dire que la psychiatrie peut se passer de la science. Bien au contraire, la clinique, les neurosciences et même les classifications[6] font progresser notre compréhension et nos soins. Mais aucune théorie, aucune technique, aucune science ne pourra tout expliquer.

Au XIXe siècle, la médecine a fait énormément de progrès grâce aux consignes d'hygiène. On sauvait des milliers d'enfants en conseillant simplement de laver les biberons et d'établir des régimes alimentaires adéquats pour les tout-petits. Mais quand on a dit que ces progrès hygiéniques devaient lutter contre la souillure de la masturbation, on a torturé les enfants au nom de la morale[7].

Tarzan, enfant sauvage

Le cadre conceptuel qui opposait la nature à la culture induisait une pensée facile, une sensation d'évidence, donc une erreur. Les animaux, nous disait-on, faisant partie de la nature, n'avaient rien à nous apprendre sur la souffrance psychique des êtres humains qui, eux, évidemment, n'appartenaient qu'à la culture. Les psychiatres n'ont aucune raison de côtoyer les vétérinaires, disait-on en riant. L'âme immatérielle flotte dans l'éther

6. *DSM : Diagnostic and Statistical Manual of Mental Disorder.* Traduction française : *Manuel diagnostique et statistique des troubles mentaux*, Paris, Masson.
7. Foucault M., *Les Anormaux, op. cit.*, p. 217-243.

et n'a rien à voir avec le corps matériel étendu et mesurable. Ce postulat d'un homme surnaturel convenait à ceux qui croyaient en l'âme mécanique des bêtes : « De l'âme des bêtes. Où après avoir démontré la spiritualité de l'âme de l'homme, l'on explique par la seule machine les actions les plus surprenantes des animaux[8]. » Cette âme des bêtes résultait d'un câblage d'instincts qui pouvait dysfonctionner comme une machine cassée, mais pas comme une âme blessée.

Quand Roger Bacon, au XIIIe siècle, a dit qu'il fallait faire des observations pour tenter de comprendre le monde vivant, il a été emprisonné pour avoir émis une idée blasphématoire. Cette attitude intellectuelle, qui est pourtant la règle en clinique, a toujours été contestée. L'observation piège la pensée, disent les spiritualistes. Ceux qui se contentent d'accumuler des anecdotes sur les prouesses intellectuelles des animaux s'opposent aussi à ceux qui prétendent que seul le laboratoire a une valeur scientifique. Les raconteurs affrontent les expérimentateurs dont les résultats ne sont pas toujours congruents au réel. Un clinicien dirait plutôt : « Il faut éclairer l'un par l'autre l'observation dans la nature et l'expérimentation[9]. »

Une observation naturelle fut donc fournie par l'accumulation d'anecdotes sur les enfants sauvages dont la situation était censée répondre à la question : « Que serait un homme privé de culture ? » La part de nature dans la condition humaine pourrait ainsi être

8. Letard E., Théret M., Fontaine M., « Évolution des conceptions de l'homme au sujet de l'activité mentale des animaux depuis l'Antiquité jusqu'au XXe siècle », *in* A. Brion, H. Ey, *Psychiatrie animale*, *op. cit.*, p. 51.
9. Lanteri-Laura G., « Traité de psychologie animale de F. J. J. Buytendijk », *in* J. Brion, H. Ey, *Psychiatrie animale*, *op. cit.*, p. 74.

observée chez les enfants élevés par des animaux[10]. On trouva donc une série impressionnante d'enfants privés de famille par une tragédie de l'existence qui avaient été adoptés par des femelles animales. On découvrit, au début du XXe siècle, en Inde, deux fillettes sauvages que l'on traqua comme un gibier pour les attraper. On supposa que, puisqu'elles avaient survécu dans la forêt, en dehors de toute famille humaine, elles avaient été élevées par des louves. Le pasteur Singh et sa femme recueillirent les fillettes pour les humaniser. Ils photographièrent Amala et Kamala courant à quatre pattes, mangeant en plongeant la tête dans l'assiette posée sur le sol et dormant enlacées par terre[11]. Amala mourut, mais Kamala s'attacha à la femme du pasteur, ce qui lui permit d'apprendre à marcher debout. Ces publications déclenchèrent une avalanche de témoignages où l'on racontait que des enfants avaient été élevés par des ourses, des biches et même des chattes qui, pendant la guerre, s'étaient faufilées sous les décombres de Varsovie bombardée, pour aller donner la mamelle à des bébés humains enfouis sous les ruines. Ces récits où le réel se mêlait à la poésie des fantasmes étaient bien acceptés parce que le contexte culturel utilisait beaucoup la notion d'« instinct maternel » pour expliquer ces prodiges. Le monde merveilleux de l'instinct décrivait une mécanique inexorable qui vouait les femmes à se consacrer aux bébés. Les scolastiques[12] raisonnaient

10. Malson L., *Les Enfants sauvages*, Paris, 10/18, 1964.
11. Singh J. A. L., Zingg R. M., *L'Homme en friche. De l'enfant-loup à Kaspar Hauser*, Bruxelles, Complexe, 1980.
12. Scolastique : enseignement dispensé au Moyen Âge dans des écoles sous juridiction cléricale.

ainsi quand ils disaient qu'« un corps tombe parce qu'il possède une vertu tombante », certains psychanalystes soutiennent que l'on vit parce que l'on a une « pulsion de vie », et si les femmes s'occupent des enfants, c'est parce qu'elles ont un « instinct maternel ». Ce prêt-à-penser est confortable parce qu'il arrête la pensée.

C'est pourquoi Victor de l'Aveyron fut l'objet de soins qui associaient l'observation naturelle d'un enfant sauvage avec une tentative de réhumanisation[13]. Victor, enfant sauvage, avait été découvert en l'an 1800. Âgé de 9-10 ans, il marchait à quatre pattes, grognait et se nourrissait de plantes. Attrapé par des chasseurs, il fut placé à l'orphelinat de Rodez, mais, comme à cette époque la pensée clinique commençait à se développer grâce à Laënnec et Pinel[14], il fut confié au docteur Jean Itard, chargé de le rééduquer. Ce fut un échec, mais cette nouvelle manière de réfléchir à la condition humaine a permis de se demander si l'enfant avait été abandonné parce qu'il était retardé mental ou s'il était retardé mental parce qu'il avait été abandonné[15].

Nous n'avons pas fondamentalement changé de réflexion. À la fin des années 1980, la découverte d'un enfant dit « sauvage » en Allemagne avait provoqué une contagion émotionnelle dans toute l'Europe, au

13. Perea F., Morenon J., « Le sauvage et le signe », *Nervure*, tome XVII, n° 9, décembre 2004-janvier 2005.

14. Laënnec (1781-1826) : médecin qui a inventé la sémiologie médicale. À la surface du corps, en percutant le thorax ou en écoutant les bruits de la respiration grâce au stéthoscope, il recueille des signes sensoriels qui orientent vers une lésion profonde, invisible ; Pinel (1745-1826) : pense que les troubles mentaux sont une maladie dont on peut faire une description clinique.

15. Ginestet T., *Victor de l'Aveyron. Dernier enfant sauvage, premier enfant fou*, Paris, Hachette, 1993.

point qu'une rumeur avait affirmé qu'Alain Delon, le comédien, voulait adopter cet enfant pour le rééduquer, comme l'avaient fait le bon docteur Itard et sa gouvernante, Mme Guérin. En fait, il s'agissait d'un enfant autiste dont les psychiatres allemands se sont bien occupés. Cet événement a révélé à quel point notre culture désire toujours découvrir ce qui, dans le développement d'un enfant, revient à sa nature, et ce qui, par contraste, est attribuable à sa culture. Le cinéaste François Truffaut s'intéressait à l'histoire de la folie quand il est tombé sur l'histoire de Victor, enfant sauvage, dont il a tiré un très beau film[16].

Tarzan a enchanté notre enfance avec ce problème épistémologique : comment un enfant élevé par des animaux pourrait-il s'humaniser ? Vivant parmi les bêtes il prouve, en devenant leur chef, qu'il est resté un homme. Il s'attache aux singes, aux éléphants et autres animaux fréquentables, mais il tue les lions, les crocodiles et les méchants humains. C'est une femme qui l'humanise en lui apprenant à parler en désignant avec son index : « Moi Jane, toi Tarzan. » Cela pose un problème fondamental. Tarzan-bébé est resté un homme alors qu'il a vécu dans la jungle, adopté par les animaux : il pouvait donc penser sans savoir parler !

16. *L'Enfant sauvage*, film de François Truffaut, 1970.

Pensées sans parole

Il y a quelques décennies, des philosophes et des psychiatres nous enseignaient qu'on ne pouvait rien comprendre tant qu'on ne parlait pas. Or « la fréquentation même superficielle des aphasiques suffit à montrer que la pensée survit aux altérations du langage. [...] l'étude des pensées sans langage de l'animal et de l'enfant [...] montre que les progrès initiaux ne sont pas liés au langage, mais à la maturation cérébrale[17] ». On ajouterait aujourd'hui que ce développement neurologique est lié aux stimulations sensorielles qui entourent un enfant[18]. On pourrait reformuler la notion des rapports entre la pensée et le langage en disant que, dans un monde sans paroles, la perception du réel serait formatée par nos organes neurosensoriels. Mais, dès que nous accédons à la maîtrise des mots, tout discours constitue une réorganisation du monde que nous avons perçu. Nous échappons au réel pour nous soumettre à sa représentation. Pour construire le monde que nous croyons simplement percevoir, nous possédons deux outils :

– notre niche sensorielle précoce qui a sculpté notre appareil à voir le monde, que nous appelons « cerveau » ;

– notre manière de parler de ce monde, qui constitue une représentation que nous appelons « réalité ».

---

17. Laplane D., « Langage et pensée », *Rev. Prat.*, 41 (2), 1991, p. 143-149.
18. Garralda E., Raynaud J. P. (éd.), *Brain, Mind, and Developmental Psychopathology in Childhood, op. cit.*

La capacité de parler est une aptitude biologique que seul un cerveau humain peut acquérir. Et la parole est un objet sensoriel que nous percevons biologiquement (qu'il soit sonore ou écrit) et qui possède l'étonnant pouvoir de désigner un objet non perçu. Ce qui veut dire que la langue n'est jamais née, mais qu'elle est le produit d'une évolution. Il y avait probablement un proto-langage de cris, de sonorités et de postures chez *Homo habilis* il y a deux millions d'années. En un éclair de deux cent mille à trois cent mille ans, son langage s'est soudain remanié pour prendre la forme syntaxique que nous employons habituellement depuis cinq cent mille ans[19]. Ce qui revient à dire que, pendant presque deux millions d'années, nous avons communiqué comme les animaux et comme le font nos bébés avant l'explosion de la parole, au cours de la troisième année.

Cette manière de réfléchir à la parole, non pas comme un avatar tombé du ciel, incarnation de l'âme, mais comme le résultat d'un processus évolutif et interactif, nous invite à modifier notre regard sur la clinique humaine. Dans les années 1960, il y avait beaucoup d'accidents vasculaires cérébraux parce que l'hypertension était moins bien surveillée qu'aujourd'hui. Quand une personne devenait hémiplégique et aphasique, on lui donnait quelques vasodilatateurs et, puisqu'elle ne parlait pas, on ne lui parlait plus. À l'altération neurologique s'ajoutaient un désespoir relationnel, un non-sens de l'existence et une fin de vie psychiquement misérable.

19. Hombert J.-M., Lenclud G., *Comment le langage est venu à l'homme*, Paris, Fayard, 2005.

Aujourd'hui, on admet que les aphasiques pensent[20] avec des images bien plus qu'avec des mots, ce qui nous permet de maintenir avec eux une communication de gestes et de mimiques, un théâtre gestuel, une pantomime qu'ils comprennent encore et permet de ne plus les abandonner[21].

Alain Mouchès venait de passer un bac scientifique et de s'inscrire en médecine lorsqu'une encéphalite l'a fait tomber dans le coma. À son réveil, il est paralysé et ne sait plus ni lire, ni écrire, ni parler. Après une longue rééducation, il a été autorisé à s'inscrire en psycho, mais, dit-il : « Je ressemblais tantôt à un étranger ne connaissant pas la langue du pays, tantôt à un débile. [...] n'en déplaise à certains philosophes, je vous affirme qu'on peut penser sans langage [...]. La parole n'est pas indispensable aux comportements intelligents[22]. » Dans un monde humain sans paroles, Alain parvient à comprendre et à résoudre une foule de problèmes quotidiens, comme le font pratiquement tous les animaux. Peut-être est-ce la raison qui, après une laborieuse rééducation, lui a permis de passer un doctorat d'éthologie à Rennes. Grâce à ce diplôme, il enseigne à l'université et, grâce à son expérience, il a changé sa conception sur l'enseignement et la condition humaine. Ayant été reçu au bac, il a été autorisé à devenir étudiant à une époque

20. Mouchès A., « De la pensée sans langage à la réforme de la pensée », *in Chemins de formation, au fil du temps*, n° 18 : « Chemins de traverse, intelligence de l'improbable », janvier 2014, p. 117-122.

21. Polydor J. P., « Théâtre de l'Alzheimer », *in* L. Ploton, B. Cyrulnik, *Résilience et personne âgée*, Paris, Odile Jacob, 2014.

22. Mouchès A., « De la pensée sans langage à la réforme de la pensée », *in Chemins de formation, au fil du temps, op. cit.*, p. 118.

où il était encore incapable de comprendre les mots parlés et écrits. Si l'encéphalite l'avait frappé quelques jours avant cet examen, il n'aurait pas eu le droit de s'inscrire. Aphasique, il n'aurait bénéficié d'aucune équivalence, tant son handicap évident l'aurait éliminé. Quand je l'ai rencontré, il n'était pas encore maître de conférences, mais, malgré une dysarthrie, une sorte de raideur dans l'articulation des mots, on accédait directement à son intelligence et à la clarté de ses idées en éthologie[23]. Cet accident de sa jeunesse et le processus résilient qu'il a ensuite développé l'ont amené à penser le monde différemment[24]. Les êtres humains, comme les animaux, peuvent comprendre un grand nombre de phénomènes dans un monde sans mots[25]. La valorisation excessive des diplômes et des publications de carrière entraîne des injustices, des déceptions et des troubles de la relation[26]. Le fait de posséder un diplôme de l'enseignement supérieur ou une liste de publications dans des revues spécialisées renforce la croyance en la justesse des processus éducatifs, alors qu'Alain Mouchès, « passant

23. Actuellement, le professeur Martine Lani-Bayle dirige, à Nantes, dans le cadre d'un doctorat d'État sur la résilience, une athlète de haut niveau qui a subi un grave trauma cérébral. Sa thèse est passionnante, la doctorante l'expose clairement, alors que les experts neurologues soutiennent qu'elle ne peut plus planifier une action. Les qualités nécessaires pour passer un examen ne sont pas les mêmes que celles qui permettent de vivre normalement.

24. Pour parler de « guérison », il aurait fallu qu'il retourne à l'état antérieur, ce qui n'est pas le cas. Mais on peut parler de « résilience », puisqu'il a repris un nouveau développement de bonne qualité qui n'est pas une récupération de son intégrité.

25. Cosnier J., Coulon J., Berrendonner A., Orecchioni C., *Les Voies du langage. Communications verbales, gestuelles et animales*, préface de Didier Anzieu, Paris, Dunod, 1982.

26. Mucchielli L., « La pédagogie universitaire en question. Le point de vue d'étudiants du premier cycle en psychologie », *Recherche et formation*, n° 29, 1998, p. 161-176.

de l'éthologie à la recherche clinique, [est] devenu un spécialiste du touche-à-tout[27] » : ce qui est normal pour un clinicien ne l'est pas forcément pour un scientifique.

Raisons totalitaires

Le réductionnisme imposé par la méthode scientifique mène parfois à des contresens quand on l'applique à la clinique. En 1970, quand j'ai passé mon examen de spécialité, j'ai dû apprendre que la névrose obsessionnelle était attribuable au fait que la mère avait placé son enfant sur le pot de manière rigide au stade sadique-anal de son développement. Et, utilisant la notion du double lien de Gregory Bateson, on m'expliquait qu'il suffisait de dire une phrase à un enfant en pensant le contraire pour le rendre schizophrène. Quand on explique un phénomène par une seule cause, la raison devient totalitaire. Je pense qu'il vaut mieux être touche-à-tout, ça correspond à la variabilité des phénomènes cliniques.

Pour des raisons venues de ma propre histoire, je me crispais chaque fois que j'entendais un pronostic fatal : « Les mongoliens, il n'y a rien à faire. C'est chromosomique. » Il se trouve que, dans les années 1960, les trisomiques n'allaient pas à l'école (puisqu'on pensait qu'il n'y avait rien à faire), leur espérance de vie ne dépassait pas 25 ans et, malgré l'attachement qu'ils provoquaient, leur personnalité se développait très peu. En 2010, ils vont à l'école, obtiennent parfois même

27. Mouchès A., « De la pensée sans langage à la réforme de la pensée », art. cit. p. 120.

d'assez bons résultats, leur espérance de vie dépasse 60 ans et ils parviennent à développer des personnalités plus épanouies puisqu'ils sont moins soumis au regard dévalorisant des autres.

J'entendais souvent des phrases de malheur, des malédictions prononcées à l'encontre des orphelins ou des enfants de parents pauvres : « Regardez d'où ils viennent, comment voulez-vous qu'ils s'en sortent ? » Les enfants maltraités étaient les plus maudits. J'ai souvent entendu des professionnels de l'enfance dire, en voyant un bébé abandonné : « J'ai eu sa mère quand elle a été abandonnée, j'aurai sa fille dans vingt ans quand, à son tour, elle abandonnera son enfant. » La même condamnation était prononcée à propos des enfants battus : « Il a été maltraité par son père, il maltraitera ses enfants quand il deviendra père. » Beaucoup d'adultes qui ont subi une telle enfance m'ont dit : « J'ai été plus maltraité par cette phrase que par les coups de mon père. » Certains se sont suicidés pour ne pas reproduire la malédiction.

Ce stéréotype de la répétition de la maltraitance a baigné notre culture psychologique pendant plusieurs décennies. C'était un slogan que tout le monde récitait. L'enjeu fantasmatique de cette formule maléfique était louable puisqu'il voulait faire passer le message que la maltraitance est si grave qu'elle transmet une malédiction à travers les générations. Il faut donc la combattre, bien évidemment, mais ce n'est pas ce slogan maléfique qui lutte le mieux contre la répétition.

Je me crispais quand je l'entendais et, en même temps, je me disais : « Ces professionnels ont plus d'expérience que moi, je dois les écouter. » Et je me souvenais de situations où l'on m'avait infligé de telles sentences : « Tu n'as pas de famille, me disait une dame condescendante, ce n'est pas la peine de faire des études, ça coûte trop cher. » Je me souviens aussi d'une assistante sociale qui avait éprouvé le besoin (le plaisir, peut-être ?) de m'expliquer longuement que les enfants négligés n'avaient aucune chance de s'en sortir, ils échouaient dans la société et transmettaient le malheur à leurs enfants. Je subissais ces explications comme un assommoir, j'avais très envie de ne pas les croire, mais je manquais d'arguments.

C'est Nathalie Loutre du Pasquier, une élève de René Zazzo, qui a mis dans mon esprit le germe qu'une évolution était possible. Elle distinguait la rupture d'un lien et l'absence de tissage d'un lien à cause d'un isolement précoce[28]. Pour expliquer ces pathologies différentes, elle proposait un raisonnement diachronique qui associait les données biologiques avec les structures évolutives du milieu. Il n'était donc plus nécessaire de choisir son camp, les déterminismes biologiques ne s'opposaient plus aux contraintes environnementales. Au contraire même, ces causes hétérogènes se conjuguaient. Inspirée par les travaux d'Anna Freud[29], de René Spitz[30] et de John Bowlby[31], elle a suivi une

28. Loutre du Pasquier N., *Le Devenir d'enfants abandonnés. Le tissage et le lien*, Paris, PUF, 1981, p. 227.
29. Burlingham D., Freud A., *Infants without Families*, Londres, Allen & Unwill, 1944.
30. Spitz R., « Hospitalism : an inquiry into the genesis of psychiatric conditions in early childhood », *Psychoanal. Study Child*, 1, 1945, p. 53.
31. Bowlby J., « Maternal care and mental health », *Bulletin of the World Health Organization*, 3, 1951, p. 355-534. *Soins maternels et santé mentale*, Genève, Organisation mondiale de la santé, Série de monographies, n° 2, 1954.

population d'enfants privés de soins maternels et a constaté des évolutions différentes. La majorité était, bien sûr, altérée, mais certains enfants souffraient plus que d'autres et ne parvenaient pas à s'apaiser quand on leur proposait un substitut. Une minorité de ces petits résistaient à la privation et redémarraient facilement dès qu'on leur proposait une enveloppe affective. Quelques-uns même, après avoir été très altérés, reprenaient un bon développement[32]. Quand René Zazzo a fait part de ce travail à René Spitz, pourtant promoteur de ce genre de recherche, il lui fut répondu qu'il fallait d'abord s'occuper des enfants carencés, ce qui est indéniable. On ne s'intéressa donc pas aux enfants qui, malgré leur malheur et les conditions adverses, avaient repris un bon développement.

Quand, dans une situation comparable, Emmy Werner a expliqué que, dans une île d'Hawaï en pleine catastrophe sociale, familiale et éducative, 72 % des enfants étaient devenus des adultes en grande difficulté, tout le monde aurait pu prévoir un tel résultat. Mais, quand elle a ajouté que, contre toute attente, 28 % d'entre eux avaient appris à « bien travailler, bien jouer, bien aimer et espérer[33] », Michael Rutter a réagi autrement : « Ces enfants ont quelque chose à nous apprendre », a-t-il dit. Ce fut aussi simple que ça. Ce renversement d'éclairage, cette posture épistémologique opposée au misérabilisme psychologique de l'époque, a donné le signal d'une avalanche de recherches visant

32. Loutre du Pasquier N., *Le Devenir d'enfants abandonnés, op. cit.*, p. 225.
33. Werner E., citée *in* M. Ungar (éd.), *The Social Ecology and Resilience*, New York, Springer, 2012, p. 174.

à résoudre l'énigme : « Comment est-il possible que certains enfants s'en sortent et deviennent des adultes épanouis, alors qu'en toute logique ils auraient dû être définitivement fracassés ? » Si l'on parvient à découvrir les conditions qui ont protégé ces enfants et les ont aidés à reprendre un bon développement, on pourra en faire profiter ceux qui n'ont pas eu la possibilité de bénéficier de ces facteurs. Emmy Werner baptisa ce processus « résilience ». À la métaphore d'une barre de fer qui tient le coup, je préfère l'image agricole qui dit qu'un sol est résilient quand, dévasté par un incendie ou une inondation, toute vie a disparu jusqu'au moment où l'on voit resurgir une autre flore, une autre faune.

D'emblée, cette manière de recueillir les informations m'a convaincu, comme si je l'avais toujours attendue. Il fallait découvrir les conditions qui pourraient aider les enfants fracassés à se remettre à vivre, tant bien que mal. Au lieu de les considérer comme des handicapés de l'existence et de leur proposer une carrière de victime, il fallait trouver ce qui vivait encore en eux pour les aider à s'épanouir, malgré tout.

Oser penser la maltraitance

Lors de la Seconde Guerre mondiale, les prisonniers français n'ont pas été maltraités par l'armée allemande. Quand un soldat témoignait de son effroi et de sa souffrance, on le traitait de lâche ou de « gonzesse ». Quant aux revenants, les rares civils survivants des camps d'extermination, ils ont parfois bénéficié d'une petite aide médicale : l'asthénie des déportés qu'on expliquait par l'avitaminose. Dans ce tableau clinique, les médecins devaient noter les troubles du rythme cardiaque, les dysfonctions intestinales et les rhumatismes. Autant dire qu'aucun enfant n'a reçu cette aide[34].

Les fondateurs de cette nouvelle manière de penser le psychisme s'étaient intéressés aux conséquences affectives de la guerre (Freud, Spitz, Bowlby) ou aux effondrements sociaux (Werner, Rutter). Aucun n'avait étudié les troubles provoqués par la maltraitance parentale. La raison en est bien simple : personne n'y croyait ! On évoquait la vulnérabilité des enfants pour des raisons héréditaires, par défaillance éducative dans des milieux défavorisés ou au contact de parents psychotiques[35]. L'idée que certains parents pouvaient torturer leur enfant ne venait à l'esprit d'aucun praticien. En 1962, quand Kempé et Silverman ont présenté leur rapport *L'Enfant battu*[36], c'est eux qui ont été critiqués. Le monde médical a manifesté son scepticisme devant une telle injure faite aux parents. Pour le convaincre, il a fallu médicaliser le message, car, à cette époque, tout ce qui venait de la médecine tenait lieu de vérité absolue. Je me souviens d'avoir appris à rechercher sur les radios de vertèbres de quelques enfants arriérés les « stries de Silverman », quelques rayures calcifiées qui

34. Targowla R., « Le syndrome d'hypermnésie émotionnelle paroxystique », *La Presse médicale*, 58-40, juin 1950, p. 728-730.
35. Anthony E. J., Chiland C., Koupernik C., *L'Enfant vulnérable*, Paris, PUF, 1982.
36. Kempé C. H., Silverman F. N., Steele B. F., Droegmuller W., Silver H. K., « The battered child syndrome », *J. Am. Med. Assoc.*, 181, 1962, p. 17-24.

fournissaient la preuve des coups, car il faut une preuve pour penser l'impensable.

Comme le contexte culturel ne parlait jamais de la maltraitance parentale, les cliniciens ne pensaient pas à en chercher les signes. La violence familiale existait dans le réel, mais pas dans les publications scientifiques.

Une nuit de garde, à l'hôpital de la Pitié, j'ai reçu un nourrisson en coma profond. Pas de trauma crânien, pas d'infection, pas de foyer neurologique, j'étais désorienté. L'infirmière qui m'accompagnait a été stupéfaite quand j'ai demandé au laboratoire une recherche de barbituriques : « Mais, monsieur, il a 6 mois ! » Mon intuition avait été stupide et heureuse, car le labo a confirmé un coma toxique aux barbituriques. Nous avons rendu le bébé aux parents qui nous ont expliqué ce mystère, en disant que la sœur aînée avait dû jouer à la dînette et lui faire avaler quelques granules de médicament.

Trois ou quatre mois plus tard, le bébé est revenu aux urgences avec cette fois un hématome sous-dural, une poche de sang entre le crâne et le cerveau. Nous l'avons opéré dans la nuit et, le matin suivant, au cours de la visite, j'ai été étonné de voir des croûtes sur ses fesses et son bas-ventre. Une infirmière a dit que ça lui rappelait les brûlures de cigarette que se faisaient les adolescentes qui s'automutilaient. Alors les parents ont avoué que le bébé pleurait beaucoup et qu'il fallait bien le punir un peu. Aucune revue médicale n'a accepté notre invraisemblable témoignage.

Un concept ne peut pas naître en dehors de sa culture, c'est pourquoi il faut un agitateur pour soulever un problème qui secoue la routine intellectuelle. Pierre

Straus et Michel Manciaux ont joué ce rôle. Reprenant la publication de Kempé, ils ont constitué une équipe pluridisciplinaire autour du thème de « L'enfant maltraité[37] ». Des praticiens, médecins, psychologues, assistantes sociales et juristes ont témoigné de ce phénomène dans leur vie professionnelle[38], mais les responsables ont tardé à reconnaître l'existence de cette tragédie. Cette catastrophe familiale, n'étant pas enseignée dans les facultés, stimulait peu les scientifiques qui préféraient les sujets hyperspécialisés. Solnit, précurseur américain de l'emploi du mot « résilience », avait pourtant critiqué cette vision exclusivement scientifique « qui voit le monde comme dans un tunnel » à travers une loupe grossissante, à la fois vraie et déformante. Pour éviter ce biais, Solnit proposait d'intégrer le savoir pointu des scientifiques avec celui, plus large, des cliniciens[39]. Les chercheurs, dans leurs laboratoires, restaient entre eux, communiquaient peu avec les laboureurs de terrain et méprisaient les vulgarisateurs. Un ami journaliste, Émile Noël, m'expliquait que, dans les années 1980, les médias avaient renoncé à inviter les scientifiques car « ils parlent comme s'ils étaient surveillés par un collègue avec un fusil ». Par bonheur, ce n'est plus vrai aujourd'hui et de grands scientifiques possèdent un vrai talent littéraire qui leur permet de partager leur savoir[40].

37. Straus P., Manciaux M., *L'Enfant maltraité*, préface H. Kempé, Paris, Fleurus, 1982.
38. Verdier P., *L'Enfant en miettes. L'Aide sociale à l'enfance : bilan et perspectives d'avenir*, Toulouse, Privat, 1978.
39. Solnit A. J., « L'enfant vulnérable. Rétrospective », *in* E. J. Anthony, C. Chiland, C. Koupernik, *L'Enfant vulnérable*, *op. cit.*, p. 486.
40. Jordan B., *Autisme. Le gène introuvable. De la science au business*, Paris, Seuil, 2012 ; Brahic A., *La Science, une ambition pour la France*, Paris, Odile Jacob,

Mais il en existe encore qui vivent et publient dans le tunnel de leurs connaissances, en ignorant qu'il existe d'autres savoirs, dans d'autres lieux. En voulant tout expliquer par le petit bout de leur lorgnette, ils font preuve d'un esprit totalitaire[41].

Quand Michel Manciaux, professeur de santé publique à Nancy, a fait, à la Société française de pédiatrie à Paris, une des premières communications sur l'enfance maltraitée, un brillant médecin a rétorqué : « Nous n'avons jamais vu ça. Il est vrai que vous, gens de l'Est, vous êtes brutaux. » Ce médecin, probablement compétent, vivait et pratiquait dans un milieu bien élevé où la maltraitance est aussi fréquente qu'ailleurs, mais où on la masque mieux. N'ayant jamais vu de parents maltraiter leur enfant, il en déduisait que ça n'existait pas, sauf dans l'Est de la France.

La petite bande d'agitateurs de terrain[42] savait bien que le phénomène des enfants maltraités a toujours existé. Nous aurions dû écouter les écrivains comme Charles Dickens, les médecins comme Ambroise Tardieu ou les discrets laboureurs de terrain comme Louise Deltaglia[43] qui nous avaient prévenus. Mais après l'abattement la Seconde Guerre mondiale, la culture avait besoin d'héroïser les parents. L'humiliation militaire de 1940 et la honte de la collaboration étaient masquées par la gaieté des années d'après guerre. Notre

---

2012 ; et Klein E., *Le Monde selon Étienne Klein*, Paris, Les Équateurs/France Culture, 2014.

41. Moatti A., *L'Avenir de l'anti-science*, Institut Diderot, 2014.

42. Dolto F., Rapoport D., This B., *Enfants en souffrance*, Paris, Stock, 1981.

43. Deltaglia L. *Les Enfants maltraités. Dépistage des interventions sociales*, Paris, ESF, 1979.

culture avait un grand besoin de réparation narcissique. Les pères étaient des braves quand ils descendaient à la mine et reconstruisaient la France. Les mères étaient des divinités quand elles donnaient le bonheur de vivre en famille. Toute critique des parents aurait terni l'image dont on avait besoin.

Ce qu'on voyait sur le terrain ne correspondait pas à ce qu'on enseignait dans les universités. Dans une culture où la biologie triomphait à juste titre, sa victoire technique induisait une idéologie de l'enfant « mauvaise graine ». S'il devient mauvais élève ou délinquant, c'est que c'est une herbe qui pousse mal. Il n'est pas pensable que la famille et la culture aient un effet sur le psychisme d'un enfant.

Ce sont des praticiens, aidés par des fondations privées, qui ont détruit ce dogme et proposé une autre manière d'affronter le problème[44]. Les enfants « martyrs », comme disaient les premiers chercheurs, existent plus souvent qu'on le croit. Les psychanalystes avaient pourtant décrit, après la Seconde Guerre mondiale, l'anaclitisme, où le bébé, privé d'étayage sensoriel, ne pouvait pas s'appuyer sur une figure d'attachement pour se développer[45]. Les désastres provoqués par les carences affectives étaient déjà signalés depuis le XIXe siècle par les éducateurs et les psychanalystes[46]. Et

---

44. Kempé R. S., Kempé H., *L'Enfance torturée*, Bruxelles, Mardaga, 1978 ; Fondation Robert Wood Johnson ; Fondation William Grant ; Centre d'études Rockefeller.

45. Spitz R., « Anaclitic depression. An inquiry into the genesis of psychiatric conditions in early childhood », *The Psychoanalytic Study of the Child*, 2, 1946, p. 313-342.

46. Golse B., « Carence affective », *in* D. Houzel, M. Emmanuelli, F. Moggio, *Dictionnaire de psychopathologie de l'enfant et de l'adolescent*, *op. cit.*, p. 106-108.

pourtant, aujourd'hui encore, certains chercheurs dont le terrain n'est constitué que par des archives pensent que la séparation n'a pas d'effet sur le développement des enfants[47]. Il est un fait que, lorsque la séparation est rapidement compensée par un substitut affectif, les troubles sont facilement résiliés. Mais quand la privation affective est durable et sans suppléance, la séparation marque une empreinte biologique dans le psychisme en développement et devient un trait de caractère de l'enfant mal aimé.

Voilà où mène un savoir cloisonné : de passionnantes études historiques montrent qu'en effet les enfants de républicains espagnols chassés de leur famille et de leur pays par la guerre civile (1936-1939) ont repris un bon développement dès qu'ils ont été accueillis à Mexico ou en URSS, où ils ont été héroïsés. Ce constat confirme l'argument classique de la résilience. Mais, dans d'autres circonstances, ils ont été gravement altérés par la séparation. Quand, avant la guerre civile, ils avaient acquis une vulnérabilité émotionnelle, quand, au cours de la période sensible des premiers mois de la vie, leur niche sensorielle a été appauvrie par un accident familial ou social, la séparation a provoqué des dégâts cérébraux photographiables en neuro-imagerie[48]. La séparation a des conséquences carrément opposées si des facteurs de protection ont été acquis avant le trauma et si un soutien

47. Sierra Blas V., « Espagne que nous avons perdue, ne nous perd pas », *in* R. Duroux, C. Milkovitch-Rioux, *Enfance en guerre. Témoignages d'enfants sur la guerre*, Genève, Georg Éditions, « L'Équinoxe », 2013. Et Celia Keren, *L'Évacuation et l'Accueil des enfants espagnols en France*, thèse de l'EHESS dirigée par Laura Lee Downs.
48. Galinowski A., « Facteurs de résilience et connectivité cérébrale », Congrès français de psychiatrie, Nice, 27-30 novembre 2013.

affectif a été donné après l'événement. C'est pourquoi certains historiens invitent maintenant des neurologues à participer à leurs travaux[49].

Un clinicien est contraint à la pluridisciplinarité. Un malade s'assoit près de lui, avec son cerveau, son psychisme, son histoire, sa famille, sa religion et sa culture. Le médecin doit avoir des connaissances transversales s'il veut aider son patient, ce qui n'exclut pas les expériences d'un chercheur de labo.

Certains livres sont de vraies rencontres. Quand on lit un livre par hasard et qu'il n'a laissé aucune trace, on aura passé un moment ensemble, c'est tout. Mais quand on sort d'un livre en éprouvant le sentiment d'avoir vécu un événement, c'est que nous l'attendions, ce livre, nous espérions le rencontrer. C'est ce qui m'est arrivé avec *J'ai mal à ma mère*[50]. Non seulement le style était gouleyant, mais en plus il me faisait comprendre les énigmes de ma pratique, les étonnements que j'éprouvais face à des phénomènes illogiques : comment est-ce possible ? Comment va-t-elle faire pour s'en sortir ? Ce que ce monsieur me raconte ne correspond pas à la théorie que j'ai apprise. Il y avait dans ce livre quelques primatologues qui nous expliquaient que, chez les mammifères, la présence d'un autre est nécessaire à leur développement biologique et émotionnel. Quelques généticiens nous disaient qu'un équipement génétique n'est pas une fatalité. Des psychologues organisaient des situations standardisées pour comparer les évolutions, des psychanalystes et des psychiatres

49. Cyrulnik B., Peschanski D., *Mémoire et traumatisme. L'individu et la fabrique des grands récits*, Paris, INA Éditions, 2012.
50. Lemay M., *J'ai mal à ma mère*, Paris, Fleurus, 1979.

décrivaient des mondes intimes et quelques sociologues étudiaient le devenir de toute une population[51].

Violence éducative

On a pratiqué longtemps la violence éducative. On battait les garçons pour les dresser, on violait les filles pour les posséder, on les donnait en mariage. On trouvait des raisons morales à cette violence dite éducative[52]. « La vie n'est alors que violence. L'existence reposait sur l'usage de la force, la violence était nécessité vitale, énergie salvatrice. Sans elle, c'était la sujétion ou la mort[53]. »

Dans une vie quotidienne où la violence permet la survie, le concept de maltraitance ne peut pas être pensé. Quand la violence permet l'adaptation, celui qui ne possède pas cette qualité ne peut que se soumettre pour ne pas mourir. Certains praticiens se sont pourtant demandé si vraiment la violence était nécessaire pour vivre ensemble et élever nos enfants. « L'histoire est jalonnée de tous ordres de sévices exercés sur les enfants, ce qui permet de relativiser cette affirmation selon laquelle la maltraitance serait un phénomène nouveau lié à l'évolution de la société ou de la famille contemporaine[54]. »

51. Primatologues : H. F. Harlow, S. S. Suomi, R. A. Hinde ; généticiens : M. Rutter ; psychologues : G. Appel, D. Rapoport ; psychanalystes : J. Aubry, J. Bowlby, S. Lebovici, M. Soulé, A. Freud ; psychiatres : P. Mazet, J. M. Sutter, A. J. Solnit ; sociologues : OMS (Organisation mondiale de la santé).
52. Roumajon Y., *Enfants perdus, enfants punis*, Paris, Robert Laffont, 1989.
53. Chesnais J.-C., *Histoire de la violence*, Paris, Robert Laffont, 1981, p. 130.
54. Gabel M., « Émergence du concept d'enfant victime », *in* M. Gabel, S. Lebovici, P. Mazet, *Maltraitance psychologique*, Paris, Fleurus, 1996.

Ce qui est nouveau, c'est de penser que la brutalité se nomme aujourd'hui « maltraitance ». Dans une culture où l'on entend qu'il est nécessaire de battre les enfants, la maltraitance n'est pas pensable. Quand un enfant se développe mal, on explique ses difficultés par « son caractère anormal ou ses tares héréditaires[55] ». On est incapable de penser que la famille ou la culture pourraient être à l'origine de ces troubles, puisque, justement, on postule le contraire : c'est grâce à la répression sociale qu'on empêche l'expression de la bestialité qui est au cœur de la nature. Les animaux ne cessent de se battre et de s'entre-dévorer, mais quand un être humain accède à la civilisation, la culture parvient à juguler ses pulsions. Il est donc nécessaire et moral de dresser les garçons pour combattre leur sauvagerie et d'entraver les filles pour leur éviter la prostitution. C'est pourquoi lorsqu'un enfant devient délinquant ou prostitué, il est logique d'augmenter la répression et de construire des maisons de correction afin de le remettre dans le droit chemin de la civilisation.

Grâce à ce prêt à penser, la violence institutionnelle devient légitime. D'abord, on place les « enfants difficiles et sans hébergement » dans des patronages où le rôle du père est assumé par des juges, des policiers et des prêtres, accompagnés de dames patronnesses, bien habillées, bien chapeautées.

Dans une culture agricole, les éleveurs voient bien que les qualités physiques et comportementales des animaux se transmettent à travers les générations. C'est grâce à la sexualité contrôlée qu'on a fabriqué de

55. Roumajon Y., *Enfants perdus, enfants punis*, *op. cit.*, p. 317.

solides percherons et des bœufs dociles. Une déduction logique mène à penser qu'une sexualité débridée explique la transmission de troubles héréditaires. Quand les relations devenaient trop violentes, on plaçait les petits dans des maisons de correction où, donc, on les corrigeait, et quand la tare héréditaire ne pouvait plus être contrôlée, on les enfermait dans des « bagnes pour enfants dégénérés ».

Ces slogans qui structuraient la culture occidentale empêchaient de penser que c'est l'éducation qui aurait dû être la solution de ces problèmes. Le modèle était fourni par la sélection des animaux. Il suffisait de constater que ceux qui étaient sélectionnés par la technologie sexuelle devenaient à chaque génération plus beaux, plus forts et plus dociles. Il était logique d'en déduire que ceux qui étaient moches et rebelles avaient été mal sélectionnés. La culture répressive exigeait la violence, pour le plus grand bien de tous ! Le devenir catastrophique de ces enfants abandonnés et maltraités confirmait la théorie de la dégénérescence. Il suffisait de voir leur face de petites brutes, de noter qu'ils étaient mauvais à l'école, qu'ils parlaient mal, qu'ils volaient dans les magasins et se bagarraient sans cesse. On voyait bien qu'ils étaient dégénérés ! C'était triste, mais pour faire une belle culture morale et distinguée, il fallait enfermer ces pauvres enfants dans des maisons à l'écart de la société. L'institutionnalisation aggravait les troubles du développement puisque, à la brutalité des dégénérés, on opposait la violence morale des civilisés.

Quelques pédagogues, au début du XXe siècle, ont osé se demander si, vraiment, le fait d'enfermer ces enfants dans une maison de correction ou dans un bagne était une bonne solution. Janusz Korczak fut l'un des premiers. Sa personnalité atypique lui a permis d'échapper à la doxa des éducateurs répressifs en posant le problème de manière innovante. Né à Varsovie en 1878, il devint en même temps médecin, écrivain et homme de médias entièrement consacré à l'enfant, et particulièrement à l'enfant pauvre et sans famille. Au lieu de soupirer et de dire que c'était bien triste, il a fondé, en 1912, la Maison de l'orphelin à Varsovie, où il a développé une pédagogie dénommée « république des enfants ». Il s'agissait d'une utopie, bien sûr, mais elle a été fondatrice : « Il n'y a pas d'enfants, il y a des êtres humains, mais ils ont des règles de vie différentes, à cause d'une expérience différente, [...] souviens-toi que nous ne les connaissons pas[56]. » Ses publications – *Les Enfants de la rue* (1901), *Comment aimer un enfant ?* (1929) – ont changé la manière de penser l'enfance. Il ne s'agissait plus de dresser les garçons et d'entraver les filles, mais, au contraire, de comprendre leur monde et de leur donner la parole, comme dans une république.

En octobre 1940, l'orphelinat fut transféré dans le ghetto de Varsovie. L'Académie polonaise de littérature avait rendu hommage à Korczak en 1937 si bien que, en août 1942 quand les nazis vinrent arrêter les deux cents enfants de l'orphelinat pour les enfermer dans le camp d'extermination de Treblinka, Korczak et les éducateurs refusèrent la liberté honteuse qui leur était proposée et accompagnèrent les enfants dans la mort. Janusz les appelait : « Mes petits vieillards morbides.

56. Korczak J., *Herschele et autres contes*, textes édités par George Ferenczi, Paris, Éditions Est-Ouest internationales, 2003, p. 10.

L'âge moyen était 5 ans. [...] il se plaça devant le cortège [...], un enfant le tenait par le pan de sa veste, tandis qu'il portait les deux plus petits dans ses bras, il monta avec eux dans les wagons[57]. »

La république des enfants

La philosophie de cet homme a miraculé ma propre enfance. Après le fracas des années de guerre qui avait détruit ma famille, le retour de la paix n'a pas été une reconstruction. Pendant presque trois années (de 1944 à 1947), j'ai dû être placé, au gré des décisions administratives, dans dix, peut-être quinze institutions variées. Certaines étaient vivables, mais je n'y restais pas longtemps et le lien, à peine tissé, était déchiré par un autre placement. Quelques maisons étaient affectivement glacées car, à cette époque, on ne parlait pas aux enfants, on les gardait, c'est tout. Certaines institutions étaient très dures. Les enfants étaient battus « quand il le fallait ». Et quand tout allait bien, les ordres étaient secs, la discipline « de fer » comme on disait en ces jours d'après guerre où l'armée était encore une référence pour l'éducation. Marcher au pas, être bousculé sans raison, dormir dans d'immenses dortoirs glacés, manger peu et ne jamais se plaindre était la méthode éducative. D'ailleurs, il n'y avait personne pour nous entendre ou nous aider. On souffrait seul, sans un mot et sans vraiment comprendre ce qui nous arrivait. On vivait

57. *Ibid.*, p. 8-9.

dans la réaction immédiate, se faire oublier, s'enfuir et parfois affronter, c'est tout.

En 1951, j'ai eu la chance d'aller dans une colonie de la Commission centrale de l'enfance à Stella-Plage. Quelques toiles de tente accueillaient des orphelins juifs pour trois mois de vacances en compagnie d'autres enfants qui avaient retrouvé, à la Libération, un parent survivant, rarement les deux. Louba et Anna Vilner, qui avaient été formées par Korczak, donnaient vie à ses idées dans cette institution. J'ai tout de suite ressenti la chaleur revenir en moi. Le simple fait de partager les corvées et les projets créait des lieux de parole où il fallait s'expliquer. Or c'est dans le bavardage que se tisse le lien et dans l'explication que se construit le sens. Le sentiment d'avoir droit à une vie intime, remplie de souvenirs et de rêves, a été réchauffé dans cette petite république où nous avions notre mot à dire. Sécurisé et dynamisé par ceux qu'on appelait les « moniteurs », j'ai rencontré des camarades avec qui j'ai rêvé à voix haute. Beaucoup voulaient devenir écrivains, médecins ou comédiens. D'autres ont choisi d'être ouvriers ou artisans pour acquérir plus tôt leur indépendance. Le fait de vivre en république nous a aidés à donner une forme verbale à nos désirs, donc à les rendre visibles. Le virage était pris, la conscience plus claire, il n'y avait plus qu'à… Ça m'a pris vingt ans ! Mais, dans mon esprit, l'espoir était revenu puisque la république des enfants avait décrété que c'était possible.

Chaque fois que j'entendais un témoignage d'enfant mal parti dans l'existence qui devenait, malgré tout, un adulte épanoui, je me disais : « C'est donc possible. » Et quand j'ai lu les premières publications qui démontraient qu'un malheur marque son empreinte dans l'histoire d'une vie, mais n'est pas une fatalité, je pensais : « Il faut absolument découvrir ce qui a permis à ces enfants d'affronter l'adversité et de la surmonter. » La phrase de Michaël Rutter : « ces enfants ont quelque chose à nous apprendre », fut une lumière pour moi. Ces mots donnaient forme à ce que je pressentais.

Les premières publications scientifiques associées à des biographies médiatisées[58] d'enfants brisés par l'existence qui, pourtant, s'étaient remis à vivre, ont provoqué une scission parmi les professionnels. Ceux qui se résignaient à la malédiction s'opposaient à ceux qui désiraient comprendre l'énigme de ces enfants qui, contre toute évidence, avaient limité la casse.

On cite beaucoup Emmy Werner, et c'est justice, car son travail fondateur a lancé dans la culture le mot « résilience » qui métaphorise le processus de reprise d'un bon développement malgré des conditions adverses. Mais on ne cite pas assez Myriam David, ce qui est injuste, car ses travaux ont radicalement modifié la manière de penser l'enfance fracassée et de s'en occuper.

La jeune femme est médecin en 1942, quand elle s'engage dans la Résistance combattante. En décembre 1943, elle est arrêtée et déportée à Auschwitz. Survivante, elle touche une bourse en 1946 qui lui

58. Werner E. E., Smith R. S., *Vulnerable but Invincible : A longitudinal study of resilient children and youth, op. cit.* ; Cyrulnik B., *Mémoire de singe et paroles d'homme, op. cit.*, p. 122-126 ; Lahaye J.-L., *Cent familles*, Paris, Carrère, 1985 ; collectif, *Les Enfants de la rue. L'autre visage de la ville*, rapport à la Commission indépendante sur les questions humanitaires, Genève, Berger-Levrault, « Mondes en devenir », 1986 ; Cyrulnik B., *Sous le signe du lien, op. cit.*, p. 261-281

permet d'aller aux États-Unis pour y apprendre la pédiatrie et se former à la psychanalyse. Elle s'inscrit dans la filiation de René Spitz et d'Anna Freud qui, dès 1946, avaient associé l'éthologie animale avec la pédiatrie et la psychanalyse[59]. Jenny Aubry-Roudinesco l'engage dans son service à la Fondation Parent de Rozan et l'aide dans ses recherches sur les séparations et les carences affectives. Dans les années 1950, avec Geneviève Appel, elles vont régulièrement à Londres, grâce à l'Unicef et à l'OMS, travailler avec John Bowlby et prendre des cours d'éthologie animale qui permettent d'intégrer les données naturelles et expérimentales. Elle poursuit sa formation à la Société psychanalytique de Paris et pourtant ne va pas jusqu'au bout de son cursus : « Il y a trop de brouilles dans ce milieu », dit-elle, « Freud se disputait avec tout le monde. » Les psychiatres français dans les années d'après guerre classifiaient les troubles mentaux dans un catalogue de « dégénérescences ». Cette vision du psychisme, issue de l'anthropologie française à la fin du XIXe siècle fut tragiquement bien accueillie par l'Allemagne nazie[60]. À cette époque, les psychanalystes ont été nobles, eux qui pensaient qu'il ne fallait pas étiqueter mais qu'il était préférable de comprendre pour aider. Myriam David n'a pourtant jamais adhéré à cette société qui aurait officialisé sa formation de psychanalyste, elle suivait son chemin. Les grands noms de la psychanalyse

59. Spitz R. A., « Anaclitic depression. An inquiry into the genesis of psychiatric conditions in early childhood », art. cit. ; Spitz R. A., *La Première Année de la vie de l'enfant*, *op. cit.*

60. Georges Vacher de Lapouge : socialiste, théoricien de l'enseignement aryen ; Arthur de Gobineau : tellement raciste qu'il était hostile au métissage de la soie blanche avec le coton noir ; Édouard Drumont : chef du parti antisémite.

de l'époque, Serge Lebovici et Jenny Aubry, l'ont aidée en compagnie de Marceline Gabel, à installer le « placement familial spécialisé » dans une petite maison à Soisy-sur-Seine. Très rapidement, Myriam David est devenue une référence pour ceux qui étudiaient les effets de la rupture du lien entre la mère et l'enfant. Les spécialistes chevronnés et les étudiants de nombreux pays sont venus se former à son contact. « Nous abordons là le problème de la résilience[61]. » Myriam David ne disposait pas de ce mot métaphorique qui existait à peine dans la littérature. Mais, déjà, elle pratiquait et théorisait les dégâts provoqués par la déchirure du lien et sa couture possible : « Vous m'avez beaucoup aidé en ne me considérant pas comme foutu ou comme un type inquiétant et sans futur », lui a dit un jeune qui revenait la voir pour lui donner de ses nouvelles[62].

En 1978, elle donne une conférence en Norvège où ses idées, dans ce pays, vont transformer la manière d'accueillir les tout-petits. L'ambiance est amicale, les débats sont passionnants, elle parle bien l'anglais avec les Américains invités, lorsque l'un d'eux aperçoit, sur son avant-bras, le tatouage de son numéro de matricule d'Auschwitz. Comme il est américain, il ose poser la question qu'un Européen aurait peut-être retenue, et comme Myriam se sent en confiance, elle raconte, bouleversée, pour la première fois de sa vie, ce qu'elle a subi à Auschwitz[63].

---

61. Levine J., « Au cœur du problème de la prévention », *Enfance majuscule*, numéro spécial « Hommage à Myriam David, », n° 86, janvier-février 2006, p. 36.
62. *Ibid.*, p. 36.
63. Témoignage de Marceline Gabel, *Enfance majuscule*, numéro spécial « Hommage à Myriam David, », n° 86, janvier-février 2006 p. 15.

Aujourd'hui encore ses livres, régulièrement réimprimés, nourrissent les praticiens qui les jugent clairs et utiles[64]. Mais ce genre de publication de praticienne a entravé la carrière de Myriam David. Elle écrivait dans des revues professionnelles afin de partager son expérience, ce qui n'a aucune utilité pour ceux qui veulent grimper dans la hiérarchie universitaire. Estimée par tous, elle n'a jamais reçu de reconnaissance universitaire officielle alors qu'elle a inspiré de nombreux travaux scientifiques. Est-ce à dire que la pratique est trop mouvante pour correspondre au cadre formaliste des publications de carrière ? Le travail sur le terrain exige une conception globale de l'homme, différente de l'attitude rigoureuse et réductionniste des travaux scientifiques. « Les recherches supposent que soient trouvées des méthodologies adaptées aux particularités et à la complexité de l'objet[65]. » Il convient donc de suivre, au cours de leurs histoires de vie, le devenir des enfants maltraités ou blessés par l'existence, et d'en faire une évaluation. Les résultats obtenus par cette méthode sont très différents de ce que nous racontent les stéréotypes culturels.

64. David M., *Loczy ou le Maternage insolite* (avec Geneviève Appel), Paris, Scarabée/Cemea, 1973 ; et *L'Enfant de 0 à 2 ans. Vie affective et problèmes familiaux*, Dunod, 1998 ; et *Le Placement familial. De la pratique à la théorie*, Dunod, 2004.
65. Botbol M., « Science et conscience en psychiatrie de la personne », *La Lettre de psychiatrie française*, n° 222, mars 2014.

La valse des enfants blessés

Les événements de Mai 68 ne sont pas étrangers à ce virage épistémologique. Les éducateurs, psychiatres et psychologues ont beaucoup participé au bouillonnement des idées. Certaines ont été pittoresques, mais beaucoup ont chamboulé les stéréotypes traditionnels et contesté une hiérarchie pas toujours méritée. « La place occupée par la psychanalyse dans la compréhension des mécanismes psychiques allait de pair avec le souci de favoriser l'épanouissement des enfants plutôt que de leur demander une soumission aux exigences éducatives[66]. »

Dans les années d'après guerre, Jenny Aubry dénonçait la « valse des enfants » dont les décisions administratives changeaient brusquement le nom ou la famille d'accueil, sans tenir compte du lien de l'attachement qui parfois se tissait. Cette attitude n'est pas complètement disparue, puisque les succès mérités de la biologie et de l'organisation administrative structurent un discours culturel dans lequel l'attachement n'a pas de place. Les études longitudinales observent le devenir d'enfants placés et suivent leur histoire de vie jusqu'à l'âge de 20 à 30 ans. Certaines études se sont même étendues sur plusieurs décennies[67]. Cette méthode construit un nouvel objet de science. Une population d'enfants placés donne des adultes assez comparables à ceux qui

66. Coppel M., Dumaret A.-C., *Que sont-ils devenus ? Les enfants placés à l'Œuvre Grancher. Analyse d'un placement familial spécialisé*, Ramonville-Saint-Agne, Érès, 1995, p. 17.
67. Vaillant G. E., *The Wisdom of the Ego*, Cambridge, Harvard University Press, 1993.

ont eu une famille[68]. Si on arrête le raisonnement à cette phrase, on risque d'en conclure que la famille ne sert à rien et que la maltraitance n'a aucun mauvais effet. C'est ainsi que raisonnent ceux qui s'opposent à la théorie de la résilience : « Alors vous dites que ça ne fait pas de mal de battre un enfant ou de le violer ! » Il a donc été nécessaire de faire des sous-groupes afin de mieux répondre et de préciser ce résultat inattendu.

Un sous-groupe, celui des enfants isolés précocement, révèle que ces enfants sont en grand danger. Une privation sensorielle, à ce moment-là, provoque de graves altérations cérébrales, une sorte d'encéphalopathie acquise qui va provoquer des troubles relationnels et de grandes difficultés de socialisation[69]. Les neurosciences confirment ce que René Spitz, John Bowlby et les psychanalystes avaient constaté chez les enfants abandonnés pendant les années de guerre. Pour eux, la seule possibilité de résilience consistait à trouver le plus vite possible un substitut affectif, une famille d'accueil, une adoption rapide ou une institution réchauffante. Les précautions administratives qui retardent la mise en place d'une nouvelle niche sensorielle rendent le processus de résilience de plus en plus difficile à déclencher. Un an de démarches réglementaires pour un adulte, c'est, pour un enfant, l'équivalent de dix ans d'altération cérébrale et de troubles relationnels. À ce stade du développement, c'est quitte ou double : dès qu'il trouve

---

68. Céline Jung commentant le travail de Josefsberg R., « Que sont devenus les enfants placés dans les structures de l'OSE ? », *Bulletin de la Protection de l'enfance*, novembre-décembre 2013.

69. Garralda M. E., Raynaud J. P. (éd.), *Brain, Mind, and Developmental Psychopathology in Childhood*, *op. cit.*

un substitut, l'enfant redémarre la construction de sa vie psychique et la résilience paraît facile. Mais quand la privation a été longue ou quand elle est survenue au cours d'une période sensible, ce qui n'est pas long pour un adulte altère durablement le développement d'un enfant. L'atrophie de certaines zones du cerveau sera difficile à résilier, les sécrétions neurohormonales telles que l'ocytocine ou la dopamine seront asséchées et les troubles inscrits dans la mémoire de l'enfant deviendront des habitudes relationnelles. L'enfant se représente lui-même comme celui que personne n'aime, celui qui est méchant et qui mérite d'être puni.

D'une manière générale, l'adoption précoce est celle qui se rapproche le plus des conditions naturelles. Les familles d'accueil sauvent beaucoup d'enfants. Les grandes institutions sont néfastes quand elles imposent des relations anomiques, sans lois ni structures, mais quand elles s'organisent comme une famille (pas plus de huit à table) dans une maisonnette de banlieue, comme le préconise Village SOS[70], elles obtiennent des résultats parfois meilleurs que ceux de la population générale.

La culture participe très tôt à l'organisation de ces substituts. Dans un pays asiatique, il est impensable de laisser un bébé seul, ne serait-ce que quelques minutes. Si bien que, dans la famille qui l'entoure, quand la mère est malade ou défaillante, il y a toujours un adulte pour la soutenir ou la remplacer. Dans une telle niche affective, l'enfant trouve facilement plusieurs figures d'attachement. Dans de nombreuses cultures, l'enfant

70. SOS-Village d'enfants, 04000 Digne-les-Bains ; Village d'enfants, Fondation Ardouvin, 26340 Vercheny.

n'appartient pas au couple ni même à la mère, « c'est l'enfant du lignage, de la famille élargie ». Lorsque les tuteurs immédiats (le père et la mère) ne parviennent plus à subvenir à leurs besoins, « le système traditionnel de "circulation" des enfants permet d'assurer un "confiage". Ces pratiques visent à créer des rapports d'entraide et à renforcer des liens de parenté[71] ». Le village ainsi conçu devient un lieu de reconstruction où la résilience paraît facile parce que la culture a mis en place des tuteurs de substitution.

Mais quand la société change, parce que la guerre, la sécheresse ou la défoliation empêchent l'agriculture, parce que le père alcoolique ou la mère déprimée n'ont plus la force de sécuriser le petit, l'enfant est souvent envoyé en ville où il trouve des petits boulots, mais où sa protection et son éducation ne sont plus assumées. Quand le village protecteur est détruit par une nouvelle économie, l'enfant survit comme un enfant des rues où son développement est gouverné par la violence quotidienne et non plus par l'affection et la culture.

Dès qu'une structure affective et culturelle se remet en place grâce à l'adoption, grâce aux familles d'accueil ou aux institutions quasi familiales, le développement des enfants reprend, mais avec certaines particularités. Le jeune redémarre assez bien, mais ce n'est pas comme avant puisqu'il y a eu un trauma dans son corps, dans son cerveau et dans sa mémoire : une telle reprise développementale définit la résilience.

71. Delaunay V., « Protection de l'enfance : un besoin de données incontestable », *Les Cahiers de SOS-Villages d'enfants*, n° 4, « Vontovorona, un village d'enfants SOS au cœur de la société malgache », mai 2009, p. 17.

Tous les enfants ne se remettent pas à vivre à la même vitesse puisque la résilience est un processus en remaniement constant. On peut décrire trois axes de développement :

– Quand le lien n'a jamais pu démarrer, quand l'isolement a été précoce, durable, et quand la culture ne propose pas de substitut affectif, la résilience sera très difficile.

– Quand les empreintes initiales ont tissé les premiers nœuds d'un lien sécure, quand un malheur a déchiré ce lien précoce, et quand la culture a proposé un soutien pour le recoudre, la résilience sera facile.

– Quand un enfant s'est développé dans un milieu parental en souffrance, un lien mal formé s'est tissé. Dans ce milieu adverse, l'enfant a acquis une vulnérabilité neuro-émotionnelle qui rend son style relationnel difficile. La résilience reste possible, mais il faudra des éducateurs et des psychologues talentueux pour faire fonction de tuteurs de résilience.

D'autres variables interviennent dans ces trois grands axes de la résilience. Un déterminant génétique existe puisque, dans toute population, certaines personnes sont faciles à émouvoir donc à blesser, alors que d'autres tiennent mieux le coup[72]. Mais la génétique n'est pas une fatalité puisque les personnes sensibles sont faciles à aider. En cas de malheur, elles s'attachent intensément et saisissent la moindre occasion de retisser le lien. Alors que certaines personnes moins émotives

72. Caspi A., Sugden K., Moffit T. E., Taylor A., Craig I., Harrington H. *et al.*, « Influence of life stress on depression : Moderation by a polymorphism in the 5-HTT gene », *Science*, 301, 2003, p. 386-389.

et plus résistantes s'isolent à l'écart pour souffrir en silence, freinant ainsi une possibilité de retour à la vie.

À chaque étape du parcours développemental, différentes pressions du milieu peuvent réparer la déchirure, ou l'aggraver, car la blessure reste sensible. La mort d'un parent au cours des petites années a des effets destructeurs beaucoup plus graves que la mort d'un parent quelques années plus tard. Quand un début de lien s'est tissé, l'enfant a appris un certain style affectif qu'il exprimera plus facilement avec le substitut qu'on lui proposera. S'il a appris à aimer, il rencontrera beaucoup de copains à l'école, ce qui renforcera sa confiance en lui. Mais s'il a appris à mal aimer, une deuxième chance lui sera offerte quand, à l'adolescence, il tombera amoureux[73].

Le style affectif d'une famille participe à la structuration du lien et, puisque les familles ne cessent de changer à cause des départs, des deuils et des événements de la vie, le lien n'est pas linéaire, il est flexible selon les pressions des milieux[74].

Les événements prennent donc des effets différents selon le niveau de développement, la structure du milieu et la façon dont l'entourage en parle. De manière contre-intuitive, quand un enfant perd sa mère alors que son style affectif est déjà constitué, il en souffre moins que lorsqu'il perd son père. Cet étonnant constat s'explique par le fait que, lorsqu'il perd sa mère, le milieu lui fournit

73. Cyrulnik B., Delage M., Blein M. N., Bourcet S., Dupays A., « Modification des styles d'attachement après le premier amour », *Annales médico-psychologiques*, 165, 2007, p. 154-161.

74. Delage M., Cyrulnik B., Benghozi P., Clervoy P., Petitjean M., Perrin F., Lussiana S., « La famille et les liens d'attachement en thérapie », *Thérapie familiale*, vol. 27, n° 3, 2006, p. 243-262.

rapidement un substitut féminin, plus apaisant qu'un substitut masculin, du moins dans notre culture aux rôles séparés. Alors que la perte du père, au même âge, altère la mère dont la souffrance est telle qu'elle devient pour l'enfant une base d'insécurité qui ne le soutient plus[75].

Réparer une niche affective

La sexualité peut être dissociée de l'attachement et parfois même opposée : on peut s'attacher à quelqu'un qu'on ne désire plus ou, au contraire, désirer quelqu'un à qui on ne s'attache pas, comme on le voit souvent dans les couples durables[76].

La flexibilité des attachements prend des significations et des effets relationnels différents selon notre niveau de développement et notre histoire. Il est donc impossible d'expliquer un phénomène psychique par une seule cause. C'est une convergence de déterminants qui provoque un effet psychologique, c'est une constellation de causes qui, en confluant sur le sujet, tutorise ses développements et la signification qu'il attribue au fait. Pour comprendre la résilience et découvrir quelques facteurs qui peuvent la renforcer, il faut donc tenir un raisonnement probabiliste[77].

---

75. Bifulco A. T., « Childhood loss of parent, lack of adequate parental care and adult depression : A replication », *Journal of Affective Disorders*, 1987, 12 (2), p. 115-128.
76. Brenot P., *Un jour, mon Prince...*, Paris, Les Arènes, 2014, p. 106-138 ; Cyrulnik B. (dir.), « Éthologie de la sexualité », *Psychiatries*, n° 64, 1985.
77. Cohen D., « The developmental being. Modeling a probabilistic approach to child development and psychopathology », *in* M. E. Garralda, J. P. Raynaud

Cette nouvelle manière d'entourer les enfants traumatisés permet de constater que les petits blessés s'en sortent plutôt bien, à condition que l'on dispose autour d'eux une niche affective tutorisante. On est loin des stéréotypes culturels : « Les orphelins deviennent délinquants », « un enfant agressé sexuellement ne s'en remet jamais »... Cela est vrai quand on ne fait rien, quand on abandonne l'enfant à ses souffrances muettes, comme à l'époque où ils étaient placés dans des institutions qui se contentaient de les nourrir et de les garder. On attribuait les dégâts à l'orphelinage ou aux agressions sexuelles, sans se rendre compte qu'une institution sans âme avait aggravé leur blessure[78]. D'autres établissements ne s'étaient pas contentés de fournir un matériel de survie dans des murs glacés. Ces homes avaient ajouté des relations affectives et des lieux de parole pour comprendre ce qui s'était passé et donner sens à la tragédie. Ces « maisons pour enfants » ont obtenu des résultats carrément opposés[79]. Dans les institutions dépourvues de relations affectives, le quotient intellectuel des petits se dégradait et les troubles relationnels s'aggravaient, alors que dans les maisons qui organisaient des événements artistiques de chant, de peinture et surtout de théâtre[80], qui fournissaient une

(éd.), *Brain, Mind, and Developmental Psychopathology in Childhood*, *op. cit.*, p. 3-29.

78. Rutter M., Magden N., *Cycles of Disadvantage : A Review of Research*, Londres, Heinemann, 1976.

79. Dumaret A., Duyme M., « Devenir scolaire et professionnel de sujets placés en villages d'enfants », *Revue Internat. Annales de psychologie appliquée*, 1982, 31, p. 455-474.

80. Rejas M. C., Fossion P., *Siegi Hirsch, au cœur des thérapies*, Ramonville-Sainte-Agne, Érès, 2002.

sorte de matière à réflexion, un grand nombre d'enfants se remettaient à vivre et rattrapaient leur retard.

Bien sûr, tout n'était pas réglé. Les reprises développementales ne témoignaient pas d'un retour à l'état antérieur. La reprise évolutive était plus facile quand les premiers nœuds du lien avaient été fortement tissés et quand, après la déchirure, une niche d'accueil avait rapidement été proposée : « Si un environnement carentiel peut causer des retards de développement, un environnement réparateur [...] peut être générateur de progrès[81]. » Globalement, une population d'enfants blessés mais soutenus par un nouvel étayage évolue presque aussi bien qu'une population d'enfants bien entourés par leur famille, leur quartier, leur école et leur culture.

La réparation se fait mal quand l'isolement précoce a duré longtemps ou quand le soutien lui-même a été en difficulté, comme dans ces familles d'accueil où règne la violence et parfois même les agressions sexuelles. Quand on se remet à vivre, même si c'est bien, ça ne veut pas dire sans traces.

La répétition de l'abandon ou de la maltraitance à travers les générations ne se confirme que pour les populations d'enfants qui, après avoir été maltraités par leurs parents, ont été abandonnés par la société[82]. Ceux

81. Coppel M., Dumaret A. C., *Que sont-ils devenus ? Les enfants placés à l'Œuvre Grancher. Analyse d'un placement spécialisé*, *op. cit*, p. 31.

82. Corbillon M., Assailly J. P., Duyme M., *L'Enfant placé. De l'Assistance publique à l'Aide sociale à l'enfance, rapport au ministère de la Solidarité, de la Santé et de la Protection sociale*, Paris, La Documentation française, 1990 ; Frechon I., Dumaret A. C., « Bilan critique de cinquante ans d'études sur le souvenir adulte des enfants placés », *Neuropsychiatrie de l'enfance et de l'adolescent*, n° 56, 2008, p. 135-147 ;

qui ont été accueillis dans les maisons organisées autour de l'affectivité et des activités culturelles n'ont pas répété le malheur : « L'intervention du placement familial [...] a permis de rompre l'enchaînement apparemment inéluctable de l'inadaptation[83]. »

Méfions-nous des pensées toutes faites qui empêchent la réflexion : « Qui a été maltraité maltraitera », « les enfants des quartiers sensibles ne peuvent pas faire d'études », « les femmes n'aiment pas les mathématiques ». En fait, ces anathèmes proviennent de phrases banales énoncées par réflexe lors de la vie quotidienne.

Même les objets ont leur mot à dire

Même les objets mis en vedette par la culture technique ont leur mot à dire. Chaque fois que nous inventons une machine, nous en faisons un modèle pour expliquer le psychisme humain. Au XVIIIe siècle, le commerce des montres de gousset avait tant de succès que les médecins comparaient le cerveau à une merveilleuse horlogerie. Au XIXe siècle, la découverte de la Fée Électricité a donné à l'âme l'image d'un courant, un flux d'énergie souvent utilisé par Freud. Mesmer s'est inspiré de ce modèle pour mettre au point un baquet en marqueterie qui permettait la circulation du fluide magnétique. Charcot s'est servi de cette idée à la mode

Bourguignon O., « Facteurs psychologiques contribuant à la capacité d'affronter des traumatismes chez l'enfant », *Devenir*, n° 2, 2000, p. 77-92.

83. Coppel M., Dumaret A., *Que sont-ils devenus ? Les enfants placés à l'Œuvre Grancher. Analyse d'un placement spécialisé*, *op. cit.*, p. 120.

pour mettre en scène l'art d'influer sur la « conscience des malades ». La découverte du télégraphe a inspiré la théorie de la sélection des informations par le système nerveux. Et la révolution de la communication que nous offre aujourd'hui Internet suggère que notre monde intime fonctionne comme un hyperordinateur.

C'est à partir des machines du contexte et des récits qui structurent notre culture que nous organisons nos pensées pour comprendre ce que nous appelons « réalité ».

C'est ainsi que des enquêtes auprès de personnes sans domicile fixe (SDF) mènent à la conclusion que 80 % d'entre elles sont d'anciens enfants placés. On en déduit aussitôt que les gosses de l'Assistance évoluent très mal puisque la majorité finit sur le trottoir. Alcooliques, tuberculeux, leurs graves troubles psychiques empêchent la plupart d'entre eux de se socialiser. Ces malheureux sont souvent psychotiques et manifestent une stupéfiante insensibilité à la douleur[84].

Quand on fait une enquête organisée selon une méthode catamnestique, on obtient des résultats exactement opposés : ayant conservé les dossiers d'enfants fracassés par une tragédie de l'existence, les enquêteurs ont retrouvé une grande partie d'entre eux, une trentaine d'années plus tard. Au cours d'une dizaine d'entretiens, ils ont posé une série de questions sur leur situation sociale, conjugale, état de santé et souvenirs de la période où ils étaient placés dans ces institutions.

---

84. Xavier Emmanuelli, président du Samu social international, nous a montré, lors d'un séminaire ARDIX, d'effroyables photos d'énormes ulcères surinfectés dont les SDF, désocialisés et désanimés, ne semblaient pas souffrir.

Ce genre de recherches était devenu nécessaire à cause de la divergence des opinions des professionnels. Tous de bonne foi, leurs témoignages s'opposaient. Richard Josefsberg, directeur de la Maison d'enfants Elie Wiesel à Taverny, a constitué un groupe de chercheurs pour répondre aux affirmations opposées des praticiens[85]. Ce travail permet de départager ceux qui voyaient bien que ces enfants finissaient en prison ou dans la rue, et ceux qui soutenaient que ces enfants placés s'en sortaient presque aussi bien que ceux de la population non traumatisée.

Une lourde enquête fut organisée « pour retrouver les adultes qui avaient été placés au moins deux ans à l'OSE, en placement familial ou en maison d'enfants, entre 1970 et 2000 : 898 individus étaient concernés, 485 personnes ont été retrouvées[86] ». Les résultats sont clairs : ces adultes vont bien, malgré un traumatisme grave dans leur enfance. Ils pensent que leur existence est satisfaisante (81 %), ils sont plutôt en bonne santé (80 %), ils ont gardé des liens avec leur mère (78 %), moins avec leur père (49 %) et ils sont indépendants. Ils gardent de la maison d'enfants un bon souvenir (80 %) et ont conservé des liens amicaux avec les éducateurs et les copains d'enfance (80 %). Ce bon développement n'est pourtant pas

85. Josefsberg R., *Souvenirs et devenirs d'enfants accueillis à l'Œuvre de secours aux enfants (OSE)*, à paraître. Fondée en 1912 à Saint-Pétersbourg pour s'occuper des enfants juifs confrontés à des événements tragiques, cette institution, d'abord médicale, est devenue, pendant la Seconde Guerre mondiale, une œuvre de résistance humanitaire : il s'agissait de sauver de la mort les enfants persécutés par le nazisme.
86. Jung C., « Que sont devenus les enfants placés dans les structures de l'OSE ? », *Bulletin de la Protection de l'enfance*, novembre-décembre 2013, p. 14-15.

analogue à celui des enfants qui n'ont pas subi de traumas. Les anciens traumatisés sont moins diplômés et ont moins souvent fondé une famille (61 %), alors que l'engagement affectif est vital pour eux. Pour fonder un foyer, il faut gagner sa vie ; les enfants placés ne s'engagent donc pas dans de longues études, mais maintiennent une activité intellectuelle d'autodidacte ou reprennent des études plus tard. Ils gardent dans leur mémoire la trace du trauma, et l'amour réveille parfois chez eux l'angoisse qu'ils ont connue quand ils étaient enfants. L'hyperattachement anxieux explique peut-être pourquoi cette population fragilisée affectivement se met en couple plus tard. Ils rêvent d'un engagement affectif dont l'importance les inquiète. La représentation de la tragédie passée attribue une lourde signification aux événements présents : « Je n'ai pas été aimé puisqu'on m'a abandonné, je ne suis donc pas aimable. Comment voulez-vous qu'elle (il) m'aime ? Je suis désireux d'aimer et angoissé par l'idée d'un futur échec. » C'est ainsi que les enfants mal-aimés ressentent dans un même élan l'amour et l'angoisse.

Quand la représentation de la tragédie est modifiée par la suite des événements, le même souvenir peut devenir source de fierté et de confiance en soi. Lors du ghetto de Varsovie, de 1942 à 1945, de très jeunes orphelins, de 6 à 16 ans, ont réussi à s'enfuir en se faufilant à travers des pierres descellées du mur. Ils se sont donc retrouvés dans la zone aryenne d'une ville en ruines, occupée par les nazis. Ils ont survécu dans ce milieu dangereux en chantant dans les rues et en vendant des cigarettes aux Allemands[87]. Ils ont rapidement appris à pressentir le danger et à dormir dans les caves, les ruines ou les cimetières. Quelques-uns sont morts ou ont été repris, mais ceux qui s'en sont sortis parlent de leur traversée de cet enfer glacé en riant, comme s'ils avaient joué une bonne farce aux persécuteurs. Ils sont fiers d'avoir survécu en haillons, dormant par terre et vendant des cigarettes à ceux qui voulaient les tuer. Beaucoup sont aujourd'hui devenus d'austères bourgeois bien-pensants.

Cette fierté est longtemps demeurée secrète parce qu'ils avaient appris à se taire. Quand ils vendaient leurs cigarettes, les Allemands, souvent, leur demandaient où étaient leurs parents. Si l'enfant répondait : « Je n'ai plus de parents », les soldats ou les gens du quartier comprenaient que c'était un petit juif et le ramenaient au ghetto. Après la guerre, qui aurait pu les croire ? Alors ils se taisaient, mais dans leur monde intime, ils se racontaient sans cesse cette invraisemblable période de leur existence[88].

Proto-théories

Ces impressions cliniques et ces témoignages étaient épars. Pour leur donner cohérence, il a fallu faire le ménage dans ces données divergentes. Nous avons donc organisé le premier colloque international en France sur la résilience. Le Centre culturel de Châteauvallon nous a hébergés dans ses belles pierres

---

87. Boukhobza C., *Les Petits Héros du ghetto de Varsovie*, Film Paris-Barcelone, 2013.
88. Ziemian J., *Le Vendeur de cigarettes*, Éditions Ovadia, 2002.

à flanc de montagne, à Ollioules, près de Toulon. C'est très intéressant de relire les comptes rendus de nos premières rencontres[89]. L'orientation était donnée par des travaux américains et anglais qui presque tous employaient le mot « résilience » dont la définition ne faisait pas encore consensus. Antoine Guedeney résumait les travaux fondamentaux et posait les questions qui allaient positionner les recherches à venir. Il nous disait que la résilience manquait de théorie, que la définition était encore floue, qu'un nombre élevé de déterminants hétérogènes, à la fois génétiques et environnementaux, allaient obscurcir les exposés. Michel Lemay, de Montréal, soulignait l'impact de l'affectivité dans ce processus de reconstruction de soi. Le Suisse André Haynal recensait l'évolution sociale des orphelins, bien plus favorable que ce qu'on croyait. Michel Tousignant, sociologue québécois, formé à Lyon aux méthodes éthologiques d'observation, étudiait comment certains jeunes gens affrontaient l'adversité, et Michel Manciaux, comme d'habitude, essayait d'extraire la substantifique moelle de nos discours désordonnés.

Il y eut quelques malentendus. Bernard Michel nous expliquait que le fait d'être centenaire n'est pas un critère de résilience, puisque l'on trouve parmi eux autant d'âgés qui ont été protégés pendant toute leur existence que de grands blessés de l'âme qui ont pourtant surmonté l'adversité[90].

---

89. Cyrulnik B. (dir.), *Ces enfants qui tiennent le coup*, Révigny-sur-Ornain, Éditions Hommes et Perspectives, 1998.
90. Allard M., Robine J. M., *Les Centenaires français. Étude de la Fondation Ipsen*, 1990-2000, Serdi Édition, 2000.

Un désaccord fondamental fut rapidement réglé : quelques auteurs américains soutenaient que la résilience résultait de l'accumulation de certaines qualités, ce à quoi nous nous opposions car, selon cette définition, il aurait suffi d'être jeune, beau, bien portant et riche pour être résilient. Nous pensions qu'il ne pouvait s'agir que d'un processus transactionnel qui, constamment au cours de la vie, établissait des arrangements, des interactions entre ce que nous étions au cours de notre évolution et ce que le milieu disposait autour de nous. Henri Parens[91], professeur de psychiatrie à Philadelphie, m'a invité dans son service où j'ai pu admirer la souplesse d'esprit des chercheurs américains qui, très rapidement, ont renoncé à penser que la résilience était un catalogue de qualités pour accepter l'idée d'un constant processus. Ils étaient libres de tout dogme, peut-être parce que ces praticiens avaient été formés par leurs patients à l'incroyable diversité des histoires de vie des gens qui peuplent ce pays ?

Dès le début de l'aventure de la résilience, j'ai éprouvé quelques désarrois. J'étais dans le bureau de Michel Soulé qui s'entretenait avec Bernard Golse d'un problème qui ne me concernait pas. J'ai donc fait un pas en arrière pour manifester ma discrétion. C'était l'époque où l'on communiquait encore par fax. Je me suis retrouvé près de cette machine quand le papier s'est déroulé et j'ai pu lire (sans le faire exprès, évidemment), une seule phrase : « La résilience arrive en

---

91. Parens H., *Renewal of Life. Healing from the Holocaust*, Rockville, Schreiberg Publishing, 2004 ; traduction française, *Retour à la vie. Guérir de la Shoah. Entre témoignage et résilience*, Paris, Tallandier, 2010.

France, méfions-nous. » C'était signé Léon Kreisler, un bon nom de la psychanalyse qui venait de publier : « La résilience tiendra-t-elle les ambitions d'une recherche internationale ? [...] retenons pour son mérite de sortir l'enfant d'un modèle de pure assistance en le créditant de capacités défensives[92]. » Cet auteur conseillait de prendre une position hâtive sur des travaux à peine élaborés.

Michel Soulé, un des fondateurs de la pédopsychiatrie, qui m'avait souvent invité à travailler avec lui[93], devint donc réticent à la résilience. Il avait dit à Michel Manciaux : « La résilience est présente dans le *Traité de pédopsychiatrie*, mais sous un autre nom : les ressources[94] », voulant ainsi dire que la notion de résilience était superflue puisqu'elle était déjà abordée par la psychanalyse. Or ce n'est pas du tout la même idée : la ressource est une force qui aide à affronter une situation fâcheuse en puisant à la source des forces initiales. La résilience, au contraire, est un processus interactif et dynamique qui permet de reprendre un nouveau développement. Il fallait donc se rencontrer, afin d'éclairer nos désaccords, ce que nous avons fait avec affection et gaieté, chez Michel Soulé à Paris, près du Panthéon, et dans sa maison de Mouans-Sartoux, près de Nice.

---

92. Kreisler L., « Résilience », *in* D. Houzel, M. Emmanuelli, F. Moggio, *Dictionnaire de psychopathologie de l'enfant et de l'adolescent*, *op. cit.*, p. 644-645.

93. Soulé M., Cyrulnik B., *L'Intelligence avant la parole*, Paris, ESF, 1998. Dans ce livre, nous avions provoqué des échanges entre des éthologues animaliers, des pédiatres et des psychanalystes.

94. Manciaux M., « La résilience : mythe ou réalité ? », *in* B. Cyrulnik (dir.), *Les Enfants qui tiennent le coup*, *op. cit.*, p. 112.

À peine prononcé, le mot « résilience » a provoqué autant d'enthousiasme que d'hostilité. Dès la première réunion à Châteauvallon, quand Charles Baddoura a exposé son étude sur les traumatismes de la guerre civile libanaise de 1975 à 1991[95], et cité le travail de Myrna Gannagé[96], les réactions dans l'auditoire ont été tellement violentes et surprenantes que j'ai cru qu'il s'agissait d'une blague. Quand Baddoura a dit : « Ces résultats indiquent que seulement une faible proportion de jeunes garde des séquelles de la guerre [...] quand les conditions positives sont réunies (équilibre parental, environnement favorable, résistance psychologique)[97]. » Ces phrases ont provoqué une explosion de haine. Quelqu'un a dit : « Je ne comprends pas comment un scientifique peut dire que la guerre est une bonne chose. » Beaucoup d'indignés dans la salle ont renforcé cette remarque en criant : « C'est insupportable... Comment osez-vous dire que la guerre n'a aucun effet néfaste ? » La thèse de Myrna Gannagé, dirigée par Colette Chiland, concluait pourtant que « dans les moments de danger, l'enfant se replie dans l'espace familial qui lui assure un sentiment de sécurité. Quand cet espace est vulnérable parce que les parents sont séparés, ou parce que les conditions de vie les rendent anxieux, l'enfant peut difficilement faire face au stress[98] ». Freud nomme ce concept

---

95. Baddoura C. F., « Traverser la guerre », *in* B. Cyrulnik (dir.), *Les Enfants qui tiennent le coup*, *op. cit.*, p. 73-89.
96. Gannagé M., *L'Enfant, les Parents et la Guerre. Une étude clinique au Liban*, Paris, ESF, 1999.
97. Baddoura C. F., *in* B. Cyrulnik (dir.), *Ces Enfants qui tiennent le coup*, *op. cit*, p. 87-88.
98. Gannagé M., *L'Enfant, les parents et la guerre. Une étude clinique au Liban*, *op. cit.*, p. 95.

« pare-excitation[99] ». C'est une fonction parentale qui protège l'enfant contre les dangers du monde extérieur. Quand la mère est en difficulté à cause d'une histoire familiale difficile, d'un mari violent ou d'une guerre, elle n'a plus la force de protéger son enfant. Mais quand la famille reste solidaire et quand le couple s'entraide, la mère constitue un pare-excitation efficace qui protège l'enfant, même en pleine guerre. Cette idée, banale pour un praticien, a scandalisé ceux qui, dans une pensée réflexe, ont cru que la résilience affirmait que la guerre rendait les enfants plus forts puisqu'ils continuaient à se sentir heureux quand tout s'effondrait autour d'eux. J'ai souvent entendu cette remarque : « Alors vous pensez que c'est une bonne guerre qu'il leur faudrait. »

Inceste et résilience

J'ai entendu la même réaction à propos des victimes d'inceste. « Avec votre résilience, si vous racontez que ces femmes se remettent à vivre, vous allez relativiser le crime de l'agresseur. » Pour ceux qui pensent ainsi, le délabrement de la victime accentue la sensation de crime qui légitime une punition encore plus grande. Il se trouve que les travaux sur l'inceste, de plus en plus fiables, démontrent que ce crime est incroyablement fréquent[100]. Il envahit les tribunaux et remplit les

99. Freud S. [1920], « Au-delà du principe de plaisir », *in Essais de psychanalyse*, Paris, Payot, 1951.
100. Dussy D., *L'Inceste. Bilan des savoirs*, Marseille, La Discussion, 2013.

consultations, alors que nous savons que beaucoup de victimes ne déposent jamais plainte.

Le mot « inceste » ne désigne pas le même phénomène pour les anthropologues et pour les praticiens. Un intellectuel réfléchit à la nécessité de l'interdit de l'inceste pour structurer la société, alors qu'un clinicien cherche à comprendre l'acte incestueux dans son horreur quotidienne. Ce n'est pas la même chose. L'interdit soulève l'étonnant problème d'un acte sexuel biologiquement possible, mais rendu insupportable par une représentation culturelle. Cet interdit n'existe que dans la verbalité. L'énoncé dit que l'acte entre deux personnes dont l'apparentement est défini est un crime qui étouffe toute construction sociale. L'immense majorité de la population se soumet à cet énoncé qui n'est pas une loi. L'acte sera pourtant puni par les tribunaux en cas de transgression.

Les praticiens, eux, se demandent comment certains hommes (et quelques femmes) parviennent à ne pas tenir compte de cet interdit et à passer à l'acte. Ils décrivent les dégâts provoqués par un acte sexuel contre-culturel dont l'évaluation est étonnamment différente selon les époques. Quand André Gide a été juré en cour d'assises en 1912, il a publié ses notes (ce qui serait illégal aujourd'hui[101]). Il écrit que beaucoup d'avocats ou d'auditeurs rient quand une petite fille de 12 ans raconte comment son père la violait. « Certains s'indignaient qu'on occupe la cour de vétilles, comme il s'en commet chaque jour de tous les côtés [...] il n'y

101. Gide A., *Souvenirs de la cour d'assises*, Paris, Gallimard, 1913 ; réédition « Folio », 2009.

a pas lieu de condamner [le père] pour si peu[102]. » Il a fallu attendre les années 1970 pour que quelques travaux cliniques témoignent de l'existence réelle de cette transgression et tentent de l'expliquer.

Le plus étonnant, c'est que ce sont des éthologues qui, dans une optique évolutionniste, ont soulevé le lièvre (si l'on peut dire). Ils ont constaté que les animaux ne s'accouplent pas au hasard[103]. Une empreinte dans la mémoire biologique gouverne l'attraction sexuelle pour un animal de l'autre sexe. Quand l'autre est trop familier pour être stimulant, comme le sont la mère et le fils, les frères et les sœurs, ou simplement les animaux élevés ensemble, l'attraction sexuelle est engourdie. L'attachement est un tranquillisant naturel qui ralentit l'excitation sexuelle. Chez les animaux, l'interdit ne pouvant pas être verbal, il ne peut s'agir que d'une inhibition émotionnelle[104]. Les petits acquièrent au cours de leur développement une empreinte qui freine le passage à l'acte avec un congénère trop familier, ce qui les oblige à courtiser au loin[105].

Les êtres humains connaissent cet empêchement neurobiologique imprégné dans leur mémoire au cours de leur enfance, mais ils y ajoutent un interdit verbal, un énoncé qui définit qu'un acte sexuel entre apparentés sera dénommé « inceste » et jugé comme un crime.

---

102. Gruel L., *Pardons et châtiments*, Paris, Nathan, 1991, p. 66.
103. Bischof N., « Comparative ethology of incest avoidance », *in* R. Fox, *Biological Anthropology*, Londres, Malaby Press, 1975.
104. Vidal J. M., « Explications biologiques et anthropologiques de l'interdit de l'inceste », *Nouvelle revue d'ethnopsychiatrie*, n° 3, « Inceste », Grenoble, La Pensée sauvage, 1985.
105. Bateson P. P. G., « Sexual imprinting and optimal outbreeding », *Nature*, 273, 1978, p. 659-660.

Ce qui revient à dire que nous, humains, possédons deux verrous qui empêchent l'acte incestueux. L'un est émotionnel, inscrit dans la mémoire biologique lors des conditions éducatives, et l'autre, en pleine conscience, énonce l'acte interdit et dit que c'est un crime. Ces données expliquent que ceux qui ont été séparés précocement par un accident de la vie peuvent ressentir l'autre comme un partenaire possible puisque n'en ayant pas reçu l'empreinte, ils ne sont pas inhibés. Mais il arrive aussi que le verrou verbal ne fonctionne pas :

– soit parce qu'ils ignorent que l'autre est un proche apparenté, comme on le voit lors des effondrements sociaux et familiaux pendant les guerres ;

– soit parce que ces hommes et ces femmes entendent l'énoncé qui désigne le crime incestueux mais n'en tiennent pas compte : « Ne le dis pas à maman… Je t'aime ma fille, comme une maîtresse »… Ils se comportent donc comme des délinquants qui connaissent la loi, mais n'en tiennent pas compte quand ils se soumettent à leurs pulsions.

Cette théorie éthologique de l'inceste a été tellement critiquée qu'elle n'est pas rentrée dans les débats culturels. Durant les années 1980, les professionnels continuaient à douter de la réalité de l'acte. De grands noms de la psychanalyse soutenaient « qu'à cet âge-là, tout enfant fantasme de se marier avec son père[106] ». La réalité psychique a servi à dénier la réalité physique de l'acte. Quand le réel est insupportable, le déni est protecteur. De plus, il est difficile de penser une théorie

106. Dénoncé dans collectif, *Les Cahiers de Peau d'Âne* (revue de SOS Inceste), n° 5, mai 1992.

qui contredit celle que nous avons apprise pour obtenir nos diplômes et intégrer un groupe.

Il faut du courage pour témoigner de l'inceste qu'on a subi, comme l'a fait Eva Thomas, une des premières à oser affronter le déni culturel[107]. Par bonheur, elle a été entourée par des femmes qui, elles, n'avaient pas pu dire ce qu'elles avaient subi. Des juges et des psychanalystes qui, eux, avaient accepté de faire évoluer leurs idées ont entouré Eva. Grâce à ce petit groupe innovateur, les professionnels, aujourd'hui, parlent de moins en moins de fantasmes de petites filles et « les titres des conférences démontrent l'évolution qui s'est produite entre 1986 et 1989 : partant de "L'inceste, réalité ou fantasme ?", on est arrivé au "Droit de l'enfant à l'intégrité de son corps[108]" ».

Après avoir été agressée par son père, Eva a été agressée par ceux qui étaient censés la protéger. Elle a dû affronter des personnalités convaincues qu'il ne s'agissait que d'un fantasme. Quand, avec l'aide de SOS Inceste, elle y est parvenue, il a fallu ensuite batailler pour démontrer que ces femmes pouvaient se remettre à vivre après des années d'emprise paternelle et de déni culturel. Le regard des victimes a changé. Aujourd'hui, elles réclament justice et désirent vivre mieux. Alors elles cherchent des modèles de personnes qui, ayant été chassées de l'humanité, torturées chaque jour pendant des années, ont fini par retrouver le plaisir de vivre : « Comment expliquer que les mots de Primo Levi, Philippe Muller ou Élie Wiesel m'aient

107. Thomas E., *Le Viol du silence*, Paris, Aubier, 1986.
108. Thomas E., *Le Sang des mots*, Paris, Desclée de Brouwer, 2004, p. 55.

apporté un réel secours ? », dit Eva Thomas[109]. En fait ces hommes, incroyablement maltraités par la Shoah, ont fait passer le message : « Après la souffrance et la bagarre, le plaisir de vivre peut revenir », définissant ainsi une possibilité de résilience. Ils ont connu une terrible épreuve : l'agression quotidienne, répétée pendant des années, et l'impossibilité de parler de ce crime impensable. « Si tu parles, personne ne te croira [...] plus jamais on ne t'aimera [...] tu deviendras la risée de la ville[110]. »

Boursouflure sémantique

Dès les premières publications sur la résilience, tout le monde s'est emparé du mot. On le louangeait pour en faire une recette magique contre toutes les souffrances ou, au contraire, on s'en indignait, on disait que, comme Monsieur Jourdain, tout le monde faisait ça. On a pu lire que, puisque les carences affectives provoquaient des dégâts cérébraux et psychologiques, il suffisait de donner de l'amour, toujours plus d'amour pour que tout soit réglé. Ces raisonnements trop généralisateurs sont la règle. Dès qu'une idée nouvelle entre dans la culture, il suffit qu'elle soit bien acceptée pour qu'elle se répande jusqu'à l'abus et provoque des contresens. Contrairement à ce que disent de nombreux psychanalystes, les idées de Freud ont été bien accueillies

109. *Ibid.*, p. 58.
110. Sessions S., *L'Amour inavouable*, Paris, Presses de la Cité, 1991, p. 97 ; Braun S., *Personne ne m'aurait cru, alors je me suis tu*, Paris, Albin Michel, 2008.

en Autriche comme aux États-Unis. « L'Amérique est le premier pays à avoir accepté la psychiatrie dynamique [psychanalyse] en tant que sa principale force organisatrice[111]. » J'ai personnellement vu à Vienne, dans le triste cabinet de Freud, Berggasse 19, des piles de journaux datés de l'ouverture de son cabinet, proposant des cours par correspondance pour devenir psychanalyste en huit séances et pour douze thalers.

L'enthousiasme provoqué par le mot et l'ignorance de sa définition disaient que, grâce à la résilience, on pouvait se remettre de tout, même des pires traumatismes. Cette affirmation naïve donnait de la résilience une image de bonheur facile, une pensée bon marché. Un grand nombre de profiteurs ont sauté dans ce train en marche pour mettre sur la couverture de leur livre le mot « résilience » qui améliorait les ventes, alors qu'il traitait d'un autre sujet. Je me souviens de cette journée de méthodologie de la recherche à l'hôpital Sainte-Anne, organisée par le professeur Vannier, où j'exposais les limites de la résilience. J'ai été pris à parti par une psychiatre qui me reprochait de critiquer la résilience : « Pourquoi agressez-vous votre propre concept ? », s'indignait-elle. « Il ne s'agit pas de "mon" concept, ai-je répondu, mais d'une attitude nouvelle face à la souffrance psychique qui n'est plus rédemptrice ni irrémédiable. » J'ai collaboré à ce travail en compagnie de milliers d'autres chercheurs et praticiens. Ma formation médicale m'a habitué à dépister les effets secondaires d'un réel progrès. Il a fallu faire pour la

111. Shorter E., citant Henri Ellenberger, *A History of Psychiatry*, New York, John Wiley, 1997, p. 172.

résilience ce que l'on doit faire pour toute innovation médicale, psychologique ou technique[112].

Ce n'est pas ainsi que cette prudence a été entendue : « La résilience c'est : il vaut mieux être jeune, beau et riche que “Black et Dekker” », disait l'un. J'ai entendu aussi, lors d'une réunion à Caen : « Ce n'est pas la peine de parler de résilience à propos de l'inceste. Ça n'existe pas, les enfants refuseraient. » C'est très étonnant de lire que certains auteurs s'engagent vivement sans vérifier leurs propres préjugés : « Il s'agit de calculer la résilience en termes de réussite professionnelle[113]. » Je n'ai jamais lu cette idée dans les publications sur la résilience. Il est vrai qu'il vaut mieux apprendre un métier quand on a été un enfant abandonné ou maltraité, ça peut aider. Mais j'ai souvent écrit que l'obsession de la réussite sociale est un bénéfice secondaire de la névrose plutôt qu'un signe d'épanouissement.

Parmi les critiques incroyables, il y a eu celles de Serge Tisseron[114]. Cet auteur, par ailleurs intéressant, a eu une réaction viscérale quand il a entendu le mot « résilience » : « Ce n'est autre qu'une instance favorisant la réussite des plus “aptes” [...], concept qui évoque plus la “lutte pour la vie” chère à Darwin [...], mythe de la Rédemption [...], adaptation sociale qui fait, aux États-Unis, l'équivalent d'une vertu. Les kamikazes [...]

---

112. Cyrulnik B., « Limites de la résilience », *in* B. Cyrulnik, G. Jorland, *Résilience. Connaissances de base*, *op. cit.*, p. 191-201.

113. P. Chevalier, « Cosmique Cyrulnik », *L'Express*, critique de mon livre *Autobiographie d'un épouvantail*, prix Renaudot de l'essai, 2008. Il aurait suffi de jeter un coup d'œil sur la table des matières pour y lire l'intertitre : « La résilience n'est pas un récit de réussite, c'est plutôt l'histoire d'une bagarre », p. 277.

114. Tisseron S., « “Résilience”, ou la lutte pour la vie », *Le Monde diplomatique*, août 2003, p. 21.

exemplaires jusqu'à l'acte suicidaire et meurtrier d'une solide résilience. »

En lisant ces articles, je pensais aux enfants abandonnés qui, n'ayant pas pu apprendre à parler, se balançaient sans cesse et s'autoagressaient à la moindre émotion : réussite sociale ! Sélection des plus aptes ! Rédemption ! Face à ces enfants, ces critiques étaient dérisoires. Comment est-il possible d'être si loin du terrain ?

Parmi les opposants à la résilience, seule Alice Miller[115] est venue à nos réunions et m'a invité chez elle, à Saint-Rémy-de-Provence. Elle se laissait convaincre, puis soudain redevenait opposante, mais au moins, avec elle, on pouvait s'expliquer.

De quoi parle-t-on ? De certains enfants qui sont jetés dans des mouroirs parce qu'on les dit sans valeur et qui parviennent à reprendre un bon développement dès qu'on leur propose une nouvelle niche affective ? De quelques enfants maltraités qui répètent la maltraitance quand on les abandonne, mais interrompent la transmission du malheur dès qu'on les sécurise et qu'on leur apprend à aimer autrement ? De filles victimes d'inceste qu'on accuse de fantasmer, et qui retrouvent le plaisir de vivre quand la justice punit l'agresseur et quand l'entourage les aide à revivre ?

Ces critiques ne parlent pas du terrain, elles s'indignent de racontars : « Tout mot employé dans des contextes différents ramasse un nombre important de significations différentes. » Alain Bentolila nous explique que cette dérive linguistique habituelle provoque une

---

115. Miller A., *Le Drame de l'enfant doué*, Paris, PUF, 1979.

« boursouflure sémantique » que l'on doit dégonfler en précisant le concept pour l'empêcher de divaguer[116].

À chaque époque, quelques mots nouveaux ont été mis en lumière par la culture. Dans un contexte social où la violence était nécessaire pour descendre à la mine et faire la guerre, le mot « héros » désignait les hommes admirés et sacrifiés. Aujourd'hui, en temps de paix où la violence n'est que destruction, on dit qu'un footballeur est un héros parce qu'il a marqué un but historique, que tout le monde aura oublié la semaine suivante.

Ce qui provoque la boursouflure d'un mot, c'est le chœur des perroquets qui, en récitant tous ensemble le même slogan, font croire qu'ils pensent. À une époque où la psychanalyse a été boursouflée, il était difficile de ne pas entendre la répétition de quelques slogans : « La forclusion du nom du père » ou « ça souffre quelque part ». On n'entend plus aujourd'hui ces sonorités verbales parce que d'autres psychanalystes ont dégonflé la baudruche en précisant leurs concepts.

Quand le mot « gène » est entré dans la culture, il a été totalement explicatif, ce qui finissait par ne plus rien expliquer. On évoquait le gène du bonheur quand on voulait dire qu'on se sentait bien. Quand quelqu'un pensait au suicide, il suffisait de parler de sa « pulsion de mort » pour être payé d'un ou deux mots. Aujourd'hui, quand une aptitude semble profondément inscrite au cœur d'une personne ou d'une institution, on dit : « C'est dans son ADN. » Cette expression est

116. Bentolila A., lettre personnelle, 2003 ; et *Le Verbe contre la barbarie*, Paris, Odile Jacob, 2007.

devenue vedette depuis que la police s'en sert pour trouver les criminels… et les pères !

Science et résilience

Les perroquets se taisent dès que les praticiens prennent la parole. Au premier Congrès mondial sur la résilience[117], à Paris en juin 2012, on a vu apparaître un accord sur la définition. Nous connaissons enfin l'objet de nos réflexions : il s'agit de se remettre à vivre après un trauma psychique. La définition est simple, elle est même « bébête ». Ce qui est difficile à découvrir, ce sont les conditions qui permettent la reprise d'un nouveau développement, d'un nouveau style d'existence après une agonie mentale. Aucune spécialité ne peut, à elle seule, expliquer ce retour de la vie. Il faut donc associer des chercheurs de disciplines différentes et recueillir leurs résultats pour se faire une image de ce processus. Il y a quarante ans, cette attitude était vivement critiquée ; elle est vivement recommandée aujourd'hui par les instances de la recherche. On disait qu'une équipe pluridisciplinaire produisait des théories fourre-tout, on parle maintenant d'intégration des résultats. Pour un praticien, ce n'est pas compliqué, c'est même agréable de chercher à comprendre comment une personne traumatisée peut se remettre à vivre, en tenant compte de son développement biologique et affectif associé avec son histoire personnelle et familiale dans son contexte

117. Anaut M., Cyrulnik B., *Résilience. De la recherche à la pratique*, *op. cit.*

culturel. Pour un chercheur de laboratoire, c'est plus difficile parce que lui a besoin que son objet de science soit réduit pour être rendu cohérent et facile à manipuler.

L'aventure culturelle est désormais lancée : « La recherche sur la résilience a connu un développement remarquable. En témoignent les 4 641 documents dont 1 023 thèses de doctorat, ayant comme sujet la résilience, qui figuraient en août 2010 dans la principale base de données en psychologie[118] » (PsycINFO). Déluge d'articles, de thèses, de congrès et de débats. Curieusement, depuis qu'on en parle mieux chez les professionnels, on en parle moins dans le grand public. Quand la boursouflure se dégonfle, restent les travaux cliniques.

À l'étranger, l'évolution est comparable. Les États-Unis et l'Angleterre restent en tête du nombre de travaux, suivis par les publications de langue française. L'Amérique du Sud enseigne la résilience dans un grand nombre d'universités. L'Italie et l'Espagne rejoignent le peloton, et même les pays asiatiques commencent à s'engager, avec parfois des divergences stimulantes. Les deux pays les plus réticents étaient la France et l'Argentine, où l'on considérait que la théorie de l'attachement, dont la résilience est un chapitre, constituait une attaque contre la psychanalyse. Par bonheur, de nombreux universitaires et psychanalystes ne sont pas de cet avis et participent activement à cette nouvelle attitude[119]. Le Brésil devient, en même temps, leader

118. Ionescu S., « Avant-propos », *in* S. Ionescu (dir.), *Traité de résilience assistée*, Paris, PUF, 2011, p. XIX.
119. Cyrulnik B., Duval P., *Psychanalyse et résilience*, Paris, Odile Jacob, 2006.

sur la résilience neuronale[120] et sur la fonction des récits dans la résilience individuelle[121]. Quant à l'Argentine, elle se met à étudier les effets immunologiques de la résilience[122].

Tout cela commence à expliquer l'étonnante inégalité des traumatismes. On sait qu'un isolement précoce, en ne stimulant plus les connexions des neurones préfrontaux, leur a fait perdre la fonction d'inhibition de l'amygdale rhinencéphalique, socle neuronal des émotions. L'amygdale, ainsi « déchaînée », traite alors la moindre information comme une alerte ou une agression[123]. À l'inverse, celui qui a été sécurisé lors des premiers mois de sa vie a établi des connexions qui permettent de maîtriser les réactions émotionnelles. Cette personne ressent la même information comme un stress amusant. Il est donc impossible de faire un barème des traumatismes, une échelle qui permettrait un travail scientifique. Alors que, dans les études sur la résilience, toutes les étapes sont analysables scientifiquement et évaluables cliniquement :

– la génétique n'est plus un destin inexorable depuis que les généticiens ont démontré que le milieu ne cesse

---

120. Mendes de Oliveira J. R., *Brain Resilience*, São Paulo, Casa de Psicólogo, 2014 ; Cabral S., Cyrulnik B. (dir.), *Resiliência : sobre como tirar leite de pedra*, São Paulo, Casa de Psicólogo, 2014.

121. Souza de E. (dir.), *(Auto)biographie. Écrits de soi et formation au Brésil*, Paris, L'Harmattan, 2008.

122. Bonet D., *Vulnérabilité et résilience*, Buenos Aires, Société argentine de psycho-neuro-immunologie-endocrinologie (Sapine), 19 septembre 2014 ; Martinot J.-L., Galinowski A., « Facteurs de résilience et connectivité cérébrale », Congrès français de psychiatrie, Nice, 27-30 novembre 2013.

123. Jollant F., Olié E., Guillaume S., Ionita A., Courtet P., « Le cerveau vulnérable : revue des études de neuropsychologie, neurophysiologie et neuro-imagerie », *in* P. Courtet (dir.), *Suicides et tentatives de suicide*, *op. cit.*, p. 62-63.

de moduler l'expression de ce code héréditaire[124]. En subissant les pressions du milieu, l'épigenèse modifie constamment l'expression des gènes ;

– la neuro-imagerie photographie comment s'organisent les circuits neuronaux et comment un cerveau, sidéré par un trauma, se remet à fonctionner dès qu'on sécurise le blessé de l'âme[125]. Des dosages neurobiologiques assez simples révèlent qu'un enfant, altéré par un appauvrissement de sa niche sensorielle, rétablit ses métabolismes dès qu'il est sécurisé[126] ;

– les psychanalystes ont été les premiers à décrire les carences affectives et leurs dégâts développementaux[127]. Ils ont provoqué l'hostilité des anthropologues, et notamment de Margaret Mead, qui reprochaient à ces cliniciens l'intention sournoise d'empêcher les femmes de travailler[128]. La solution est pourtant simple : il suffit d'organiser autour du bébé « un système familial à multiples attachements[129] » : la mère, bien sûr, est une figure d'attachement prioritaire, mais le père, la grand-mère, les métiers de la petite enfance, tout un

---

124. Bustany P., « Neurobiologie de la résilience », *in* B. Cyrulnik, G. Jorland, *Résilience. Connaissances de base*, *op. cit.*, p. 45-64.

125. Toussaint J., Gauce, De Noose L., « Impact de l'alcoolisme maternel sur le développement socio-émotionnel de l'adolescent », *Alcoologie et addictologie*, 35 (2), 2013, p. 225-232.

126. Cyrulnik B., « Limites de la résilience », *in* B. Cyrulnik, G. Jorland, *Résilience. Connaissances de base*, *op. cit.*, p. 191-204.

127. Spitz R., *La Première Année de la vie de l'enfant*, *op. cit.*

128. Vicedo M., « The social nature of the mother's tie to her child : John Bowlby's theory of attachment in post-war America », *British Journal for the History of Science*, 44, septembre 2011, p. 420.

129. Bowlby J., *Soins maternels et santé mentale*, *op. cit.*. Bowlby parle en effet de « carence en soins maternels », mais nuance dans le même texte en évoquant la possibilité de substituts affectifs et de l'effet protecteur du « groupe familial ».

village en quelque sorte, proposeront des attachements secondaires ;

– les tests psychologiques, validés statistiquement, repèrent de manière fiable l'amélioration du monde intime après la blessure. La reprise évolutive, sous l'effet du soutien et du travail de la mentalisation, est évaluable avec une assez bonne précision[130] ;

– le fonctionnement familial (plutôt que sa structure) permet d'observer des modifications affectives et relationnelles sous l'effet d'interventions mobilisatrices[131] extérieures à la famille (ami, prêtre, psychothérapeute) ;

– l'étude des populations nous aide à comprendre statistiquement pourquoi les groupes sociaux fracassés par la guerre, la précarité sociale, l'émigration ou une catastrophe naturelle se remettent à vivre et souffrent moins de troubles psychiques, quand le contexte politique facilite la solidarité et la tradition[132] ;

– dans tous ces cas, l'art métamorphose la représentation de la mémoire blessée. Le sujet n'est plus prisonnier de son passé traumatique. Il cesse de ruminer quand il peut remanier l'image de son malheur et en faire un récit, une peinture ou un film à partager avec ses proches. Il n'est plus une chose emportée par le torrent du malheur ; dès qu'il en fait une œuvre d'art ou de réflexion, il redevient sujet, auteur de son nouveau

130. Ionescu S., Jourdan-Ionescu C., « Évaluation de la résilience », *in* S. Ionescu, *Traité de résilience assistée*, *op. cit.*, p. 61-127.

131. Delage M., *La Résilience familiale*, Paris, Odile Jacob, 2008.

132. Ehrensaft E., Tousignant M., « Immigration and resilience », *in* D. L. Sam, J. W. Berry (dir.), *The Cambridge Handbook of Acculturation Psychology*, *op. cit.*, p. 469-482.

développement. « Soigner, comprendre et connaître[133] » deviennent les armes de sa liberté.

Aucun chercheur ne peut à lui seul travailler et connaître toutes ces disciplines. S'il veut comprendre et aider, il est contraint à la rencontre, ce qui est un grand bonheur. Les praticiens généralistes, médecins, psychologues ou éducateurs ne peuvent échapper à ce partage du savoir. Une telle stratégie de la connaissance provoque parfois des conflits avec ceux qui prétendent à l'hégémonie de leur discipline : « La biologie va tout expliquer », affirment certains, tandis que d'autres veulent tout démontrer par la sociologie, la psychanalyse ou l'astrologie.

Après quarante années de pratique et de réflexions, je crois au fond de moi qu'aucune théorie ne peut être totalement explicative, sauf celles qui ont une ambition totalitaire.

---

133. Schauder S., *Camille Claudel. De la vie à l'œuvre*, Colloque Cerisy-la-Salle, Paris, L'Harmattan, 2006, p. 165.

ÉPILOGUE

La morale de cette histoire, car c'est ainsi qu'il faut conclure, m'a invité à extraire de cinquante années de pratique une leçon tirée de mes rencontres avec cet objet étrange que l'on appelle « psychiatrie ».

En arrivant à l'âge du sens, je me retourne sur le chemin parcouru et je me fais un récit de ce qui est resté dans ma mémoire. Peu de choses ont surnagé dans cet océan d'informations. La plupart des événements ont été oubliés même quand, sur le moment, j'ai cru qu'ils étaient marquants. Les objets identifiés qui ont alimenté cette histoire ont principalement été mis en lumière par les confrontations avec les autres et leurs idées. Le monde intime des patients, leurs scénarios étranges ont été jugés par les livres que j'avais lus, par la référence aux anciens à qui j'ai fait confiance, par la pression des pairs, par le regard des familles, par les préjugés du village et, surtout, par l'écho que leurs souffrances faisaient résonner en moi. En donnant une forme verbale à leurs tourments, ils m'ont fait découvrir ma propre étrangeté.

Cette abusive clarté constitue mon identité narrative. Elle structure le récit que je fais de mon expérience, elle me raconte comment j'ai gouverné ma vie. Ce procédé de mémoire dont nous avons besoin m'amène à penser que tout choix théorique est un aveu autobiographique[1].

Je ne suis qu'un témoin qui, croyant raconter le réel, n'a fait que peindre les objets auxquels il a été sensible. L'histoire de ces cinquante années raconte comment j'ai traversé la naissance de la psychiatrie moderne, depuis la criminelle lobotomie, l'humiliante paille dans les hôpitaux, Lacan le précieux, la noble psychanalyse malgré ses dérives dogmatiques, l'utile pharmacologie devenue abusive quand elle a prétendu expliquer tout le psychisme, et l'apaisement que m'a apporté l'artisanat de la théorie de l'attachement, dont la résilience a été mon chapitre préféré, mon porte-parole.

Tout choix théorique révèle la manière dont nous pensons le monde intime. Celui qui fait de la parole un avatar de l'âme attend la formule verbale qui mène à la guérison. Il s'oppose à celui qui n'y croit pas et se représente l'esprit comme un rouage d'horloge. Celui qui est convaincu de l'immatérialité du monde mental s'indigne quand on lui propose une substance chimique pour résoudre un problème psychologique. Il a raison, bien sûr, puisqu'une substance ne peut que modifier l'humeur, l'apaiser, la stimuler ou l'engourdir, ce qui n'est pas si mal, mais elle n'a pas directement d'effet psychologique. J'ai milité pour qu'on donne de la morphine ou des antidépresseurs aux cancéreux, sachant parfaitement que ces substances ne les guériraient pas, mais soigneraient leur souffrance[2]. J'ai eu de vives discussions avec certains

1. Idée travaillée au séminaire de Vincent de Gauléjac, « Choix théorique et histoire de vie », Paris, université Paris-Diderot, février 2014.
2. Annequin D., *T'as pas de raison d'avoir mal*, *op. cit.*

médecins qui refusaient d'être des distributeurs de drogue. Mais je me souviens d'un de mes amis, tourmenté par une grave déchirure familiale, il ne pouvait plus dormir ni travailler tant il était soumis à sa souffrance. Malheureux, épuisé, il m'a demandé des médicaments pour atténuer sa torture en me disant qu'il s'occuperait lui-même de son problème psychologique : « Je ne vois pas pourquoi un étranger connaîtrait mieux que moi la solution de mes difficultés intimes. » Une telle représentation de son âme le plaçait aux antipodes de la psychanalyse et l'opposait à ceux qui sont soulagés à la simple idée d'aller voir quelqu'un « supposé savoir », comme disait Lacan.

« Dans la tentative de donner du sens à son existence, cette confrontation [entre le cœur et la raison] sert à faire la part des choses entre son "théâtre intérieur et l'influence des facteurs externes[3]". » Une théorie doit faire sens pour ceux qui la reçoivent. Celui qui considère qu'on peut couper un morceau de cerveau pour soulager son patient répond à l'idée mécanique qu'il se fait de l'âme. En détruisant la fonction anticipatoire du lobe préfrontal, il supprime, en effet, la peur de ce qui va venir : l'angoisse de vivre et de mourir. Un tel mécanicien de l'âme n'envisage même pas l'effet tranquillisant du soutien affectif et de la créativité verbale. Celui qui pense que le cerveau trempe dans une soupe de neuromédiateurs trouve logique de donner des médicaments. Et ceux qui attribuent aux psychothérapeutes le pouvoir de posséder l'âme de leurs patients, effrayés par toute relation verbale, se protègent en se taisant.

3. Gauléjac de V., *L'Histoire en héritage. Roman familial et trajectoire sociale*, Paris, Desclée de Brouwer, 1999, p. 56.

Ceux qui ont peur de la chimie s'opposent à ceux qui craignent la verbalité, et chacun bâtit une théorie qui donne une forme cohérente à l'impression que lui fait le monde. Le réel est composé de mille forces différentes, parfois même opposées. Seule la représentation du réel peut être cohérente puisqu'elle est réduite, simplifiée, comme un schéma plus facile à comprendre. C'est ce que font les scientifiques quand ils étudient le métabolisme de la sérotonine dans le liquide céphalo-rachidien des suicidés. Ils disent la vérité quand ils dosent l'effondrement de ce neuromédiateur, mais, en mettant en lumière cette substance, ils mettent à l'ombre les sociologues qui constatent que l'on ne passe à l'acte que lors de moments de solitude ou de fracture sociale[4], ce qui est vrai aussi. Un praticien pourra rassembler ces données opposées : l'isolement social qui pousse à l'acte suicidaire, en ne stimulant plus l'organisme, a provoqué un effondrement de la sérotonine qu'on peut doser dans le liquide céphalo-rachidien.

La fragmentation du savoir explique ces conflits théoriques. Le savoir morcelé est une facilité de pensée pour ceux qui veulent faire une carrière en faisant partie des meilleurs spécialistes qui accumulent les informations sur un tout petit sujet. Mais l'intégration de données éparses est préférable pour ceux qui veulent comprendre et soigner.

Tout récit, qu'il soit scientifique ou littéraire, est une falsification du réel. Peut-on faire autrement ? Ceux qui ont vécu la guerre sont surpris par ceux qui

4. Baudelot C., Establet R., « Lecture sociologique du suicide », *in* P. Courtet, *Suicides et tentatives de suicide*, *op. cit.*, p. 17.

en construisent une représentation. Ils ne se reconnaissent pas dans les romans, les films ou les essais, qui transforment en divertissement théâtral ou en abstraction philosophique la souffrance qu'ils ont vécue. Les témoins du réel de la guerre reprochent à ceux qui en font un récit « d'accentuer les traits effrayants, [de façon] à la présenter comme une tragédie hors du commun, à en exagérer les atrocités sous prétexte de la faire haïr[5] ». Quand un littéraire choisit certains faits pour les peindre, quand un scientifique met en lumière un segment de réel, ils éliminent tout ce qui pourrait nuancer la représentation. Ils en font un concentré sur les horreurs de la guerre ou sur un objet de science. Quand un écrivain parle des moments amicaux entre soldats qui vont s'entre-tuer, il provoque une confusion chez le lecteur. Quand l'auteur d'un essai décrit le fonctionnement d'un bourreau, il n'enquête pas sur sa vie familiale qui lui aurait fait dire que, chez lui, il était tendre et attentif. La méthode clarifie les données, mais ne tient pas compte d'autres sources du savoir qui pourraient les complexifier.

Le mot « psychiatrie » désigne un objet qui ne peut pas naître en dehors de son contexte culturel. Le mot « maladie » dans ce domaine est difficile à distinguer de la plainte ou d'un être humain en bonne santé. Les « idées concernant le fonctionnement du corps sont souvent liées à des conceptions culturelles [...] associées à la religion ou à des visions ethniques du monde. Les conceptions occidentales de la maladie appréhendent souvent le corps comme une machine qui dysfonctionne

5. Dulong R., *Le Témoin oculaire*, Paris, Éditions de l'EHESS, 1998, p. 76.

et qu'il faut réparer. Une telle représentation s'enracine dans l'image cartésienne de l'être humain [...] surtout depuis que la médecine cherche à devenir plus scientifique[6] ».

Mécanicien du corps, il en faut bien ! Mécanicien de l'âme, est-ce toujours pertinent ? Freud a été le champion des références mécaniques avec son modèle hydraulique de l'âme, son appareil psychique, ses mécanismes de défense, sa sublimation venue de la chimie, son clivage venu de la cristallographie, ses quanta d'énergie et bien d'autres métaphores économiques et industrielles. A-t-il puisé dans le triomphe capitaliste de son contexte social les idées qui ont charpenté sa théorie ? L'Orient a conçu des théories différentes pour donner une autre forme pensée à la maladie physique et aux souffrances mentales.

Quelle que soit la culture, tout ce qui sort du cadre social provoque un sentiment étrange et inquiétant que l'on appelle facilement « folie ». À l'époque où seul le clan faisait du social, quand les hommes bagarreurs (les gens d'armes) nous protégeaient contre les incursions des voisins qui venaient nous voler notre eau et nos vivres parce que leur récolte avait été mauvaise, il fallait être fou pour sortir du groupe. Un homme seul, un errant, donnait l'impression d'être dérangé, sorti du rang. Il risquait de mourir en ne se soumettant plus à la loi protectrice du groupe. Alors vous pensez bien qu'une femme errante paraissait encore plus folle, parce qu'en plus de mourir, elle prenait le risque d'être violée. Une

6. Fantini B., Lambrions L. (dir.), *Histoire de la pensée médicale contemporaine*, Paris, Seuil, 2014, p. 13.

fille-mère révélait sa folie en ayant des relations sexuelles en dehors du cadre social[7]. Un enfant mal formé sortait lui aussi du rang, son altération physique fournissait la preuve visible de son dérangement mental. Les parents malheureux étaient honteux d'avoir mis au monde un enfant qui ne serait pas capable de prendre sa place dans le groupe. À une époque où la technologie était si rudimentaire que seuls les muscles des hommes faisaient du social en dominant les animaux, en repoussant les bandits errants, en travaillant quinze heures par jour aux champs, dans les mines et dans les usines, ces enfants mal formés étaient méprisés par les normaux. Les autres enfants agressaient tellement les handicapés si peu utiles socialement que ces derniers devenaient en effet dérangés. Alors on expliquait leur trouble en disant que ça venait de leur corps mal formé par une punition divine.

La violence, dans ce contexte technique, avait une valeur adaptative. L'existence reposait sur l'usage de la force. La violence était nécessité vitale ; sans elle, on ne pouvait choisir qu'entre la soumission ou la mort[8]. Un homme non violent n'était pas sécurisant puisque, en cas d'agression, il ne savait pas se battre ou n'avait pas la force de travailler quinze heures par jour pour affronter la violence d'une société rudimentaire. On méprisait les hommes non violents, les femmes les appelaient « femmelettes » ou « hommelettes » puisqu'ils n'avaient pas la force ni le culot d'affronter la violence du contexte.

Aujourd'hui, grâce à la fabuleuse explosion des technologies et à l'amélioration des droits de l'homme,

7. Vigarello G., *Histoire du viol*, Paris, Seuil, 1998.
8. Chesnais J., *Histoire de la violence*, Paris, Robert Laffont, 1981, p. 130.

la violence n'est plus adaptative. Elle n'est que destruction, et les hommes violents sont considérés comme des malades mentaux dangereux. On cherche à découvrir les causes neurologiques, éducatives ou psychiatriques qui permettront de comprendre et de maîtriser ces hommes qui détruisent leur foyer et parfois la société.

Au début du XXe siècle, les progrès de la médecine ont légitimé son usage pour expliquer la folie. Inspirés par le modèle médical, on a parlé de pathologie mentale. Les études traitaient « des notions principales relatives aux troubles, aux affections, aux maladies que naguère on appelait l'Esprit [...], la pathologie mentale est étroitement subordonnée à la pathologie du cortex[9] ».

Aujourd'hui, cette phrase est un non-sens. Qui pourrait croire que l'angoisse de séparation, l'homosexualité ou le stress psychotraumatique sont des pathologies du cortex ? Les souffrances existentielles ont un retentissement cérébral, mais le tourment psychique ne peut plus être attribué à une maladie du cortex. Ce qui est absurde aujourd'hui était logique en 1900, quand la plupart des troubles étaient dus à des infections. La méningite syphilitique, les encéphalites tuberculeuses, les troubles moteurs de la chorée[10], les intoxications cérébrales par le plomb, l'alcool, l'oxyde de carbone, les maladies métaboliques par l'excès d'urée qui définissait la « folie urémique », l'insuffisance hépatique, les troubles

---

9. Ballet G. (dir.), *Traité de pathologie mentale*, Paris, Doin, 1903, p. 7.

10. Chorée : contractions musculaires désordonnées qui provoquent des mouvements de pantin ou de « danseuse javanaise ». Très fréquents au début du XXe siècle, à cause des traumas crâniens des guerres, des accidents de travail, des bagarres et des infections. Au début du XXIe siècle, les chorées sont parfois traumatiques, le plus souvent génétiques.

mentaux liés à des défaillances thyroïdiennes, les altérations du cortex provoquées par les traumatismes crâniens et les épilepsies, toutes ces authentiques maladies du cerveau constituaient l'essentiel de la clinique psychiatrique.

Les progrès de la médecine ont démédicalisé la psychiatrie. J'ai eu l'occasion de voir un des derniers malades atteints de syphilis méningée. Le diagnostic était facile grâce à la clarté des symptômes neurologiques, les anomalies des réflexes et des contractions pupillaires, la difficulté d'élocution et les tremblements dont l'étiologie était confirmée par la sérologie qui témoignait de la présence dans le sang du tréponème de la syphilis. Cette méningite chronique provoquait des troubles psychiques de type frontal, avec ses variations d'humeur alternant l'euphorie, puis soudain la colère, ses déficits de la mémoire et de l'anticipation, ses jugements incohérents et sa délirante fierté sexuelle (« J'ai des testicules en or », « j'ai fait l'amour cette nuit, 3 743 fois »...). Les méninges enflammées par l'infection chronique altéraient certaines parties cérébrales, expliquant ainsi la pathologie entremêlée de signes neurologiques, de troubles comportementaux et de convictions délirantes. La pénicilline a fait disparaître cette maladie et ses manifestations psychiatriques. La méningite tuberculeuse qui provoquait d'autres symptômes neurologiques et psychiatriques a, elle aussi, pratiquement disparu grâce aux médicaments antituberculeux[11].

Jusqu'aux années 1970, il n'était pas rare qu'un épileptique convulse à l'école ou au travail, prenant ainsi un statut inquiétant dans le regard des autres. Le malade

11. Derouesné C., *Pratique neurologique*, Paris, Flammarion, 1983, p. 560-567.

rejeté, méprisé et parfois agressé, souffrait psychologiquement. On expliquait alors sa honte, son abattement ou sa dépression par la maladie organique et non par le rejet social. Les progrès médicamenteux protègent aujourd'hui ces personnes qui convulsent rarement en public et dépriment beaucoup moins.

De nombreux médecins considéraient que la maladie de Parkinson était une forme d'hystérie puisque les tremblements variaient selon les heures de la journée, les relations et les émotions. Les neurosciences ont clairement démontré qu'il s'agit d'une diminution de la concentration d'un neuromédiateur, la dopamine, dans les noyaux des neurones de la base du cerveau qui commandent aux muscles. La stimulation électrique de ces neurones, quand elle est possible, donne aujourd'hui des améliorations inespérées.

Le triomphe légitime du modèle médical a entraîné, comme d'habitude, des raisonnements abusifs : puisque la médecine explique la folie des méningites et des traumas crâniens, et puisque les antibiotiques font disparaître ces délires, il est logique de penser que tout trouble psychique doit avoir son explication médicale et son médicament. Dans cette logique excessive, on a pu décrire le délire colibacillaire[12], et affirmer que « la combinaison des méthodes cliniques, bactériologiques, expérimentales, psychologiques et thérapeutiques en psychiatrie [...] avait pour la première fois donné une description complète des psychoses colibacillaires[13] ».

---

12. Guiraud P., « Psychoses colibacillaires aiguës », *Ann. méd. psy.*, XV, I, 1939, p. 774-784.
13. Baruk H., *Psychoses et névroses*, Paris, PUF, « Que sais-je ? », 1946, p. 92-93.

La médecine a tellement amélioré nos conditions d'existence qu'on a cru que les progrès seraient linéaires et que la biologie, un jour, pourrait tout expliquer. En quelques décennies, en effet, les antibiotiques ont guéri des épidémies mortelles, les vaccins ont fait disparaître la variole et la polio, et les hormones ont soigné de mieux en mieux les maladies des glandes. Le blocage de l'ovulation par une hormone féminine a joué un rôle immense dans la libération des femmes. La maîtrise de la fécondité leur a donné la possibilité de s'épanouir et d'exiger la liberté de tenter une aventure sociale.

Toutes ces théories contiennent une part de vérité : les traumas crâniens et les méningites modifient la perception du monde et provoquent des délires. Les hormones ont un effet psychique : ceux qu'on appelait aimablement les « crétins des Alpes » étaient patauds, niais et débiles parce que le manque d'iode dans l'eau de leur beau pays diminuait leurs sécrétions thyroïdiennes, ce qui ralentissait la synthèse de certains neuromédiateurs et altérait leurs performances intellectuelles. Dans un tel contexte de la connaissance, comment voulez-vous ne pas être tenté d'expliquer le psychisme par l'action des hormones[14] ?

La généralisation est abusive. Aucun de ces faits partiellement vrais ne peut donner une représentation cohérente d'un monde mental. Et pourtant, chaque découverte alimente un récit culturel qui structure nos représentations et gouverne nos décisions. Le simple

14. Baruk H., Lebonnélie M., Levret F., « Les psychoses hyperfolliculiniques en clinique humaine et dans l'expérimentation animale », *Ann. méd. psy.*, XV, I, 1939,p. 446-459.

fait de constater un phénomène s'intègre dans les représentations collectives. C'est l'harmonisation des récits individuels et collectifs qui attribue une signification à l'événement observé.

Quand l'empereur Constantin a développé le christianisme après sa victoire contre les barbares en 313, il a rendu impossible la notion de folie individuelle. Toute déraison, toute souffrance psychique devenait la preuve d'une punition divine[15]. Ce n'est qu'au XXe siècle que la psychiatrie a trouvé sa dimension sociale. Le mot « malade » ne peut plus s'appliquer à celui qui souffre parce que son milieu le harcèle, parce qu'il a été chassé de son pays en guerre, ou parce que sa précarité sociale le traumatise dix fois par jour. La méningite ne peut plus être seule à l'origine de la souffrance psychique, ce qui ne veut pas dire que le cerveau n'y participe pas. Ce n'est pas par hasard que la Ligue d'hygiène mentale a été fondée après la guerre, en 1947, par le docteur Édouard Toulouse. Les souffrances d'origine sociale étaient si importantes que l'hôpital a changé de signification. Ce n'était plus un bâtiment où l'on enfermait les fous ; au contraire, il devenait un lieu de réadaptation sociale après un moment de déraillement psychique. Encore fallait-il que l'administration et les décideurs politiques s'en rendent compte et acceptent cette évolution, ce qui ne fut fait qu'en 1972 grâce à la politique de secteur qui s'appliquait à soigner les patients en ville ou dans leur famille.

Ce changement de signification de la psychiatrie me parlait, parlait de moi en quelque sorte : « Des

15. Porter R., *Madness. A Brief History*, Oxford University Press, 2002, p. 16-17.

psychiatres qui avaient connu les camps de concentration ont pris conscience que la vie de leurs patients était proche de ce qu'ils avaient connu[16]. » Une partie importante de mon monde intime s'est construite, dans l'après-guerre, autour de la représentation des camps d'extermination où l'on enfermait des gens pour les faire mourir. Il n'était pas nécessaire d'avoir commis un crime pour être condamné à mort, il suffisait de ne pas avoir la même langue ou de ne pas penser comme le plus grand nombre, comme un errant des temps modernes en quelque sorte. Quand une personne exprimait une croyance un peu différente de celle des réciteurs de doxas, il paraissait logique de l'emmurer jusqu'à ce que mort s'ensuive. Une grande partie de ma famille a disparu dans ces lieux où l'on tuait afin d'uniformiser la pensée de ceux qui avaient le pouvoir. Je me suis donc très tôt identifié à ceux qu'on excluait, qu'on entravait ou qu'on enfermait afin que l'ordre règne. Je m'imaginais ouvrant les camps, effondrant les murs et rendant leur liberté à tous les prisonniers. Je croyais que c'était le rôle des psychiatres que je confondais avec Psycho-Zorro. C'est ainsi qu'est née ma vocation précoce. Pour moi, les véritables aliénés étaient les nazis, dont je rapprochais ceux qui avaient le pouvoir d'enfermer. Cette pensée, simple comme un mécanisme de défense, explique peut-être pourquoi, depuis le lycée, j'ai toujours été réticent aux théories qui mènent au pouvoir, qu'elles soient politiques, culturelles ou scientifiques. Je suis angoissé par ceux qui se soumettent à leurs certitudes, je les crois capables de tout, du pire évidemment, comme pour

---

16. Zarifian E., *Des paradis plein la tête*, Paris, Odile Jacob, 1994.

les camps d'extermination, les lobotomies ou l'exclusion sociale. Les réciteurs m'inquiètent, mais j'aime les douteurs qui mettent des questions à la place des conclusions. L'évolution des idées est une preuve de vitalité, le fixisme témoigne de leur pétrification. C'est pourquoi les histoires de vie ne sont pas étrangères aux choix théoriques : « La spécificité des sciences de l'homme par rapport aux sciences de la matière réside dans le fait que le chercheur est dans son objet [...]. Il devient donc un "autobiographe malgré lui[17]". » Son chemin de vie est balisé, il côtoie le patron qui distribue les postes, il connaît les noms des membres du comité scientifique d'une revue, sachant ainsi les mots qu'il faudra dire pour que son article soit accepté, il sent d'où vient le vent, ce qui l'aide à naviguer.

Mon objet de science, c'est la psychiatrie de terrain, plus proche du savoir des paysans que de celui des érudits. Il est plus flou aussi, mais j'accepte l'incertitude qui invite à évoluer. Dans les groupes de réflexion et de recherche auxquels je participe, j'aime les désaccords qui stimulent l'argumentation, provoquent des lectures et poussent à rencontrer d'autres auteurs, d'autres idées. Chacun s'engage dans ces débats amicaux avec sa personnalité et les significations qu'il a acquises au cours de son histoire. Viennent dans ces groupes de nombreux universitaires, chercheurs et praticiens qui se rencontrent pour le plaisir de comprendre et de tisser des liens amicaux. Ce genre de recherche artisanale constitue un mode d'enseignement de grande valeur.

17. Gauléjac V. de, Hanique F., Roche P., *La Sociologie clinique*, Toulouse, Érès, 2012, p. 29-30.

Beaucoup d'idées nouvelles sont nées dans les bouillonnements intellectuels en dehors de l'autoroute des publications de carrière. Freud en est un exemple typique, avec ses réunions du mercredi soir dans son cabinet à Vienne. Ces innovateurs ont structuré la psychanalyse qui a marqué la culture occidentale et aidé tant de gens. Des écoles littéraires se sont lancées de la même manière, comme les surréalistes dynamisés par Paul Breton ou les hussards de Roger Nimier. Les peintres ont connu cette contrainte à l'innovation, comme le groupe des impressionnistes ou les copains du Bateau-Lavoir à Montmartre où ils ont inventé un nouveau style. Je pense que les scientifiques n'échappent pas à ces histoires de vie qui créent de nouvelles théories en se fondant sur leurs relations amicales, en organisant des lieux de pensée, créant ainsi des aventures intellectuelles.

Cinquante ans d'aventure psychiatrique m'ont donné des moments de bonheur, quelques épreuves difficiles, le sentiment d'avoir été utile et le bilan de quelques méprises. Mon goût pour cette spécialité est un aveu autobiographique. À cause de la guerre, j'ai été atteint très jeune par la rage de comprendre. Ma rencontre avec la psychiatrie a été effrayante : le trousseau de clés pour l'enfermement, la paille dans les hôpitaux, la lobotomie, les camisoles physiques et psychiques, je ne cessais de penser à l'enfermement des camps. J'ai eu un mouvement de recul qui m'a orienté vers la neurologie qui, elle aussi, à cette époque vivait au Moyen Âge. J'ai connu les salles de soixante lits, en quatre rangées de quinze, où les râles des mourants emplissaient la nuit, où le pus des abcès cérébraux coulait dans des soucoupes déposées par terre, le long de tuyaux plantés dans leurs cerveaux. Le bruit des appareils de réanimation empêchait de dormir, mais quand on arrêtait la machine, on comprenait soudain ce que veut dire « silence de mort ». Dans ce cauchemar, pourtant, je garde un agréable souvenir de la chaleur de jeunes neurochirurgiens. Leur bonheur de soigner était contagieux, j'en ai profité. Un grand nombre d'entre eux ont fait une belle carrière, parce qu'ils étaient motivés, compétents et aussi, parce que la nouvelle politique de la santé après Mai 68 a fortement augmenté le nombre de postes. Sans cette décision administrative, la neurochirurgie serait-elle devenue une des plus belles spécialités médicales ?

Le développement stupéfiant des neurosciences pose des problèmes cliniques et philosophiques insoupçonnables. On photographie comment le milieu sculpte le cerveau et comment certaines modifications neuronales changent la manière de parler et de penser le monde.

Mai 68 a donné naissance à la psychiatrie qui, elle aussi, a connu ses trente glorieuses : l'ouverture des hôpitaux, l'apparition des médicaments, l'essor de la psychanalyse et la découverte de l'importance des causes sociales pour expliquer, soulager et parfois guérir les souffrances psychiques. Trente années de progrès, de découvertes, de rencontres, de lectures, de voyages, d'amitié et de conflits inévitables : quelle belle aventure !

Comment expliquer que l'on arrive aujourd'hui au temps des méprises[18] ? Jamais la psychiatrie n'a aussi bien soigné. La schizophrénie est de mieux en mieux

18. Ksensee A., « Cinquante ans de clinique psychiatrique. II : Trois méprises et leur avenir », *Psychiatrie française*, vol. XXXX, 2, décembre 2009, p. 111-123.

entourée. La moitié de ces patients finit par vivre en dehors de tout assujettissement psychiatrique. Un quart d'entre eux jouent les « portes tournantes » en ne cessant d'entrer et de sortir des hôpitaux. Mais un dernier quart connaît encore une évolution tragique. Ça reste une maladie grave qui aliène le patient et torture la famille, mais c'est la convergence des savoirs qui a amélioré le pronostic. Celui qui souffre de schizophrénie a sur lui une connaissance que n'ont pas les scientifiques[19]. Il faut leur donner la parole pour qu'ils nous expliquent que les neuroleptiques gomment l'agitation et l'expression des délires, sans supprimer le trouble qui reste sous-jacent. Il est donc abusif d'appeler ces médicaments « psychotropes », même s'ils soulagent le malade et apaisent sa famille.

L'objet « psychiatrie » désigne à la fois la souffrance des patients et les récits de ceux qui possèdent le pouvoir : les médecins et les scientifiques, mais aussi les industriels, les religieux, les écrivains et les lanceurs de rumeurs folles. Il y a mille manières de décrire un monde intime. La clinique psychiatrique nous fait croire que l'on pouvait décrire un tel monde objectivement, comme s'il s'agissait d'une pneumonie où un symptôme, exposé à l'extérieur, désigne une lésion invisible, enfouie au fond de la poitrine. Les mathématiques participent à ce discours en établissant des catégories statistiques. Le *DSM*[20], surnommé la « bible des psychiatres », donne une forme verbale aux signes constatés que l'on tente de

19. Tonka P., *Dialogue avec moi-même*, présenté et commenté par P. Jeammet, Paris, Odile Jacob, 2013.
20. DSM : *Diagnostic and Statistical Manual of Mental Disorder* ; traduction française, *Manuel diagnostique et statistique des troubles mentaux*.

traiter statistiquement[21]. Ce discours est curieux car les psychiatres ne lisent jamais cette « bible ». Cette classification, en revanche, est utile aux compagnies d'assurances, aux épidémiologistes et à l'évaluation des médicaments. Ce que cette bible appelle « signes cliniques » ne décrit pas les signes d'une pneumonie ou d'une fracture de jambe. Les énoncés de symptômes regroupent souvent des affirmations qui racontent l'« ensemble des croyances d'une société[22] ». Ça ne veut pas dire qu'il n'y a pas de troubles ni de souffrances, mais ça veut dire que cette « bible » énonce ce que croient les gens quand ils parlent de ces « maladies psychiatriques ».

Les moments de bonheur de mon aventure intellectuelle ont tous été des moments pionniers. Quelle belle époque que celle de l'ouverture des hôpitaux où l'on a mélangé la science, la clinique, les conflits sociaux et la poésie ! Quelle méprise de croire que ça pouvait tout régler ! La découverte des « psychotropes » a donné un espoir fou qui a soulagé des patients, changé le regard sur la folie et alimenté l'idéologie des maladies mentales guérissables par la chimie.

Quand les milieux éthologiques m'ont invité à réfléchir avec eux, leurs travaux ont facilité la compréhension d'une pensée sans paroles chez les bébés, les aphasiques et les animaux. On ne peut plus considérer ces êtres vivants comme de simples machines. La psychanalyse, qui a marqué notre culture et soulagé tant de gens, a dominé la formation des jeunes psychiatres

21. Corcos M., *L'Homme selon le DSM. Le nouvel ordre psychiatrique*, Paris, Albin Michel, 2011.

22. Demazeux S., *Qu'est-ce que le DSM ? Genèse et transformation de la bible américaine de la psychiatrie*, Paris, Ithaque, 2013, p. 103.

et pris le pouvoir dans les hôpitaux, les universités et les revues. Elle ne peut plus constituer la seule voie royale vers l'inconscient.

Toutes ces méprises ne sont pas décevantes. Peut-être même est-ce le cheminement normal des idées ? L'objet scientifique est lui aussi un produit imaginaire. Une idée naît dans un esprit quand il n'est plus soumis à la routine, elle prend forme en affrontant d'autres idées, nées dans d'autres esprits. Elle se renforce en créant des groupes où se rencontrent ceux qui partagent la même vision du monde, jusqu'au moment où ces théories s'éliminent d'elles-mêmes parce qu'elles ne sont plus adaptées au réel qui n'a cessé d'évoluer.

Par bonheur, les jeunes psychiatres savent faire bouillonner les idées. Je les trouve moins dogmatiques que leurs aînés. On les voit se côtoyer dans des publications de biochimie, de psychanalyse et de sociologie pour comprendre et décrire un nouvel objet qu'ils appellent eux aussi « psychiatrie » comme leurs anciens, alors qu'il est plus varié que jamais.

Le débat n'est pas clos. Les récits que font ces jeunes sont différents, plus solides, plus simples, moins ambitieux, moins prétentieux que ceux de leurs aînés. On y sent, plus que jamais, le plaisir de comprendre et le bonheur de soigner les âmes blessées.

Que l'aventure continue et qu'on en parle ensemble dans cinquante ans !

TABLE

DU MÊME AUTEUR
CHEZ ODILE JACOB

Sauve-toi, la vie t'appelle, 2012.

Résilience. Connaissances de base (dir. avec Gérard Jorland), 2012.

Quand un enfant se donne « la mort ». Attachement et sociétés, 2011.

Famille et résilience (dir. avec Michel Delage), 2010.

Mourir de dire. La honte, 2010.

Je me souviens..., « Poches Odile Jacob », 2010.

Autobiographie d'un épouvantail, 2008.

École et résilience (dir. avec Jean-Pierre Pourtois), 2007.

Psychanalyse et résilience (dir. avec Philippe Duval), 2006.

De chair et d'âme, 2006.

Parler d'amour au bord du gouffre, 2004.

Le Murmure des fantômes, 2003.

Les Vilains Petits Canards, 2001.

Un merveilleux malheur, 1999.

L'Ensorcellement du monde, 1997.

Les Nourritures affectives, 1993.

Cet ouvrage a été imprimé
en septembre 2014 par

FIRMIN-DIDOT

27650 Mesnil-sur-l'Estrée

Composition et mise en pages
Nord Compo à Villeneuve-d'Ascq

N° d'impression : 123807
N° d'édition : 7381-3146-X
Dépôt légal : septembre 2014

Imprimé en France